D1240922

LE PARI DE LA DÉCROISSANCE

DU MÊME AUTEUR

L'Invention de l'économie, Albin Michel, 2005.

Survivre au développement, Mille et une nuits, 2004.

Décoloniser l'imaginaire : la pensée créative contre l'économie de l'absurde, Parangon, 2003.

Justice sans limites : le défi de l'éthique dans une économie mondialisée, Fayard, 2003.

La Déraison de la raison économique : du délire d'efficacité au principe de précaution, Albin Michel, 2001.

La Planète uniforme, Climats, 2000.

Critique de la raison économique : introduction à la théorie des sites symboliques (avec Fouad Nohra et Hassan Zaoual), L'Harmattan, 1999.

L'Autre Afrique : entre don et marché, Albin Michel, 1998.

Les Dangers du marché planétaire, Presses de Sciences Po, 1998.

L'Économie dévoilée : du budget familial aux contraintes planétaires (dir.), Autrement, 1995.

La Méga-machine : raison technoscientifique, raison économique et mythe du progrès, La Découverte, 1995; nouvelle édition actualisée, 2004.

La Planète des naufragés : essai sur l'après-développement, La Découverte, 1991.

L'Occidentalisation du monde, La Découverte, 1988; réédition actualisée, La Découverte poche, 2005.

Faut-il refuser le développement ? Essai sur l'anti-économique du tiers-monde, PUF, 1986.

Le Procès de la science sociale : introduction à une théorie critique de la connaissance, Anthropos, 1984.

Pratique économique et pratique symbolique, Anthropos, 1981.

Critique de l'impérialisme, Anthropos, 1980.

Le Projet marxiste, PUF, 1975.

Serge Latouche

Le pari
de la décroissance

Fayard

Sommaire

Introduction

Qu'est-ce que la décroissance?

«L'écologie est subversive car elle met en question l'imaginaire capitaliste qui domine la planète. Elle en récuse le motif central, selon lequel notre destin est d'augmenter sans cesse la production et la consommation. Elle montre l'impact catastrophique de la logique capitaliste sur l'environnement naturel et sur la vie des êtres humains.»

Cornelius Castoriadis [1]

Il semble bien que nous vivions la sixième extinction des espèces [2]. Celles-ci (végétales et animales) disparaissent, en effet, à la vitesse de cinquante à deux cents par jour [3], soit un rythme de 1 000 à 30 000 fois supérieur à celui des hécatombes des temps géologiques passés [4]. Comme l'écrit joliment Jean-Paul Besset : «De mémoire de glaces polaires,

---

1. Cornelius Castoriadis, «L'écologie contre les marchands», in *Une société à la dérive*, Seuil, Paris, 2005, p. 237.

2. Richard Leakey et Roger Levin, *La Sixième Extinction : évolution et catastrophes*, Flammarion, Paris, 1997.

3. Edward O. Wilson estime que nous sommes responsables chaque année de la disparition de 27 000 à 63 000 espèces. *The Diversity of Life*, Belknap Press, Harvard, 1992 (trad. fr. *La Diversité de la vie*, Odile Jacob, Paris, 1993).

4. François Ramade, *Le Grand Massacre. L'avenir des espèces vivantes*, Hachette Littératures, Paris, 1999.

une telle cadence n'a pas d'équivalent[1].» La cinquième extinction, qui s'est produite au Crétacé, il y a 65 millions d'années, avait vu la fin des dinosaures et autres grosses bêtes, probablement à la suite du choc d'un astéroïde, mais elle s'était étalée sur une période beaucoup plus longue. À la différence des précédentes, l'homme est directement responsable de la «déplétion» actuelle du vivant et pourrait bien en être la victime... Si l'on en croit le rapport du professeur Belpomme sur les cancers et les analyses du professeur Narbonne, toxicologue renommé, la fin de l'humanité devrait même arriver plus rapidement que prévu, vers 2060, par stérilité généralisée du sperme masculin sous l'effet des pesticides et autres POP ou CMR (pour les toxicologues, les POP sont les polluants organiques persistants, dont les CMR – cancérigènes, mutagènes, reprotoxiques – constituent l'espèce la plus sympathique)[2].

Après quelques décennies de gaspillage frénétique, nous sommes entrés dans la zone des tempêtes, au sens propre et figuré... L'accélération des catastrophes naturelles – sécheresses, inondations, cyclones – est déjà à l'œuvre. Le dérèglement climatique s'accompagne de guerres du pétrole, qui seront suivies de guerres de l'eau[3], mais aussi de possibles pandémies, sans parler des catastrophes biogénétiques prévisibles. Nous savons tous désormais que nous allons droit dans le mur. Reste à déterminer à quelle vitesse nous nous y précipitons et quand se produira le grand clash. Selon Peter

---

1. Jean-Paul Besset, *Comment ne plus être progressiste... sans devenir réactionnaire*, Fayard, Paris, 2005, p. 83.
2. 5 % des infections respiratoires aiguës, 85 % des maladies diarrhéiques, 22 % des cancers sont attribuables, selon le professeur Belpomme, à des facteurs environnementaux. *Ces maladies créées par l'homme*, Albin Michel, Paris, 2004.
3. Vandana Shiva, *La Guerre de l'eau*, Parangon, Paris, 2003. L'UNESCO estime qu'entre 2 (hypothèse basse) et 7 (hypothèse haute) milliards de personnes souffriront de manque d'eau en 2050. Le rapport Camdessus, élaboré par l'ancien directeur du FMI et un groupe d'experts à la demande du Conseil mondial de l'eau, avance le chiffre de 4 milliards.

Barrett, directeur du Centre de recherche pour l'Antarctique à l'université de Victoria, en Nouvelle-Zélande, «la poursuite de la dynamique de croissance actuelle nous met face à la perspective d'une disparition de la civilisation telle que nous la connaissons, non pas dans des millions d'années, ni même dans des millénaires, mais d'ici à la fin de ce siècle [1]». Quand nos enfants auront 60 ans, si le monde existe encore, il sera bien différent...

Nous savons aussi que la cause de tout cela est notre mode de vie fondé sur une croissance économique illimitée. Et pourtant, le terme «décroissance» sonne comme un défi ou une provocation. La prégnance dans notre imaginaire de la religion de la croissance et de l'économie est telle que parler de décroissance nécessaire est littéralement blasphématoire, et celui qui s'y risque est au minimum traité d'iconoclaste. Pourquoi? Tout simplement parce que nous vivons en pleine schizophrénie. Nous avons entendu le président Chirac déclarer à Johannesburg : «La maison brûle et pendant ce temps nous regardons ailleurs...» Il a ajouté que notre mode de vie était insoutenable et que nous, les Européens, consommions l'équivalent de trois planètes, ce qui est rigoureusement exact. Mais au moment même de son discours, nos représentants à Bruxelles, suivant ses instructions, faisaient en sorte que le Gaucho et le Paraquat, ces pesticides terrifiants qui tuent les abeilles, cancérisent les hommes et les rendent stériles, ne soient pas inscrits sur la liste des produits prohibés. Parallèlement, avec ses collègues Blair et Schröder, Chirac s'employait à vider de toute substance la directive REACH (Registration, Evaluation and Authorisation of Chemicals) [2].

---

1. Australian Associated Press, 18 novembre 2004.
2. Au départ il s'agissait de répertorier, évaluer et autoriser les 100 000 molécules chimiques de base utilisées dans l'industrie. On sait qu'au final cette mesure de précaution élémentaire s'est rétrécie comme une peau de chagrin. Réduit d'abord à 30 000, le nombre de substances concernées ne serait plus que de 12 000 environ, avec de possibles dérogations.

La liste des catastrophes écologiques présentes et annon-
cées n'est plus à faire. Nous la connaissons très bien, mais
nous ne le *réalisons* pas. Le clash est inimaginable tant qu'il
ne s'est pas produit. Nous savons aussi très bien ce qu'il faudrait faire, à savoir changer d'orientation, mais nous ne faisons pratiquement rien. « Nous regardons ailleurs… » pendant
que la maison achève de brûler. Il faut dire à notre décharge
que les « responsables », tant politiques qu'économiques, nous
y invitent – Chirac ou le Medef, et bien sûr le World Business
Council for Sustainable Development (WBCSD), ce regroupement d'industriels soucieux de préserver leurs profits et la
planète, mais où l'on trouve les principaux pollueurs et qu'un
ancien ministre de l'Environnement n'hésite pas à désigner
comme « un club de criminels en col blanc [1] ». Et, pendant
ce temps, ces pompiers-pyromanes mettent encore de l'huile
(les ultimes bidons de pétrole) sur le feu en criant très fort
que c'est la seule façon de l'éteindre. Donc nous continuons
à faire toujours plus de la même chose. Dans un livre prémo-
nitoire peu connu, le sociologue québécois Jacques Godbout
posait dès 1987 la question : « La croissance est-elle la seule
issue à la crise de la croissance [2] ? »

Affirmatif ! répond le PDG de notre village global, le chef
pompier-pyromane, George W. Bush. Il déclarait en effet le
14 février 2002, à Silver Spring, devant l'administration américaine de la météorologie, que, « parce qu'elle est la clef du
progrès environnemental, parce qu'elle fournit les ressources
permettant d'investir dans les technologies propres, la croissance est la solution, non le problème [3] ». En appelant de façon
incantatoire : « Croissance ! croissance ! croissance ! » lors de
ses vœux pour l'année 2006, notre président n'est pas en reste.
Il est vrai que cette position est conforme à la plus stricte
orthodoxie économique. « Il est évident, selon l'économiste

---

1. Yves Cochet et Agnès Sinaï, *Sauver la Terre*, Fayard, Paris, 2003, p. 132.
2. Jacques Godbout, *La Démocratie des usagers*, Boréal, Montréal, 1987.
3. *Le Monde*, 16 février 2002.

Wilfred Beckerman, que, bien que la croissance économique conduise habituellement à des détériorations environnementales dans les premiers temps, au final, la meilleure – et probablement la seule – façon pour la plupart des pays d'avoir un environnement décent est de s'enrichir[1]. »

Cette position «procroissance» est largement partagée dans le fond. L'annonce dans les journaux de la reprise américaine ou chinoise est toujours triomphaliste. Et les plans de relance (franco-allemand, italien ou européen) reposent invariablement sur les grands travaux (infrastructures de transport), qui ne peuvent que détériorer un peu plus la situation, en particulier climatique. En face, on est frappé par le silence de la gauche, des socialistes, des communistes, des Verts, de l'extrême gauche... y compris des «altermondialistes». Ceux-ci considèrent, en outre, que la croissance, en créant des emplois et en favorisant une répartition plus équitable, est aussi la solution au problème social. Jean Gadrey résume bien la position. «S'il est vrai, écrit-il, que la croissance ne règle pas tout, elle apparaît à beaucoup, et à juste titre, comme capable de dégager des marges de manœuvre et d'améliorer certaines dimensions de la vie quotidienne, de l'emploi, etc. [...], en esquivant la question de son contenu qualitatif (qu'est-ce qui s'est amélioré?) ou de sa répartition (le "partage de la valeur ajoutée"), sans parler de certains problèmes de mesure pourtant redoutables et qui fragiliseraient la "religion" du taux de croissance s'ils venaient à être connus[2]. » Seules quelques petites voix discordantes (Jean-Marie Harribey, Alain Lipietz et les responsables d'Attac) proposent une «décélération de la croissance». Proposition partant d'un bon sentiment, mais malheureuse, car elle nous prive à la fois des bienfaits relatifs de la croissance et des avantages de la

1. Wilfred Beckerman, «Economic growth and the environment : whose environment?», *World Development*, vol. 20, n° 4, 1992, p. 482.
2. Jean Gadrey et Florence Jany-Catrice, *Les Nouveaux Indicateurs de richesse*, La Découverte, Paris, 2005, p. 7.

décroissance... Michel Serres compare l'écologie réformiste
«à la figure du vaisseau courant à vingt-cinq nœuds vers une
barre rocheuse où immanquablement il se fracassera et sur la
passerelle duquel l'officier de quart recommande de réduire
la vitesse d'un dixième sans changer de direction [1]». C'est
très exactement ce en quoi consiste la décélération.

En 2004, le chroniqueur écologique de *Politis*, après avoir
vitupéré contre l'opposition politique défaillante, a été poussé
à la démission. Le débat qui s'en est suivi est révélateur du
malaise de la gauche. La vraie raison du conflit, écrit un lecteur de la revue, est sans doute d'«oser aller à l'encontre
d'une sorte de pensée unique, commune à presque toute la
classe politique française, qui affirme que notre bonheur doit
impérativement passer par plus de croissance, plus de productivité, plus de pouvoir d'achat et donc plus de consommation». Comme le remarque Hervé Kempf, qui rend compte de
l'incident : «Cette gauche peut-elle accepter de proclamer la
nécessité de réduire la consommation matérielle, un impératif
qui reste au cœur de l'approche écologique [2]?»

Il faut reconnaître que, depuis peu, le thème de la décroissance est devenu un objet de débat chez les Verts [3], bien sûr,
au sein de la Confédération paysanne [4] (ce qui n'est pas très
étonnant), du mouvement dit altermondialiste [5], mais aussi
d'un public plus vaste. Le lancement par l'association Casseurs de pub du journal *La Décroissance* y a aussi contribué
pour une bonne part [6]. Beaucoup se sont déterminés pour ou
contre, sans s'informer plus avant et en déformant à l'occa-

1. Michel Serres, *Le Contrat naturel*, Flammarion, Paris, 1992, p. 56.
2. *Le Monde*, 19 juin 2003.
3. Après la publication par le *Diplo*, en novembre 2003, de mon article «Pour une société de décroissance». Voir «La décroissance pourquoi?», *Vert contact*, n° 709, avril 2004.
4. «Objectif décroissance : la croissance en question», *Campagnes soli- daires* (mensuel de la Confédération paysanne), n° 182, février 2004.
5. Voir *Politis*, 11 décembre 2003, dossier sur la décroissance.
6. *La Décroissance. Le journal de la joie de vivre* (Casseurs de pub, 11, place Croix-Pâquet, 69001 Lyon).

sion les rares analyses disponibles. Ayant été assez souvent mis en cause en tant que «théoricien de la décroissance» (y compris dans le *Diplo*[1]), il m'appartient de remettre les pendules à l'heure, comme on dit, en dissipant un certain nombre de malentendus et en mettant les points sur les «i». Il s'agit de montrer que, si un changement radical est une nécessité absolue, le choix volontaire d'une société de décroissance est un pari qui vaut la peine d'être tenté pour éviter un recul brutal et dramatique. Tel est l'objet du présent ouvrage.

Ce terme de «décroissance» est donc d'un usage très récent dans le débat économique, politique et social, même si les idées sur lesquelles il s'appuie ont une histoire assez ancienne. Le projet d'une société autonome et économe que recouvre ce slogan, en effet, n'est pas né d'hier. Sans remonter à certaines utopies du premier socialisme, ni à la tradition anarchiste rénovée par le situationnisme, il a été formulé en des termes proches des nôtres dès la fin des années 60 par Ivan Illich, André Gorz, François Partant et Cornelius Castoriadis. L'échec du développement au Sud et la perte des repères au Nord ont amené plusieurs penseurs à remettre en question la société de consommation et ses bases imaginaires, le progrès, la science et la technique. La prise de conscience de la crise de l'environnement à laquelle on assiste dans le même temps apporte une dimension nouvelle. L'idée de décroissance a ainsi une double filiation. Elle s'est formée d'une part dans la prise de conscience de la crise écologique et d'autre part dans le fil de la critique de la technique et du développement[2].

Toutefois, jusqu'à ces dernières années, le mot même de «décroissance» ne figurait dans aucun dictionnaire économique et social, tandis que l'on trouve quelques entrées sur ses corrélats «croissance zéro», «développement durable»

---

1. Voir Jean-Marie Harribey, «Développement ne rime pas forcément avec croissance», *Le Monde diplomatique*, juillet 2004.
2. Voir l'encadré p. 26-36.

et bien sûr « état stationnaire [1] ». Pourtant, il possède déjà une histoire relativement complexe et une incontestable portée analytique et politique en économie. Encore faut-il s'entendre sur sa signification. Les commentateurs et critiques plus ou moins malveillants font état de l'ancienneté du « concept » pour liquider plus facilement la dimension subversive des propositions avancées par les actuels « objecteurs de croissance [2] ». Ainsi, pour François Vatin, il y aurait déjà chez Adam Smith une théorie de la décroissance... Il renvoie au livre premier, chapitres VIII et IX, de *La Richesse des nations*, où Smith évoque un cycle de vie des sociétés « qui les fait passer de la croissance accélérée (cas des colonies d'Amérique du Nord) à la décroissance (cas du Bengale) en passant par l'état stationnaire (cas de la Chine) [3] ». C'est confondre régression et décroissance. Il ne s'agit en effet pour nous ni de l'état stationnaire des vieux classiques, ni d'une forme de régression, de récession ou de « croissance négative », ni même de la croissance zéro – encore qu'une partie de la problématique s'y retrouve.

À la suite des publicitaires, les médias appellent « concept » tout projet qui est à la base du lancement d'un nouveau gadget, y compris culturel. Il n'est pas étonnant, dans ces conditions, qu'ils m'aient posé la question du contenu de ce « nouveau concept » de décroissance. Au risque de les décevoir, précisons tout de suite que la décroissance n'est pas un concept, au sens traditionnel du terme en tout cas, et qu'il n'y a pas à proprement parler de « théorie de la décroissance » comme les économistes ont pu faire des théories de la croissance, et encore moins de modèles clefs en main. Il ne s'agit pas du « symétrique » de la croissance. C'est un slogan politique à

---

1. Voir par exemple Alain Beitone *et al.*, *Lexique de sociologie*, Dalloz, Paris, 2005.

2. Je désigne ainsi les membres du ROCAD (Réseau des objecteurs de croissance pour un après-développement), www.apres-developpement.org.

3. François Vatin, *Trois Essais sur la genèse de la pensée sociologique : politique, épistémologie, cosmologie*, La Découverte, Paris, 2005, p. 101.

implications théoriques, un «mot-obus», dit Paul Ariès, qui vise à casser la langue de bois des drogués du productivisme. Le mot d'ordre de décroissance a ainsi surtout pour objet de marquer fortement l'abandon de l'objectif de la croissance pour la croissance, objectif dont le moteur n'est autre que la recherche du profit par les détenteurs du capital et dont les conséquences sont désastreuses pour l'environnement. En toute rigueur, il conviendrait de parler d'«a-croissance», comme on parle d'«a-théisme», plutôt que de «dé-croissance». C'est d'ailleurs très précisément de l'abandon d'une foi ou d'une religion qu'il s'agit : celle de l'économie, de la croissance, du progrès et du développement.

La décroissance est simplement une bannière derrière laquelle se regroupent ceux qui ont procédé à une critique radicale du développement[1] et qui veulent dessiner les contours d'un projet alternatif pour une politique de l'après-développement[2]. C'est donc une proposition nécessaire pour rouvrir l'espace de l'inventivité et de la créativité de l'imaginaire, bloqué par le *totalitarisme* économiciste, développementiste et progressiste.

Les limites de la croissance sont définies à la fois par le volume des stocks disponibles de ressources naturelles non renouvelables et par la vitesse de régénération de la biosphère pour les ressources renouvelables. Pendant très longtemps, dans la plupart des sociétés, ces ressources sont restées fondamentalement des biens communs (des *commons*). Ces biens, ou au moins la majorité d'entre eux, n'appartenaient à personne en propre. Chacun pouvait en jouir dans les limites des règles d'usage de la communauté. Il en était ainsi pour les ressources renouvelables : l'air, l'eau, la faune et la flore sauvages, les poissons des océans et des rivières, et, avec

---

1. Voir notre article «En finir une fois pour toutes avec le développement», *Le Monde diplomatique*, mai 2001.

2. Voir Christian Comeliau (dir.), *Brouillons pour l'avenir : contributions au débat sur les alternatives*, IUED/PUF, Genève/Paris, 2003.

certaines restrictions, les pâtures, le bois mort ou les coupes d'arbres. Les ressources non renouvelables, les minéraux du sol (dont l'huile de pierre, le pétrole), pour être soumises à un régime plus réglementé, étaient placées sous le contrôle du prince ou de l'État pour qu'en soit ponctionnée la rente de rareté. Le plus souvent, l'absence de marchandisation systématique des biens «naturels» et les «coutumes» limitaient les prélèvements à un niveau ne compromettant pas la reproduction. La rapacité de l'économie moderne et la disparition des contraintes communautaires, ce qu'Orwell appelle la «décence commune», ont transformé les prélèvements en prédation systématique [1].

L'exemple des baleines est, de ce point de vue, très révélateur de la difficulté que représente la sauvegarde de l'environnement. L'invention du canon-harpon explosif en 1870 par Sven Foyn permet l'industrialisation de la chasse à la baleine. Les bateaux-usines se multiplient dans les années 20. En 1938, on atteint le chiffre record de 54 835 prises. Le «stock» est en voie d'épuisement. Tout le monde le sait. En conséquence, l'industrie s'attaque à de nouvelles espèces de taille plus petite – la baleine bleue, le rorqual et, enfin, le cachalot. La mise au point de matières grasses de substitution intervient trop tard. D'après la Commission baleinière internationale, il restait, avant les récentes interdictions de pêche, moins de 1 000 baleines bleues, 2 000 rorquals communs et 3 000 cachalots dans l'Antarctique. Plusieurs espèces de baleines ont totalement disparu alors que l'on comptait des centaines de milliers de représentants de chacune d'elles au début du XXe siècle.

L'environnement, pour l'essentiel, se situe hors de la sphère des échanges marchands. Aucun mécanisme ne s'oppose à

---

1. Entre 1700 et 1845, pas moins de 4 000 lois furent promulguées en Angleterre pour permettre la clôture des terres et empêcher tout usage collectif de celles-ci. Voir Silvia Pérez-Vitoria, *Les paysans sont de retour*, Actes Sud, Arles, 2005, p. 22.

sa destruction. La concurrence et le marché, qui nous fournissent notre dîner aux meilleures conditions, ont des effets désastreux sur la biosphère. Rien ne vient limiter le pillage des richesses naturelles, dont la gratuité permet d'abaisser les coûts. L'ordre naturel n'a pas davantage sauvé le dodo de l'île Maurice ou les baleines bleues que les Fuégiens (habitants de la Terre de Feu). Seule l'incroyable fécondité naturelle des morues pourra peut-être leur épargner le sort des baleines. Et encore ! Il semble bien que la pollution des océans porte désormais atteinte à cette légendaire fécondité. Le pillage des fonds marins et des ressources halieutiques semble irréversible. Le gaspillage des minéraux se poursuit de façon irresponsable. Les chercheurs d'or individuels, comme les *garimpeiros* d'Amazonie, ou les grosses sociétés australiennes en Nouvelle-Guinée ne reculent devant rien pour se procurer l'objet de leur convoitise. Et, dans notre système, tout capitaliste, et même tout *Homo œconomicus*, est une espèce de chercheur d'or.

À l'inverse, les Indiens de la Colombie-Britannique, sur la côte ouest du Canada (les Kwakiutl, Haida, Tsimshian, Tlingit, etc.), nous ont donné un bon exemple de rapport harmonieux entre l'homme et la biosphère. Ils pensaient que les saumons étaient des êtres humains comme eux, vivant en tribus au fond de la mer, où ils avaient leurs tipis, qu'ils décidaient en hiver de se sacrifier pour leurs frères terrestres, revêtaient leurs habits de saumon et partaient vers les embouchures. À la saison de la remonte des rivières, les Indiens accueillaient le premier saumon comme un visiteur de marque. Ils le mangeaient avec cérémonie. Son sacrifice n'était qu'un emprunt provisoire. Ils reportaient à la mer l'arête centrale et les restes, qui permettaient la renaissance de l'hôte dévoré. Ainsi, la coexistence et la symbiose entre les saumons et les hommes se perpétuaient de façon satisfaisante. Avec l'arrivée des Blancs et l'installation sur chaque estuaire d'une conserverie, la course au profit a entraîné un prélèvement abusif.

Les Indiens en ont conclu que les saumons avaient disparu parce que les Blancs n'avaient pas respecté le rituel... Qui pourrait leur donner tort[1] ? Ce comportement vis-à-vis de la nature, que l'on retrouve dans la plupart des sociétés, se fonde sur l'insertion de l'homme dans le cosmos. En Sibérie, on va mourir dans la forêt pour rendre aux animaux ce que l'on a reçu d'eux.

Cette attitude implique des rapports de réciprocité entre les hommes et le reste de l'univers. Les hommes sont prêts à se donner à Gaia (personnification mythologique de la Terre) comme Gaia se donne à eux. En niant la capacité de régénération de la nature, en réduisant les ressources naturelles à une matière première à exploiter au lieu de la considérer comme un « ressourcement », la modernité a éliminé ce rapport de réciprocité.

Renouer avec cette disposition d'esprit préaristotélicienne est sans doute la condition de notre survie. Mac Millan, écologiste américain du XIXe siècle qui voulait sauver les condors, disait : « Il faut sauver les condors, pas tellement parce que nous avons besoin des condors, mais surtout parce que, pour les sauver, il nous faut développer les qualités humaines dont nous aurons besoin pour nous sauver nous-mêmes. » Gratuité et beauté, précise Jean-Marie Pelt[2]. Néanmoins, force est de constater qu'en dépit du grand battage fait autour de l'écologie et des mesures de protection importantes qui sont adoptées, nous n'en prenons pas résolument le chemin. Malgré l'optimisme du philosophe Michel Serres dans son livre *Le Contrat naturel*, les arbres dotés de la capacité d'ester en justice ne doivent pas cacher la forêt menacée[3]. La jurisprudence américaine la plus récente va dans le sens du renforcement d'une appropriation juridique toujours plus poussée des pro-

---

1. Hyde Lewis, *The Gift. Imagination and the Erotic Life of Property*, Vintage Books, New York, 1983, p. 26.
2. Jean-Marie Pelt, *Alliance*, janvier 2006, p. 7.
3. Michel Serres, *Le Contrat naturel*, François Bourin/Julliard, Paris, 1990.

cessus naturels par l'homme[1]. À cela s'ajoute le fait que, par routine ou inconscience, les institutions tendent à encourager toutes sortes de pollutions (pesticides, engrais chimiques) par des exonérations fiscales et à financer des projets destructeurs de l'environnement dans les pays du Sud sous couvert de lutte contre la pauvreté.

On en est même venu à penser que le seul remède à la tragédie de la disparition de nombreux *commons* était leur éradication totale. Seul l'intérêt privé et la rapacité des individus, pensent les libertariens, pourraient limiter sa démesure ! Il faudrait privatiser l'eau et l'air (mais aussi les poissons des océans et les bactéries des forêts tropicales) pour les sauver d'un usage prédateur. C'est ce que font les firmes transnationales, avec l'appui des États et des organisations internationales, et contre quoi s'insurgent un peu partout les populations. La gestion des limites de la croissance est devenue un enjeu intellectuel et politique. La recherche théorique sur la décroissance s'inscrit donc dans un mouvement plus large de réflexion sur la bioéconomie, l'après-développement et l'a-croissance.

DÉCROISSANCE ET BIOÉCONOMIE

La Conférence de Stockholm, en 1972, marqua pour la première fois l'intérêt « officiel » des gouvernements de la planète pour l'environnement. La même année, Sicco Mansholt, alors vice-président de la Commission européenne, écrivit une lettre publique au président de celle-ci, Franco Maria Malfatti, lui recommandant de réfléchir à un scénario de « croissance négative » ! Devenu président de la Commission, Sicco Mansholt reprit son plaidoyer. Il tenta de traduire ses convictions

---

1. Voir Norbert Rouland, *Aux confins du droit. Anthropologie juridique de la modernité*, Odile Jacob, Paris, 1991, p. 253.

en actes, et rencontra même une certaine compréhension. Ainsi, c'est sans agressivité que Valéry Giscard d'Estaing, alors ministre de l'Économie, rétorqua que, quant à lui, il ne serait pas un « objecteur de croissance ». Dans un entretien publié par *Le Nouvel Observateur*, à la question : « On a même dit que vous étiez pour la croissance zéro », Mansholt répondit : « J'ai été très mal compris sur ce point. [...] Est-il possible de maintenir le taux de croissance sans modifier profondément la société ? En étudiant lucidement le problème, on voit bien que la réponse est non. Alors il ne s'agit même plus de croissance zéro, mais d'une croissance en dessous de zéro. Disons-le carrément : il faut réduire notre croissance économique, pour y substituer la notion d'une autre culture, du bonheur, du bien-être [1]. » Il revient à la charge dans un ouvrage ultérieur pour être sûr d'être compris : « Pour nous, dans le monde industrialisé, diminuer le niveau matériel de notre vie devient une nécessité. Ce qui ne signifie pas une croissance zéro, mais une croissance négative. La croissance n'est qu'un objectif politique immédiat servant les intérêts des minorités dominantes [2]. »

L'intuition des limites de la croissance économique remonte sans doute à Malthus, mais elle ne trouve son fondement scientifique qu'avec Sadi Carnot et sa deuxième loi de la thermodynamique. En effet, si les transformations de l'énergie en ses différentes formes (chaleur, mouvement, etc.) ne sont pas totalement réversibles, si l'on se heurte au phénomène de l'entropie, cela ne peut pas ne pas avoir de conséquences sur l'économie, qui repose sur ces transformations. Parmi les pionniers de l'application des lois de la thermodynamique à l'économie, il convient d'accorder une place particulière à

---

1. « Le chemin du bonheur », entretien de Josette Alia avec Sicco Mansholt, *Le Nouvel Observateur*, 12-18 juin 1972, p. 71-88. Voir aussi *L'Écologiste*, n° 8, octobre 2002.

2. Sicco Mansholt, *La Crise. Conversations avec Janine Delaunay*, Stock, Paris, 1974, p. 166-167.

Sergueï Podolinsky, auteur d'une économie énergétique qui chercha à concilier le socialisme et l'écologie[1]. Cependant, ce n'est que dans les années 70 que la question écologique au sein de l'économie fut développée, surtout par le grand savant et économiste roumain Nicholas Georgescu-Roegen. En adoptant le modèle de la mécanique classique newtonienne, note-t-il, l'économie exclut l'irréversibilité du temps. Elle ignore donc l'entropie, c'est-à-dire la non-réversibilité des transformations de l'énergie et de la matière. Ainsi, les déchets et la pollution, pourtant produits par l'activité économique, n'entrent pas dans les fonctions de production standard. Vers 1880, la terre est éliminée des fonctions de production et l'ultime lien avec la nature se trouve rompu. Toute référence à un quelconque substrat biophysique ayant disparu, la production économique telle qu'elle est conçue par la plupart des théoriciens néoclassiques ne semble confrontée à aucune limite écologique. La conséquence en est un gaspillage inconscient des ressources rares disponibles et une sous-utilisation du flux abondant d'énergie solaire. Comme le dit Yves Cochet, «la théorie économique néoclassique contemporaine masque sous une élégance mathématique son indifférence aux lois fondamentales de la biologie, de la chimie et de la physique, notamment celles de la thermodynamique[2]». Elle est un non-sens écologique. «Une pépite d'or pur contient plus d'énergie libre que le même nombre d'atomes d'or dilués un à un dans l'eau de mer[3].» Bref, le processus économique réel, à la différence du modèle théorique, n'est pas un processus purement mécanique et réversible; il est donc de nature *entropique*. Il se déroule au sein d'une biosphère qui fonctionne dans un temps fléché. De là découle, pour Nicholas Georgescu-Roegen, l'impossibilité d'une croissance infinie dans un monde fini et

---

1. Sergueï Podolinsky (1850-1891), aristocrate ukrainien exilé en France, tenta sans succès de sensibiliser Marx à la critique écologique.
2. Yves Cochet, *Pétrole apocalypse*, Fayard, Paris, 2005, p. 147.
3. *Ibid.*, p. 153.

la nécessité de faire une *bioéconomie,* c'est-à-dire de penser l'économie au sein de la biosphère. C'est ainsi que le terme «décroissance» a été utilisé en français pour intituler un recueil de ses essais [1].

Décroissance et après-développement

Par ailleurs, depuis plus de quarante ans, une petite «Internationale» anti ou post-développementiste, dans la filiation d'Ivan Illich, Jacques Ellul et François Partant, analyse et dénonce les méfaits du développement dans les pays du Sud [2]. Cette critique-là a d'abord débouché sur l'*alternative historique,* c'est-à-dire l'auto-organisation des sociétés/économies vernaculaires. Certes, on s'intéressait aussi aux initiatives alternatives dans le Nord (les microexpériences de l'économie sociale et solidaire, le tiers secteur, etc.), mais pas à *une* alternative sociétale, qui n'était pas à l'ordre du jour. Le succès soudain (et tout relatif) de cette critique, en raison notamment de la crise de l'environnement, mais aussi de l'émergence de la mondialisation, a conduit à approfondir ses implications sur l'économie et la société des pays développés. Le développement, une fois requalifié de «durable», concerne en effet autant le Nord que le Sud et le danger de la croissance est désormais planétaire. En tant que slogan, le

---

1. «Nous ne pouvons, écrit encore Nicholas Georgescu-Roegen, produire des réfrigérateurs, des automobiles ou des avions à réaction "meilleurs et plus grands" sans produire aussi des déchets "meilleurs et plus grands".» Nicholas Georgescu-Roegen, *Demain la décroissance*, présentation et traduction de Jacques Grinevald et Ivo Rens, Sang de la terre, Fontenay-le-Fleury, 1995, p. 63.

2. Outre les trois «leaders» cités, on peut mentionner : Wolfgang Sachs, Helen Norberg-Hodge, Frédérique Appfel-Marglin, Marie-Dominique Perrot, Gustavo Esteva, Arturo Escobar, Ashis Nandy, Vandana Shiva, Claude Alvares, Majid Rahnema, Emmanuel Ndione, Gilbert Rist. La plupart de ces auteurs ont contribué à *The Development Dictionary. A Guide to Knowledge as Power*, Zed Books, Londres, 1992 (traduction française à paraître chez Parangon sous le titre *Dictionnaire des mots toxiques*). Voir également notre livre *Survivre au développement*, Mille et une nuits, Paris, 2004.

terme « décroissance » est une trouvaille rhétorique heureuse dans les langues latines. Sa connotation n'est pas totalement négative ; ainsi, la décrue d'un fleuve dévastateur est une bonne chose. En revanche, la traduction de ce terme dans les langues germaniques pose de redoutables problèmes [1].

La décroissance soulève deux grandes questions : pourquoi et comment. Certes, la raison première déjà esquissée est que la croissance engendre des problèmes insurmontables (chapitre premier). Toutefois, on peut objecter qu'il suffit de changer d'indicateurs et de compter autrement ou autre chose, sans renoncer pour autant à l'idée de croissance (chapitre 2).

---

1. L'impossibilité où nous nous sommes trouvés de traduire « décroissance » en anglais est très révélatrice de cette domination mentale de l'économisme, et elle est symétrique en quelque sorte de celle qu'il y a à traduire « croissance » ou « développement » dans les langues africaines (mais aussi, naturellement, « décroissance »...). Le terme utilisé par Nicholas Georgescu-Roegen, *declining*, ne rend pas vraiment ce que nous entendons par « décroissance », non plus que *decrease*, proposé par certains. Les néologismes *ungrowth, degrowth, dedevelopment* ne sont guère plus satisfaisants. On peut proposer toutefois des équivalents homéomorphiques de « décroissance », tels que *Schrumpfung* en allemand ou *downshifting* (« déplacement vers le bas ») en anglais. Ce dernier terme est celui utilisé par ceux qui choisissent la simplicité volontaire. Il traduit bien le versant subjectif. *Counter-growth*, proposé par d'autres, traduirait le côté objectif. Il est vrai que la traduction de « décroissance » est non seulement problématique mais en dit long sur un profond pli paradigmatique. « J'ai regardé dans mon *Roget's Thesaurus*, m'écrit mon ami Michael Singleton, mais des noms manquent pour exprimer ce *cool down, take it easy, slacken off, relax man* inclus dans le prix de la décroissance. *Decrement* existe mais est trop exotique et essentialiste (produit plus que processus) pour faire l'affaire. Je me demande parfois si des termes comme *decrescendo, diminuendo, moderato* ne pourraient pas servir. "To grow or not to grow – that is the question !" *Moderate/moderating growth ?* On pourrait toujours laisser tout simplement "décroissance" dans le texte, avec une note explicative en bas de page. Je me demande si la meilleure traduction de la décroissance ne serait pas *decreasing growth* – cela a l'avantage d'être à la fois passif (un simple constat) et actif : il faut bien décroître, il faut décroître en bien (ici, *decreasing* répondrait à un projet sociétal ou, mieux, à un véritable projet de société). Si on veut en faire une forme nominale : *the decreasing of growth* est sans doute un peu plus long et lourd que "décroissance" mais exprime assez bien ce que nous voulons dire. » Sans trop s'embarrasser de sémantique, le Hollandais Willem Hoogendijk a fait une véritable théorie de la décroissance économique en utilisant les termes *shrinking* et *shrinkage* (*The Economic Revolution. Towards a Sustainable Future by Freeing the Economy from Money-Making*, International Books, Utrecht, 1991).

On peut aussi se demander si la décroissance ne nous fait pas revenir en arrière et ne nous condamne pas à des restrictions insupportables (chapitre 3). L'inusable développement durable n'est-il pas la bonne solution ou du moins un autre nom plus sympathique pour désigner le même objectif (chapitre 4)? Enfin, ne faut-il pas voir dans la croissance géométrique de la population la source véritable de tous les problèmes (chapitre 5)?

Une fois ces diverses objections réfutées et la nécessité de la décroissance admise, reste le plus difficile : comment construire une société soutenable, y compris au Sud. Il faut expliciter les diverses étapes : changer de valeurs et de concepts (chapitre 6), changer de structures, voire de système (chapitre 7), relocaliser l'économie et la vie (chapitre 8), revoir nos modes d'usage des produits (chapitre 9), répondre au défi spécifique des pays du Sud (chapitre 10). Enfin, il faut assurer la transition de notre société de croissance à la société de décroissance par les mesures appropriées (chapitre 11).

REPRODUCTION DURABLE, ÉTAT STATIONNAIRE ET CROISSANCE ZÉRO

Si, comme nous le verrons plus loin en détail, le développement soutenable ou durable est une mystification, l'état stationnaire et la croissance zéro peuvent apparaître comme des réponses de bon sens pour remédier à la situation et mettre un terme à la destruction de la biosphère et de notre environnement. Il s'agit en effet de propositions de compromis déjà anciennes qui tentent de concilier la préservation de l'environnement avec les «acquis» de la domination économique. Le fait que toutes les sociétés humaines qui ont duré jusqu'au XVIIIe siècle aient fonctionné dans la reproduction soutenable semble conforter ce point de vue. Il est donc nécessaire de préciser en quoi le projet d'une société de décroissance se distingue de ces différentes positions pour en cerner la spécificité et la relative nouveauté.

Le caractère durable ou soutenable que l'expression «développement durable» (*sustainable development*) a mis à la mode renvoie non au développement «réellement existant», mais à la reproduction. La reproduction durable a régné sur la planète à peu près jusqu'au XVIIIe siècle; il est encore possible de trouver chez les vieillards du tiers-monde des «experts» en reproduction durable. Les artisans et les paysans qui ont conservé une large part de l'héritage des manières ancestrales de faire et de penser vivent le plus souvent en harmonie avec leur environnement; ce ne sont pas des prédateurs de la nature[1]. Au XVIIe siècle encore, en rédigeant ses édits sur les forêts, en réglementant les coupes pour assurer la reconstitution des bois, en plantant des chênes, que nous admirons toujours, pour fournir des mâts de vaisseaux trois cents ans plus tard, Colbert se comportait comme un «expert» en *sustainability*. Ces mesures allaient à l'encontre de la logique marchande. Il s'agissait de maintenir un patrimoine, non de faire du profit.

Voilà du développement durable, dira-t-on; alors il faut le dire aussi de tous ces paysans qui, comme le grand-père de Cornelius Castoriadis, plantaient des oliviers et des figuiers dont ils ne verraient jamais les fruits, mais le faisaient en pensant aux générations suivantes, et cela sans y être contraints par aucun règlement, tout simplement parce que leurs parents, leurs grands-parents et tous ceux qui les avaient précédés avaient fait de même. Cette observation du philosophe rejoint la sagesse millénaire évoquée déjà par Cicéron dans le *De senectute*. Le modèle du «développement durable» mettant en œuvre le principe de responsabilité y est donné dans un vers cité par Caton : «Il va planter un arbre au profit d'un autre âge.» Cicéron le commente

---

1. Au-delà de la coquetterie que l'on se donne de contester la sagesse des «bons sauvages», celle-ci se fonde tout simplement sur l'expérience. Les «bons sauvages» qui n'ont pas respecté leur écosystème ont disparu au cours des siècles, depuis les civilisations de Harrapa et Mohenjo Daro jusqu'aux Pascuans, en passant par les Mayas.

ainsi : « De fait, l'agriculteur, si vieux soit-il, à qui l'on demande pour qui il plante, n'hésite pas à répondre : "Pour les dieux immortels, qui veulent que, sans me contenter de recevoir ces biens de mes ancêtres, je les transmette aussi à mes descendants"[1]. » Cette reproduction durable n'est pas nécessairement un immobilisme conservateur. L'évolution et la croissance lentes des sociétés anciennes s'intégraient dans une reproduction élargie bien tempérée, toujours adaptée aux contraintes naturelles. « C'est parce que la société vernaculaire a adapté son mode de vie à son environnement, conclut Edward Goldsmith, qu'elle est durable, et parce que la société industrielle s'est au contraire efforcée d'adapter son environnement à son mode de vie qu'elle ne peut espérer survivre[2]. » Cette sagesse des Anciens ne nous est plus permise. La reproduction à l'identique de notre système productif, un état stationnaire en quelque sorte, n'est même plus possible. La situation actuelle implique un véritable changement de civilisation pour retrouver un fonctionnement soutenable et durable.

État stationnaire et rendements décroissants

Est-il vraiment nécessaire de « sortir de l'économie » pour retrouver une voie soutenable ? Taxer toute la pensée économique d'une *addiction* à la croissance peut paraître excessif quand on considère les économistes classiques. Ceux-ci, pour la plupart, ne pensaient pas qu'une croissance indéfinie et infinie du système était possible. Ils croyaient même à un blocage inéluctable de l'accumulation et à l'avènement d'un *état stationnaire*. Il en est ainsi pour Adam Smith, Thomas Robert Malthus, David Ricardo et John Stuart Mill.

Rappelons que, pour Adam Smith, le développement des capitaux entraîne un accroissement de leur concurrence qui fait baisser le taux de profit jusqu'à l'arrêt de toute accu-

1. Cicéron, *Caton l'Ancien. De la vieillesse (De senectute)*, Les Belles Lettres, Paris, 1996, VII-24, p. 96.
2. Edward Goldsmith, *Le Défi du XXIᵉ siècle. Une vision écologique du monde*, Éditions du Rocher, Paris, 1994, p. 330.

mulation nette. Pour Malthus et Ricardo, les rendements décroissants dans l'agriculture entraînent une élévation de la rente foncière et une baisse inéluctable du taux de profit qui aboutissent aussi à un état stationnaire. Celui-ci, les deux auteurs le voient assez sombre. La masse des travailleurs y est condamnée à la stricte survie.

John Stuart Mill, bien qu'étendant la thèse des rendements décroissants à l'industrie, présente cet état stationnaire de façon plus aimable. La survie matérielle étant assurée, l'arrêt de l'accumulation nette mettrait fin à l'obsession du bouleversement, au stress et aux malheurs qu'elle engendre. La société pourrait se consacrer à l'éducation des masses et les loisirs permettraient aux citoyens de se cultiver. « Il n'est pas nécessaire de faire observer que l'état stationnaire de la population et de la richesse n'implique pas l'immobilité du produit humain. Il resterait autant d'espace que jamais pour toutes sortes de culture morale et de progrès moraux et sociaux ; autant de place pour améliorer l'art de vivre et plus de probabilité de le voir amélioré lorsque les âmes cesseraient d'être remplies du soin d'acquérir des richesses. Les arts industriels eux-mêmes pourraient être cultivés aussi sérieusement et avec autant de succès, avec cette seule différence qu'au lieu de n'avoir d'autre but que l'acquisition de la richesse, les perfectionnements atteindraient leur but qui est la diminution du travail. » Il ajoute : « Il est douteux que toutes les inventions mécaniques faites jusqu'à ce jour aient diminué la fatigue quotidienne d'un seul être humain [...] elles ont augmenté l'aisance des classes moyennes ; mais elles n'ont pas encore commencé à opérer dans la destinée de l'humanité les grands changements qu'il est dans leur nature de réaliser [1]. » On trouve de ce fait chez John Stuart Mill une « éthique de l'état stationnaire » qui a pu être récupérée par les tenants du développement durable, d'autant que sa conception reste celle d'un système capitaliste, mais sans croissance. « Ce ne sera que quand, écrit-il encore, avec

---

1. John Stuart Mill, *Principes d'économie politique* (1848), in *Stuart Mill*, Dalloz, Paris, 1953, p. 300-301.

de bonnes institutions, l'humanité sera guidée par une judicieuse prévoyance, que les conquêtes faites sur les forces de la nature par l'intelligence et l'énergie des explorateurs scientifiques deviendront la propriété commune de l'espèce et un moyen d'améliorer le sort de tous [1]. » «Il y a là une prise de position qui n'est pas très éloignée de l'"austérité joyeuse" proposée par des auteurs comme Ivan Illich ou André Gorz, c'est-à-dire un modèle de société où les besoins et le temps de travail sont réduits, mais où la vie sociale est plus riche, parce que plus conviviale [2]. » «Quoi qu'il en soit, cette théorie de l'état stationnaire traduit l'idée qu'en vieillissant le capitalisme va peu à peu, par sa dynamique propre, donner naissance à un type de société dont les valeurs seront plus respectueuses de l'homme et de la nature [3]. »

Dans tous les cas de figure, le caractère indéfiniment progressif du mécanisme économique ne semble pas soutenu. La machine est condamnée sinon à s'arrêter, du moins à «ronronner» à un régime de croisière. N'est-ce point là une vision *entropique* de l'économie, c'est-à-dire qui en fait un système irréversible marqué par la dégradation de l'énergie? Cela n'est pas certain. Il y a une différence importante entre cette vision des classiques et le point de vue de l'entropie. L'état stationnaire, en effet, n'est pas la conséquence directe de la logique économique, qui reste fondamentalement mécanique et «progressiste» (ce que nous avons appelé ailleurs «autodynamique [4]»), mais celle d'un seuil exogène : la rareté de la terre ou, pour W.S. Jevons, celle du charbon [5]. Dans la conception des classiques, Malthus mis à part, l'organisme économique s'arrête bien de croître à un moment

---

1. *Ibid.*, p. 297.

2. Lahsen Abdelmalki et Patrick Mundler, cités par Franck-Dominique Vivien, «Jalons pour une histoire de la notion de développement durable», *Mondes en développement*, n° 121, 2003/1, p. 3.

3. *Ibid.*

4. Serge Latouche, *Faut-il refuser le développement? Essai sur l'anti-économique du tiers-monde*, PUF, Paris, 1986.

5. William Stanley Jevons, *The Coal Question. An Inquiry Concerning the Progress of the Nation and the Probable Exhaustion of Our Coal-Mines*, Macmillan and Co, Londres, 1865.

donné, mais il n'en continue pas moins de fonctionner et de vivre sans problème, sous le jeu de ses forces internes. Ayant atteint la maturité, son cœur continue de battre. La concurrence assure toujours le bon fonctionnement de ses fonctions vitales, sans nécessité d'intervention. Le blocage de la croissance, d'une certaine façon, lui est imposé de l'extérieur, mais la dynamique du fonctionnement est automatique. Pour nous, la reproduction à l'identique du système est déjà problématique, car l'économie n'est ni un organisme, ni un mécanisme. Elle ne peut surmonter son entropie que par une fuite en avant. C'est la source de notre *addiction* à la croissance. Des interventions «exogènes», en particulier politiques, sont périodiquement requises pour éviter les crises ou y porter remède et relancer la machine qui, tel un cycliste, ne se maintient en équilibre qu'en pédalant continuellement, mais en brûlant un carburant non renouvelable, le stock du patrimoine naturel.

Chez les classiques, à l'inverse, c'est le blocage de la croissance de l'organisme économique qui est de nature exogène. En effet, le dynamisme de la vie économique vient buter contre le seuil des rendements décroissants, qui ne sont rien d'autre que la finitude de la nature : l'insuffisance de terres fertiles, l'épuisement des mines, les limites de la planète. Les néoclassiques, en revanche, insistent sur la substituabilité du capital artificiel et du *capital* naturel. En s'appuyant d'autre part sur l'évidence historique de la non-validité de la loi des rendements décroissants, au moins dans l'industrie et pour une longue durée (deux ou trois siècles), ils feront sauter ce verrou contraire au progressisme/vitalisme de fond de l'économique professé déjà par les classiques. Selon l'hypothèse de la substituabilité des facteurs, une quantité accrue d'équipements, de connaissances et de compétences doit pouvoir prendre le relais de quantités moindres de capital naturel pour assurer le maintien, dans le temps, des capacités de production et de satisfaction du bien-être des individus. Du coup, l'économie ne reconnaît plus de limites à sa croissance ni à son développement.

Le stagnationnisme

À la suite de la crise de 1929, on vit resurgir des théories comparables à celles des vieux classiques ; on les a qualifiées de *stagnationnistes*. Le principal représentant de ce courant fut le professeur Alvin H. Hansen, qui développa l'idée selon laquelle le capitalisme était arrivé à maturité [1]. Cette thèse se retrouve chez Paul Sweezy [2] et Benjamin Higgins. Keynes lui-même a pu être considéré en un certain sens comme un stagnationniste. Dans l'ensemble de ses ouvrages, il évoque en effet selon Schumpeter « la réponse décroissante de la nature à l'effort humain [3] ».

Pour tous ces auteurs, les occasions d'investir iront en se raréfiant dans l'avenir. On assisterait soit à un ralentissement progressif de la croissance (*stagnanting economics*, selon Higgins), soit carrément à un arrêt de toute dynamique (*stagnant economics*). Ce n'est pas l'épuisement de la nature qui est à l'origine de cette stagnation mais la diminution de la croissance démographique et le vieillissement de la population, la disparition des « frontières d'investissement » (Hansen), c'est-à-dire des zones vierges sur la planète, ou encore l'insuffisance d'innovations technologiques. Bien qu'hostile aux stagnationnistes, Schumpeter lui-même, dans *Capitalisme, socialisme et démocratie* [4], soutient une thèse que l'on pourrait interpréter comme une forme de stagnationnisme. Toutefois, pour lui, si le capitalisme tend vers la stagnation, c'est parce que l'État moderne écrase et paralyse ses forces motrices, alors que pour Keynes, à l'inverse, l'intervention de l'État est le seul moyen de redynamiser un système qui tend naturellement vers la stagnation. Dans la conception

---

1. Alvin H. Hansen, *Full Recovery or Stagnation ?*, W.W. Norton, New York, 1938.

2. Paul Sweezy, « Secular stagnation », *in* Seymour E. Harris, *Postwar Economics Problems*, McGraw-Hill Company, New York, 1943.

3. Joseph Schumpeter, *Histoire de l'analyse économique*, t. III : *L'Âge de la science : de 1870 à J.M. Keynes*, Gallimard, Paris, 1983, p. 547.

4. Joseph Schumpeter, *Capitalisme, socialisme et démocratie*, Payot, Paris, 1990.

keynésienne, celle-ci demeure donc seulement une menace à court terme. S'il est possible aux esprits superficiels et «cornucopiens» (littéralement : qui croit dans la corne d'abondance) de mettre dans le même sac tous les «pessimistes», c'est-à-dire ceux qui ont une analyse des «limites» de la croissance, il reste que les partisans de la décroissance ont une vision profondément différente. Pour eux, si les limites de la croissance tiennent aussi à la finitude de la planète, la remise en cause de la croissance ne peut qu'être bénéfique pour l'humanité.

La croissance zéro

Le succès de *Halte à la croissance !*, le premier rapport du Club de Rome, fondé à l'initiative d'Aurelio Peccei, a popularisé pour un temps l'idée d'un arrêt de la croissance en raison de l'épuisement prévisible des ressources. On a même baptisé «zégistes» (de *zero growth*) les partisans de la croissance zéro [1].

Herman Daly, ancien responsable démissionnaire de la Banque mondiale et disciple rebelle de Nicholas Georgescu-Roegen, a tenté de modéliser une économie sans croissance mais encore inscrite dans le paradigme d'un développement revu et corrigé. «Le *développement durable*, écrit-il, une expression qui a pris des connotations quasi magiques, est en fait contradictoire. L'expression est utilisée de nos jours comme synonyme de "croissance durable", un concept qui, lorsqu'il est appliqué à notre vie économique, entraînera les responsables politiques en matière d'environnement et de développement dans une voie sans issue. En deux mots, nous ne pourrons pas continuer à croître indéfiniment : la croissance durable est une impossibilité, et les politiques qui se fondent sur ce concept sont irréalistes, voire dangereuses.

---

1. On trouvera une bibliographie exhaustive des travaux et livres parus sur le sujet depuis le fameux premier rapport du Club de Rome dans Andrea Masullo, *Il pianeta di tutti. Vivere nei limiti perchè la terra abbia un futuro*, EMI, Bologne, 1998.

[…] L'expression "développement durable" est donc correcte si on l'applique à l'économie, mais uniquement si on l'interprète comme "développement sans croissance", c'est-à-dire une amélioration qualitative d'une base économique physique qui est maintenue dans un état stable défini par les limites physiques de l'écosystème. […] C'est-à-dire la croissance zéro ? Chaque jour, nous prenons connaissance de l'impact négatif de l'économie sur l'écosystème, qui prouve que même le rythme actuel ne peut durer. L'actuelle augmentation de l'utilisation des ressources naturelles semble augmenter les coûts écologiques plus vite qu'elle n'augmente les avantages de la production, ce qui nous rend plus pauvres et non plus riches. Le développement durable doit être un développement sans croissance [1]. »

Cette position casuistique sous-estime la démesure propre à notre système. On ne renonce ni au mode de production, ni au mode de consommation, ni au style de vie engendrés par la croissance antérieure. On se résigne par raison à un immobilisme conservateur, mais sans remettre en cause les valeurs et les logiques du développementisme et de l'économisme. En conséquence, on se prive des apports positifs d'une décroissance conviviale en termes de bonheur collectif.

La proposition de *décélération* de la croissance lancée par Jean-Marc Harribey et reprise par Attac sous son impulsion pour contrer la décroissance s'en rapproche. Toutefois, elle est plutôt moins pertinente car son «réalisme» apparent masque une incohérence de fond. Certes, une politique de décroissance se traduirait dans un premier temps, sans doute, par un simple ralentissement de la croissance du PIB et pas nécessairement par un recul, c'est-à-dire un taux négatif, puisqu'il s'agit d'un indice purement quantitatif et macroéconomique. Ce résultat, qui pourrait passer pour une décélération, recouvre en fait sur le plan microéconomique des régressions plus ou moins fortes d'activités nocives

1. Herman Daly, *Beyond Growth. The Economics of Sustainable Development*, Boston, Beacon Press, 1996, p. 10-11.

(nucléaires, voire automobiles), un maintien (croissance zéro) de la plupart des activités matérielles «utiles» (alimentation, logement, vêtement) et une augmentation de la production de biens relationnels marchands et surtout non marchands. Suivant le poids de la part marchande des biens immatériels, le PIB pourrait continuer de croître un certain temps, parallèlement à une réduction de l'empreinte écologique. On serait dans une phase transitoire exceptionnelle de capitalisme écocompatible, mais hors d'une logique et d'un imaginaire de croissance.

Pour certains, la thèse de l'état stationnaire se voit ainsi offrir une nouvelle jeunesse. Les auteurs du premier rapport du Club de Rome (Meadows *et al.*) notent, comme le faisait John Stuart Mill : «La population et le capital sont les seules grandeurs qui doivent rester constantes dans un monde en équilibre. Toutes les activités humaines qui n'entraînent pas une consommation déraisonnable de matériaux irremplaçables ou qui ne dégradent pas d'une manière irréversible l'environnement pourraient se développer indéfiniment. En particulier, ces activités que beaucoup considèrent comme les plus souhaitables et les plus satisfaisantes : éducation, art, religion, recherche fondamentale, sports et relations humaines, pourraient devenir florissantes [1].» Pour Franck-Dominique Vivien, la différence avec l'analyse de Mill réside dans le caractère désormais volontariste de la politique à mener.

Car la visée des auteurs de ce rapport – ce «livre des limites», selon l'expression d'Armand Petitjean – va plus loin que la seule croissance zéro et anticipe déjà quelque peu les propositions de la décroissance, comme le confirme la correspondance entre Dennis Meadows et Nicholas Georgescu-Roegen. Leur analyse visait à créer un sursaut : «Nous avons la conviction, écrivent-ils, que la prise de conscience des limites matérielles de l'environnement mondial et des conséquences tragiques d'une exploitation irraisonnée des ressources terrestres est indispensable à l'émergence de

---

1. D.L. Meadows, J. Randers, W. Behrens, *The Limits to Growth. A Report for the Club of Rome's Project on the Predicament of Mankind*, Universe Books, New York, 1972 (trad. fr. *Halte à la croissance!*, Fayard, Paris, 1972, p. 279).

nouveaux modes de pensée qui conduiront à une révision fondamentale, à la fois du comportement des hommes et, par suite, de la structure de la société actuelle dans son ensemble[1].» À l'époque, les réactions de rejet furent quasi unanimes. En France, le représentant du CNPF déclara qu'une croissance forte était indispensable. De son côté, le secrétaire général du PCF dénonça le «programme monstrueux» des dirigeants de la CEE[2]. Raymond Barre, alors membre de la Commission européenne, exprima publiquement son désaccord avec le président de cette dernière, Sicco Mansholt, qui reprenait ces thèses. On finit par convenir qu'il fallait rendre la croissance «plus humaine et plus équilibrée». On sait ce qu'il est advenu de ce projet...

Incontestablement, la conception d'une société de décroissance n'est pas sans rappeler celle de l'état stationnaire de Mill ou les aspirations de certains tenants du développement durable. Cependant, pour Mill, la théorie de l'état stationnaire traduit l'idée qu'en vieillissant, par sa dynamique propre, le capitalisme va peu à peu donner naissance à un type de société dont les valeurs seront plus respectueuses de l'homme et de la nature. De notre côté, nous pensons qu'il n'en est rien et que seule une rupture avec le système capitaliste, avec son consumérisme et son productivisme, peut éviter la catastrophe.

---

1. *Ibid.*, p. 273-274.
2. Voir Franck-Dominique Vivien, *Le Développement soutenable*, La Découverte, Paris, 2005, p. 10.

PREMIÈRE PARTIE

POURQUOI LA DÉCROISSANCE ?

« Il y avait quelque chose de sinistrement burlesque dans cette course effrénée au profit alors même que le monde était en train de mourir. »

Richard Matheson [1]

Pour cerner ce que pourrait être une société de décroissance, il convient d'abord de définir ce qu'est la société de croissance. « L'idée moderne de croissance, écrit Henry Teune, a été formulée il y a environ quatre siècles en Europe, quand l'économie et la société ont commencé à se séparer [2]. » Mais, ajoute justement Takis Fotopoulos, « l'*économie de croissance* elle-même (définie comme le système d'organisation économique orienté, soit *objectivement*, soit délibérément, vers la maximisation de la croissance économique) est apparue bien après la naissance de l'économie de marché du début du XIXe siècle et ne s'est épanouie qu'après la Seconde Guerre mondiale [3] ». C'est-à-dire au moment où l'Occident

---

1. Richard Matheson, *Je suis une légende* (1954), Gallimard, Paris, 2001, p. 151.
2. Henry Teune, *Growth*, Sage Publications, Londres, 1988, p. 13.
3. Takis Fotopoulos, *Vers une démocratie générale. Une démocratie directe économique, écologique et sociale*, Seuil, Paris, 2002, p. 31.

(à travers le président Truman…) lançait le mot d'ordre et l'entreprise du développement.

La société de croissance peut être définie comme une société dominée par une économie de croissance et qui tend à s'y laisser absorber. La croissance pour la croissance devient ainsi l'objectif primordial, sinon le seul, de la vie. Rappelons d'ailleurs que, selon la définition de Joseph Schumacher, « la croissance, c'est produire plus, sans tenir compte de la nature des productions ».

On peut dire que la « mondialisation », qui marque le passage d'une économie mondiale avec marché à une économie et à une société de marché sans frontières, constitue le triomphe absolu de la religion de la croissance. Une telle société n'est pas soutenable parce qu'elle dépasse la capacité de charge de la planète, qu'elle se heurte aux limites de la finitude de la biosphère et que tous les arguments et artifices pour y remédier sont insuffisants ou fallacieux.

Chapitre 1

L'enfer de la croissance

« Nous n'avons qu'une quantité limitée de forêts, d'eau, de terre. Si vous transformez tout en climatiseurs, en pommes frites, en voitures, à un moment vous n'aurez plus rien. »

Arundathy Roy [1]

Notre société a lié son destin à une organisation fondée sur l'accumulation illimitée. Ce système est condamné à la croissance. Dès que la croissance ralentit ou s'arrête, c'est la crise, voire la panique. Cette nécessité fait de la croissance un cercle vicieux. L'emploi, le paiement des retraites, le renouvellement des dépenses publiques (éducation, sécurité, justice, culture, transports, santé, etc.) supposent l'augmentation constante du produit intérieur. De leur côté, l'usage de la monnaie et surtout celui du crédit, qui permet de faire consommer ceux dont les revenus ne sont pas suffisants et d'investir sans disposer du capital requis, sont de puissants « dictateurs » de croissance, en particulier pour le Sud. « La relation de crédit, remarque avec pertinence Rolf Steppacher, crée l'obligation de rembourser la dette avec intérêt, et donc

---

1. Arundathy Roy, « Défaire le développement, sauver le climat », *L'Écologiste*, n° 6, hiver 2001, p. 7.

de produire plus qu'on a reçu. Le remboursement avec intérêt introduit la nécessité de la croissance ainsi que toute une série d'obligations correspondantes. Il convient tout d'abord d'être solvable afin de rembourser le crédit selon une temporalité définie ; il faut ensuite produire, de façon en principe exponentielle, afin de payer les intérêts de la dette et donc évaluer nécessairement toutes les activités afférentes *en faisant une analyse de type coût-bénéfice* [...]. Ce sont ces exigences combinées qui "obligent" à croître indéfiniment[1]. » Willem Hoogendijk, non sans fondement, voit dans ce mécanisme la source de la *compulsion* à la croissance. Colonisée par la logique financière, l'économie est comme un géant déséquilibré qui ne reste debout que grâce à une course perpétuelle, écrasant tout sur son passage[2]. « La seule solution pour un groupe comme le nôtre, déclarent les responsables de Procter and Gamble, est de lancer de nouveaux produits tous les ans. » Les gouvernements et les États ont aussi besoin de la croissance pour réaliser la quadrature du cercle fiscal : couvrir les dépenses nécessaires sans relever les impôts impopulaires. Cet impératif est encore plus catégorique avec le « délire » néolibéral qu'avec la régulation keynéso-fordiste. La croissance bénéficiant surtout aux riches, les retombées « positives » ne se produisent (quand elles se produisent...) qu'avec des taux toujours plus élevés. En ce qui concerne l'emploi, on sait désormais qu'il faut une croissance annuelle de plus de 2 % pour qu'elle se traduise non par un accroissement mais par une diminution du chômage. Cette dictature du taux de croissance force les sociétés développées à vivre en régime de « surcroissance », c'est-à-dire à produire et à consommer au-delà de toute nécessité « raisonnable ». Les contradictions sociales qu'engendre la croissance et les limites de la planète

1. Rolf Steppacher, *in* Christian Comeliau (dir.), *Brouillons pour l'avenir : contributions au débat sur les alternatives*, op. cit., p. 184-185.

2. Willem Hoogendijk, *The Economic Revolution*, op. cit., et *Let's Stop Tsunamis*, Earth Foundation, Utrecht, 2005.

font que notre mode de vie est insoutenable tant écologiquement que socialement. Toutefois, même s'il pouvait perdurer
indéfiniment, il n'en resterait pas moins insupportable et il
serait souhaitable d'en changer.

LA SOCIÉTÉ DE CROISSANCE N'EST PAS SOUTENABLE

Notre *surcroissance* économique se heurte à la finitude
de la biosphère. Elle dépasse déjà largement la capacité de
charge de la terre. Une croissance infinie est incompatible
avec une planète finie. Certes, la première loi de la thermodynamique nous apprend que rien ne se perd, rien ne se crée.
Toutefois, l'extraordinaire processus de régénération spontanée de la biosphère, même assisté par l'homme, ne peut
fonctionner à un rythme forcené. Il ne permet de toute façon
pas de restituer à l'identique la totalité des produits dégradés
par l'activité industrielle. Les processus de transformation de
l'énergie ne sont pas réversibles (deuxième loi de la thermodynamique) et, en pratique, il en est de même de la matière; à
la différence de l'énergie, celle-ci est recyclable, mais jamais
intégralement. «Nous pouvons recycler les monnaies métal-
liques usées, écrit Nicholas Georgescu-Roegen, mais non les
molécules de cuivre dissipées par l'usage [1].» Ce phénomène,
qu'il a baptisé la «quatrième loi de la thermodynamique»,
est peut-être discutable en théorie pure, mais pas du point de
vue de l'économie concrète. On ne sait pas coaguler les flux
d'atomes dispersés dans le cosmos pour en faire de nouveaux
gisements miniers exploitables, travail qui s'est accompli
dans la nature en l'espace de milliards d'années d'évolution.
De l'impossibilité qui s'ensuit d'une croissance illimitée ne
résulte pas, selon lui, un programme de croissance nulle, mais

---

1. Cité *in* Mauro Bonaiuti, *La teoria bioeconomica. La « nuova economia »*
di Nicholas Georgescu-Roegen, Ed. Carocci, Rome, 2001, p. 140.

de *décroissance* nécessaire. Bien loin d'être le remède aux problèmes sociaux et écologiques qui déchirent la planète, le développement économique constitue la source du mal. Il doit être analysé et dénoncé comme tel. Même la reproduction durable de notre système prédateur n'est plus possible. Si tous les citoyens du monde consommaient comme des Américains, ou même comme des Européens moyens, les limites physiques de la planète seraient largement dépassées.

Les faits

Si l'on prend comme indice du «poids» environnemental de notre mode de vie l'«empreinte» écologique de celui-ci en superficie terrestre, ou espace bioproductif nécessaire, on obtient des résultats insoutenables tant du point de vue de l'équité dans les droits de tirage sur la nature que du point de vue de la capacité de régénération de la biosphère. L'espace disponible sur la planète Terre est limité : il est de 51 milliards d'hectares. Toutefois, l'espace «bioproductif», c'est-à-dire utile pour notre reproduction, n'en représente qu'une fraction, environ 12 milliards d'hectares[1]. Divisé par la population mondiale actuelle, cela donne approximativement 1,8 hectare par personne. En prenant en compte les besoins en matériaux et en énergie, ceux nécessaires pour absorber déchets et rejets de la production et de la consommation (chaque fois que nous brûlons un litre d'essence, nous avons besoin de 5 m^2 de forêt pour absorber le CO_2 !), et en y ajoutant l'impact de l'habitat et des infrastructures, les chercheurs travaillant pour l'institut californien Redefining Progress et pour le World Wild Fund (WWF) ont calculé que l'espace bioproductif que consomme l'humanité par habitant est de 2,2 hectares en moyenne. Les hommes ont donc déjà quitté le sentier d'un mode de civilisation durable, qui exigerait de se limiter à 1,8 hectare, en admettant que la popu-

---

1. Mathis Wackernagel, «Il nostro pianeta si sta esaurendo», *in* Andrea Masullo (dir.), *Economia e Ambiente. La sfida del terzo millennio*, EMI, Bologne, 2005.

lation actuelle reste stable. En outre, cette empreinte moyenne cache de très grandes disparités. Un citoyen des États-Unis consomme 9,6 hectares, un Canadien 7,2, un Européen 4,5, un Français 5,26, un Italien 3,8. Même s'il existe d'importantes différences dans l'espace bioproductif disponible dans chaque pays, on est très loin de l'égalité planétaire[1].

On peut discuter ces chiffres, mais ils sont malheureusement confirmés par un nombre considérable d'indices (qui ont d'ailleurs servi à les établir)[2]. Ainsi, pour que l'élevage intensif fonctionne en Europe, il faut qu'une surface équivalant à 7 fois celle de ce continent soit employée dans d'autres pays à produire l'alimentation que réclament les animaux élevés selon ce mode industriel; c'est ce qu'on appelle des « cultures en coulisses[3] ». D'après William Rees, les Pays-Bas utilisent ou importent un territoire d'environ 100 000 km² dans le monde, principalement en provenance du Sud, soit 5 à 7 fois la surface des terres productives du pays, et cela pour la seule nourriture[4]. En 1992, le citoyen du Nord consommait en moyenne 3 fois plus de céréales et d'eau potable, 5 fois plus d'engrais, 10 fois plus de bois et d'énergie, 14 fois plus de papier, 19 fois plus d'aluminium que le citoyen du Sud. Les comparaisons de la consommation d'énergie et des rejets de gaz à effet de serre sont encore plus parlantes[5]. Déjà, la

---

1. Gianfranco Bologna (dir.), *Italia capace di futuro*, WWF-EMI, Bologne, 2000, p. 86-88.

2. Pour Yves Cochet et Agnès Sinaï, « la méthode de l'empreinte écologique sous-estime l'impact écologique de l'humanité sur la biosphère, excluant de ses calculs, par exemple, la toxicité des rejets (elle ne prend en compte que les volumes), l'épuisement des ressources non renouvelables, les risques du nucléaire et des organismes génétiquement modifiés » (*Sauver la Terre, op. cit.*, p. 35). Pour Franck-Dominique Vivien, au contraire, l'empreinte écologique surestime cet impact en privilégiant le recyclage du CO_2 dans le calcul des surfaces.

3. Vandana Shiva, *Le Terrorisme alimentaire. Comment les multinationales affament le tiers-monde*, Fayard, Paris, 2001, p. 97.

4. Cité par Jean Gadrey et Florence Jany-Catrice, *Les Nouveaux Indicateurs de richesse, op. cit.*, p. 72.

5. La quantité moyenne de CO_2 émise par chaque habitant de la planète est à ce jour de 4 tonnes par an, mais elle est de 11,5 tonnes pour le cinquième de la population mondiale vivant dans les pays industrialisés (avec une pointe à

planète ne nous suffit plus, or il en faudrait de trois à six pour généraliser le mode vie occidental. « Si nous faisons les calculs, remarque François Schneider, cela signifie qu'il nous faudra douze planètes si nous les voulons viables à long terme [1] », et plus de trente à l'horizon 2050 si l'on continue avec un taux de croissance de 2 % compte tenu de l'accroissement prévisible de la population ! « La moitié des ressources de la planète a été nécessaire à la Grande-Bretagne pour devenir ce qu'elle est actuellement. Combien de planètes seraient nécessaires pour l'Inde ? » interrogeait Gandhi avec sa grande sagesse. Nous avons la réponse.

Que s'est-il passé ? Épousant la raison géométrique qui préside à la croissance économique, l'homme occidental a renoncé à toute mesure. Avec une hausse du PNB par tête de 3,5 % par an (progression moyenne pour la France entre 1949 et 1959), on aboutit à une multiplication par 31 en un siècle et par 961 en deux siècles ! Avec un taux de croissance de 10 % – celui de la Chine aujourd'hui –, on obtient une multiplication par 736 en un siècle [2] ! Croit-on vraiment qu'une croissance infinie est possible sur une planète finie ? L'*hubris*, la démesure du maître et possesseur de la nature, a pris la place de l'antique sagesse qui consistait à s'insérer dans un environnement exploité de façon raisonnée. Le délire quantitatif a soudain fait basculer la situation selon ce que j'appelle le théorème de l'algue verte, variante du paradoxe du nénuphar d'Albert Jacquard [3].

Un jour, une petite algue vient s'implanter sur un très grand étang. Bien que sa croissance annuelle soit rapide,

20,5 tonnes pour les États-Unis), contre 2 tonnes pour les quatre cinquièmes restants (avec tout juste un dixième de tonne pour onze États, en majorité africains). Voir Hervé-René Martin, *La Mondialisation racontée à ceux qui la subissent*, vol. 2 : *La Fabrique du diable*, Climats, Paris, 2003, p. 131.

1. François Schneider, cité in *ibid.*, p. 225.

2. Bertrand de Jouvenel, *Arcadie. Essai sur le mieux-vivre*, Futuribles, Paris, 1968.

3. Albert Jacquard, *L'Équation du nénuphar. Les plaisirs de la science*, Calmann-Lévy, Paris, 1998.

suivant une progression géométrique de raison deux, nul ne
s'en préoccupe, jusqu'à ce qu'elle ait colonisé la moitié de la
surface, faisant peser, dès lors, une menace d'eutrophisation,
c'est-à-dire d'asphyxie de la vie subaquatique. Seulement, si
elle a mis plusieurs décennies pour en arriver là, il suffira
d'une seule année pour provoquer la mort irrémédiable de
l'écosystème lacustre. « C'est bien pourtant l'idée de continuer sur le même chemin qui domine, remarque Jean-Paul
Besset. Pour assurer le bien-être de l'ensemble de l'humanité,
la Banque mondiale a calculé qu'il faudrait que la production
de richesses soit quatre fois plus importante en 2050. Avec
une croissance moyenne de 3 % par an, c'est possible, dit-
elle. Il suffirait ensuite de rassembler les conditions politiques
– bonne gouvernance, aide au développement, coopération
technique, échanges commerciaux – pour que tout aille pour
le mieux dans le meilleur des mondes. Affirmation rigoureusement exacte du point de vue du raisonnement économique.
Perspective totalement irréaliste du point de vue des capacités du vivant. Escroquerie intellectuelle, donc. Comment
imaginer que le PIB mondial, qui était de 6 000 milliards de
dollars en 1950, qui est passé à 43 000 milliards de dollars en
2000, puisse s'élever, en 2050, à 172 000 milliards de dollars
sans bouleverser plus encore les équilibres naturels, telle une
mécanique vertueuse [1] ? » Nous sommes arrivés au moment
où l'algue verte a colonisé la moitié de notre étang. Si nous
n'agissons pas très vite et très fort, c'est la mort par asphyxie
qui nous attend bientôt.

Le débat

Cette situation est bien connue, au moins des responsables
économiques et politiques. Et pourtant tout est fait pour ne

---

1. Jean-Paul Besset, *Comment ne plus être progressiste… sans devenir réactionnaire*, *op. cit.*, p. 147.

rien faire. Afin de concilier les deux impératifs contradictoires de la croissance et du respect de l'environnement et réfuter la nécessité d'une décroissance, les experts et les industriels ont mis au point un argumentaire en trois points :

1) la substituabilité des facteurs,
2) l'immatériel,
3) l'écoefficience.

Le tout reposant sur la certitude que les progrès à venir de la science résoudront tous les problèmes.

Comme on l'a vu (voir p. 31), l'hypothèse de substituabilité des facteurs signifie qu'une quantité accrue d'équipements, de connaissances et de compétences doit pouvoir prendre le relais de quantités moindres de capital naturel pour assurer le maintien, dans le temps, des capacités de production et de satisfaction du bien-être des individus. Dans certaines limites, il est loisible, en effet, de remplacer l'homme par la machine (c'est-à-dire le facteur travail par le facteur capital), mais pas les flux de matières premières *(inputs)* par une augmentation des stocks. Il faut toute la foi des économistes orthodoxes pour penser que la substituabilité illimitée de la nature par l'artifice est concevable. Comme le remarque Mauro Bonaiuti, on ne pourra jamais obtenir le même nombre de pizzas en diminuant toujours la quantité de farine, même si l'on augmente le nombre de fours ou de cuisiniers[1].

Certes, et c'est le deuxième argument, la «nouvelle économie», à base de services et de virtuel, est relativement *immatérielle.* «Près de deux individus sur trois ont cessé de solliciter leurs muscles pour participer à l'intendance des signes et des êtres [...], une mégamachine de la communication dont les servants s'appellent des employés[2].» C'est ainsi

---

1. Mauro Bonaiuti, *Nicholas Georgescu-Roegen. Bioeconomia. Verso un'altra economia ecologicamente e socialmente sostenibile*, Bollati Boringhieri, Turin, 2003, en particulier p. 38-40.

2. Alain Cotta, cité par Alain Gras, *Fragilité de la puissance*, Fayard, Paris, 2003, p. 64.

qu'en France le secteur tertiaire hors transports ne consomme que 16 % de l'énergie utilisée, n'émet que 11 % du gaz carbonique, alors qu'il représente près de 70 % de l'emploi [1]. «Le monde a devant lui un agenda de croissance fabuleux [2] », exulte Jacques Attali, l'un des prophètes de cette «économie de la connaissance». Le *digiworld* annoncé est fait d'un cocktail de high-tech, d'informatique, d'électronique, de numérique, de télécommunications, de hauts débits, de réseaux, de biotechnologies, de nanotechnologies. Chercheurs, ingénieurs, techniciens, informaticiens remplacent les cols bleus, l'ordinateur chasse la machine-outil.

Toutefois, cette nouvelle économie remplace moins l'ancienne qu'elle ne la complète. L'activité industrielle a régressé en termes relatifs mais pas en termes absolus. Dans les vingt dernières années, elle a crû encore de 17 % en Europe et de 35 % aux États-Unis. Ce n'est même pas le cas de tous les pays. «En Espagne, selon Joan Martinez Alier, la *material flow accounting*, c'est-à-dire la comptabilité des flux de matières, montre qu'il n'y a pas dématérialisation ni relative, ni absolue. [...] Le PIB a crû de 74 % et les intrants de matériaux de 85 % [3]. »

Les pertes d'emplois industriels – 1,5 million en France entre 1978 et 2002 – sont dues en bonne partie à l'externalisation de services (entretien, maintenance, sécurité, restauration...) qui, auparavant, étaient intégrés au sein des entreprises et comptabilisés comme emplois secondaires. En outre, ce capitalisme cognitif est souvent plus gourmand en *inputs*, ou intrants matériels, qu'il n'y paraît. Si les logiciels incorporent surtout de la matière grise, la seule fabrication d'un ordinateur consomme par exemple 1,8 tonne de matériaux,

---

1. Jean Gadrey et Florence Jany-Catrice, *Les Nouveaux Indicateurs de richesse*, op. cit., p. 76.

2. *Le Monde*, 4 janvier 2004.

3. Joan Martinez Alier, *Che cos'è l'economia ecologica*, *in* Andrea Masullo, *Economica e Ambiente*, op. cit., p. 114.

dont 240 kilos d'énergie fossile, et une puce de 2 grammes a besoin de 1,7 kilo d'énergie ainsi que d'une énorme quantité d'eau[1]. «Un employé du tertiaire, note Paul Ariès, consomme 1,5 TEP [tonne équivalent pétrole] par an, soit un tiers de la consommation d'un Français moyen pour son usage personnel. Ce même employé consomme plus d'énergie qu'un paysan en 1945[2].» Au final, tous les indices montrent que les prélèvements continuent de croître, en particulier au niveau mondial. Dans le même temps, en effet, la production industrielle a augmenté de 250% en Chine[3]! «Au total, signale Yves Cochet, un transfert d'activités énergivores des pays du Nord vers les pays émergents s'additionne à une augmentation du trafic mondial de marchandises pour accroître finalement la consommation d'énergie. La prétendue "économie de la connaissance" postindustrielle de l'OCDE repose sur un transfert massif de sa base matérielle et énergétique vers les économies émergentes. Globalement, la société mondiale n'a jamais été aussi industrielle qu'aujourd'hui[4].»

Cependant, les industriels pensent avoir trouvé la potion magique dans l'*écoefficience*, pièce centrale et à vrai dire seule base sérieuse du «développement durable». Il s'agit de réduire progressivement l'impact écologique et l'intensité du prélèvement des ressources naturelles pour atteindre un niveau compatible avec la capacité reconnue de charge de la planète[5]. Ainsi, l'intensité énergétique pour produire un euro

---

1. Voir rapport pour l'ONU, *Ordinateur et environnement*, Kluwer Academic, 2004, cité par Alain Gras, *La Décroissance*, n° 2, mai 2004. La production d'une puce (*microchip*) de 32 mégaoctets nécessite 72 grammes de substance chimique, 700 grammes de gaz élémentaire, 32 litres d'eau, 1 200 grammes de combustible fossile, soit au total une masse de matériaux qui dépasse 17 000 fois son poids! D'après le World Watch Institute.

2. Paul Ariès, *Décroissance ou barbarie*, Golias, Villeurbanne, 2005, p. 82.

3. Jean-Paul Besset, *Comment ne plus être progressiste… sans devenir réactionnaire*, op. cit., p. 207.

4. Yves Cochet, *Pétrole apocalypse*, op. cit., p. 117.

5. «The business case for sustainable development», document du World Business Council for Sustainable Development pour Johannesburg.

de PIB diminue en moyenne de 0,7 % par an en Europe depuis 1991.

Économiser 30 à 40 % d'intrants (matières premières et produits intermédiaires) est tout à fait possible en accroissant l'efficience et en luttant contre les gaspillages. De nouvelles technologies permettraient même jusqu'à 90 % d'économie ! On pourrait s'inspirer de l'exemple des poules. Selon Ernie Robertson, du Biomass Institute, alors que pour transformer le calcaire en chaux nous avons besoin de le chauffer à 1 500 degrés, la poule le transforme en une coquille d'œuf d'une plus grande résistance à 37 degrés seulement. Les huîtres et les araignées font encore plus fort. Les premières produisent à moins de 4 degrés une coquille plus résistante que les céramiques spéciales utilisées pour les missiles, et les secondes fabriquent un fil plus résistant que le Kevlar, que nous utilisons pour les gilets pare-balles et que nous produisons à des coûts énergétiques énormes avec une grande quantité de déchets toxiques [1].

Que l'efficience écologique puisse s'accroître est une excellente chose. Elle pourrait faciliter le passage à une société de décroissance. Qu'elle se soit accrue de manière notable est incontestable, mais dans le même temps la perpétuation de la croissance forcenée entraîne une dégradation globale. Les baisses d'impact et de pollution par unité se trouvent systématiquement anéanties par la multiplication du nombre d'unités vendues et consommées. Washington annonce triomphalement qu'en 2012 la quantité de gaz à effet de serre émise pour chaque dollar produit par l'économie américaine sera réduite de 18 %. Mais le PIB aura augmenté de 35 à 40 % ! On a donné à ce phénomène le nom d'« effet rebond » ou, dans la littérature savante, de « paradoxe de Jevons ». À la fin du XIXe siècle, en effet, l'économiste néoclassique William

---

1. Gesualdi Francesco, *Sobrietà. Dallo spreco di pochi ai diritti per tutti*, Feltrinelli, Milan, 2005, p. 89.

Stanley Jevons avait remarqué que les chaudières à vapeur consommaient toujours moins de charbon du fait des perfectionnements techniques, mais que la consommation globale de charbon continuait de croître du fait de l'augmentation de leur nombre. On peut définir l'effet rebond comme «l'augmentation de consommation liée à la réduction des limites à l'utilisation d'une technologie, ces limites pouvant être monétaires, temporelles, sociales, physiques, liées à l'effort, au danger, à l'organisation [1]…». Les technologies efficaces incitent à l'augmentation de la consommation ; le gain est surcompensé par un accroissement des quantités consommées. François Schneider, l'un des spécialistes du sujet, signale même le fondement psychologique de ce phénomène : satisfaits d'avoir réduit notre consommation d'énergie, par exemple en utilisant des lampes à basse tension, nous nous offrons un extra sous la forme d'un voyage aux Antilles, qui représentera une consommation d'énergie très supérieure à ce que nous aurons économisé… Le TGV va plus vite, on se déplace donc plus loin et plus souvent. La maison est mieux isolée, on épargne de l'argent, on achète une seconde voiture. Les ampoules fluocompactes dépensent moins d'électricité, on les laisse allumées. L'Internet dématérialise l'accès à l'information, on imprime plus de papier. Il y a plus d'autoroutes, le trafic augmente…

En outre, une part non négligeable de l'efficacité écologique que nous constatons statistiquement dans les pays du Nord vient du fait que notre base industrielle a largement été délocalisée dans les pays du Sud. Ainsi, la charge de biens de production gourmands en énergie n'a été que reportée à travers les importations, elle n'a pas disparu. Selon le cabinet de conseil Enerdata, en 2004, le PIB mondial s'est accru de 3,9 % et la consommation énergétique de 3,6 %. Le ralentis-

---

1. François Schneider, cité par Yves Cochet, *Pétrole apocalypse, op. cit.*, p. 132.

sement de l'impact est donc encore très loin de la réduction nécessaire ! En outre, d'après le rapport 2005 de l'Ademe (Agence de l'environnement et de la maîtrise d'énergie), les améliorations technologiques plafonnent. « Depuis 2001, rappelle Jean-Paul Besset, la moyenne des émissions de gaz carbonique des véhicules vendus en France est passée de 156 grammes au kilomètre à 154 grammes, soit un gain extrêmement modeste de 2 grammes en quatre ans alors que les constructeurs se sont engagés "volontairement" sur un objectif de 140 grammes[1]. »

Toute cette argumentation repose sur une croyance sans faille dans le progrès. Le rapport de la National Science Foundation de 2002, intitulé *Converging Technologies for Improving Human Performances*, illustre parfaitement le « délire » de la solution scientifique. Il ne promet rien moins que le bien-être matériel et spirituel universel, la paix mondiale, l'interaction pacifique et mutuellement avantageuse entre les humains et les machines intelligentes, la disparition complète des obstacles à la communication généralisée – en particulier ceux qui résultent de la diversité des langues –, l'accès à des sources d'énergie inépuisables, la fin des soucis liés à la dégradation de l'environnement. Et, finalement, « la marche vers un degré supérieur de compassion et d'accomplissement ». Tout cela grâce au couplage des nanotechnologies, des biotechnologies, des technologies de l'information et des sciences cognitives[2].

Il s'agit là d'une vieille antienne remise au goût du jour. Déjà, dans *Le Monde* du 3 septembre 1996, Yves Coppens, professeur au Collège de France, s'écriait : « Qu'on cesse donc de peindre l'avenir en noir ! L'avenir est superbe. La génération qui arrive va apprendre à peigner sa carte géné-

---

1. Jean-Paul Besset, *Comment ne plus être progressiste... sans devenir réactionnaire*, op. cit., p. 199.
2. Jean-Pierre Dupuy, « Quand les technologies convergeront », *Revue du MAUSS*, n° 23, 1er semestre 2004.

tique, accroître l'efficacité de son système nerveux, faire les enfants de ses rêves, maîtriser la tectonique des plaques, programmer les climats, se promener dans les étoiles et coloniser les planètes qui lui plairont. Elle va apprendre à bouger la Terre pour la mettre en orbite autour d'un plus jeune Soleil. [...] Elle va conduire, n'en doutons pas, l'humanité vers une réflexion meilleure, une liberté plus grande encore et une plus grande conscience des responsabilités qui accompagnent cette liberté.» Pas étonnant que ce soit à ce savant et «philosophe cornucopien médiatique» (selon les critères d'Yves Cochet) que Jacques Chirac a confié la présidence de la Commission sur le développement durable et l'environnement...

Avoir une foi aveugle dans la science et dans l'avenir pour résoudre les problèmes du présent est contraire non seulement au principe de précaution, mais tout simplement au bon sens. Même si l'on peut espérer capter de nouvelles énergies, serait-il raisonnable de construire des «gratte-ciel sans escaliers ni ascenseurs sur la base de la seule espérance qu'un jour nous triompherons de la loi de la gravité [1]»? C'est pourtant ce que nous faisons avec le nucléaire, accumulant des déchets potentiellement dangereux pour les siècles à venir sans solution en perspective.

Le danger de voir le délire techno-scientifique l'emporter sur la sagesse ne doit pas être sous-estimé pour autant. Avec leurs projets de «transhumanité», les fanatiques des nanotechnologies et de la convergence peuvent, non sans une certaine vraisemblance, prétendre inventer ou bricoler une nouvelle espèce capable de survivre dans un environnement dégradé. Ce serait une autre forme (plus séduisante?) de disparition de l'espèce humaine.

Remarquons cependant que tous les «maîtres du monde» ne participent pas au délire «cornucopien» et ne se gargarisent pas d'utopies euphorisantes. Dans leur vision géopolitique, il

---

1. Mauro Bonaiuti, *La teoria bioeconomica, op. cit.*, p. 109 et 141.

semble nécessaire à certains de ramener la population mondiale à 600 millions d'habitants, taille compatible avec à la fois la survie de la biosphère et le maintien de leurs privilèges. On en discute le plus sérieusement du monde au sein de l'organisation Bilderberger, cette société semi-secrète de l'élite planétaire [1].

Autocécité ou lucidité cynique, il n'est pas question pour les nouveaux maîtres du monde de laisser les peuples choisir leur destin. La survie du *business*, des profits et des privilèges est plus importante que celle de la planète ou en tout cas de la majorité de sa population. Le pari de la décroissance est tout autre. Il consiste à miser sur un changement volontaire de direction dans l'intérêt de tous.

LA SOCIÉTÉ DE CROISSANCE N'EST PAS SOUHAITABLE

Si l'on suit Ivan Illich, la disparition programmée de la société de croissance n'est pas nécessairement une mauvaise nouvelle. «La bonne nouvelle est que ce n'est pas d'abord pour éviter les effets secondaires négatifs d'une chose qui serait bonne en soi qu'il nous faut renoncer à notre mode de vie – comme si nous avions à arbitrer entre le plaisir d'un mets exquis et les risques afférents. Non, c'est que le mets est intrinsèquement mauvais, et que nous serions bien plus heureux à nous détourner de lui. Vivre autrement pour vivre mieux [2].»

La société de croissance n'est pas souhaitable pour au moins trois raisons : elle engendre une montée des inégalités et des injustices, elle crée un bien-être largement illusoire,

---

1. Voir William Stanton, *The Rapid Growth of Human Population 1750-2000. Histories, Consequences, Issues, Nation by Nation*, Multi-Science Publishing, Brentwood, 2003.

2. Cité par Jean-Pierre Dupuy, «Ivan Illich ou la bonne nouvelle», *Le Monde*, 27 décembre 2002.

elle ne suscite pas pour les «nantis» eux-mêmes une société
conviviale mais une «antisociété» malade de sa richesse.

Elle engendre une montée des inégalités et des injustices

Les économistes passent le plus souvent la question sous
silence, mais peu ont le front de soutenir que l'ordre écologique et économique mondial engendré par l'économie libérale est équitable. Certes, au début des années 90, Lawrence
Summers, vice-président de la Banque mondiale puis secrétaire au Trésor sous la présidence de Clinton, affirmait que
«les ressources de la Terre n'ont pas de limites qui pourraient
devenir contraignantes dans un futur prévisible. Il n'y a pas
de risque d'apocalypse due au réchauffement de la Terre, ni
rien de semblable. L'idée que le monde est au bord du gouffre
est une erreur fondamentale ; l'idée que nous devrions limiter
la croissance à cause d'une quelconque limite naturelle est
une grave erreur qui, si elle devait avoir de l'influence, aurait
d'immenses coûts sociaux». Il n'allait toutefois pas jusqu'à
prétendre que l'usage des ressources naturelles correspondait
à la justice. Le ministre du Travail du même Clinton, Robert
Reich, était plus pertinent en dénonçant «la face cachée de
la réussite américaine» : «Plus d'insécurité, beaucoup d'emplois payés une misère et des inégalités qui se creusent entre
une masse de salariés qui se paupérise et une minorité qui
s'enrichit[1].» Le 1 % le plus riche gagne autant que les 40 %
les plus pauvres.

Pour les inégalités, la polarisation des situations a toujours
été vérifiée au niveau planétaire et, depuis la fin des Trente
Glorieuses, elle se vérifie aussi au niveau de chaque pays,
même au Nord. Ce point est abondamment illustré par les
célèbres rapports du PNUD (Programme des Nations unies

---

1. Cité par Jean-Paul Besset, *Comment ne plus être progressiste... sans devenir réactionnaire, op. cit.*, p. 272.

pour le développement). En 2004, le PIB mondial a atteint plus de 40 000 milliards de dollars, soit une richesse sept fois plus importante qu'il y a cinquante ans. Le rapport de richesse entre le cinquième le plus pauvre et le cinquième le plus riche était de 1 à 30 en 1970, mais de 1 à 74 en 2004. En 1960, 70 % des revenus globaux bénéficiaient aux 20 % des habitants les plus riches ; trente ans plus tard, cette part est montée à 83 %, tandis que celle des 20 % les plus pauvres a régressé de 2,3 à 1,4 %. Par ailleurs, 5 % des habitants de la planète ont un revenu 114 fois supérieur à celui des 5 % les plus pauvres [1]. « L'économie de l'immatériel, note Thierry Paquot, accentue les inégalités sociales, aggrave la fracture sociale. 2 % des moyens de production tangibles et 37,3 % des actifs financiers sont détenus par moins de 0,5 % de la population américaine (soit 843 000 familles), [...] ils ont un revenu équivalent à celui des 51 % des salariés les moins bien rémunérés (soit 49,2 millions) [2]. » Le revenu annuel moyen d'un Africain est inférieur au revenu mensuel d'un RMiste français [3]. Ce qui ne signifie pas que, entre petit boulot précaire et chômage, la « galère à durée indéterminée [4] » soit un sort enviable.

Par exemple, entre 1972 et 1992, dans les pays de l'OCDE, le nombre des emprisonnements a doublé, passant de 44 pour 100 000 habitants à 88 environ. La quantité de produits céréaliers destinés au bétail et aux élevages des pays du Nord est supérieure de 25 % à celle consommée par les populations du Sud. Nos vaches touchent 2 euros par jour de subventions, soit plus que ce que gagnent 2,7 milliards d'êtres humains ! Comme le souligne Majid Rahnema, « ce n'est pas

1. Source : PNUD, *Rapport mondial sur le développement humain 2004. La liberté culturelle dans un monde diversifié*, Economica, Paris, 2004.
2. Thierry Paquot, *Éloge du luxe. De l'utilité de l'inutile*, Bourin Éditeur, Paris, 2005, p. 38.
3. Jean-Paul Besset, *Comment ne plus être progressiste... sans devenir réactionnaire*, op. cit., p. 271.
4. Suivant la formule de Michel Rocard et Pierre Larrouturou, *Libération*, 8 février 2002.

en augmentant la puissance de la machine à créer des biens et des produits matériels que ce scandale [celui de la misère et de l'indigence] prendra fin, car la machine mise en action à cet effet est la même qui fabrique systématiquement la misère [1] ».

Quant au développement des injustices, il est inhérent non seulement au système capitaliste, mais à toute société de croissance. Une société incapable de permettre à la majorité de ses membres de gagner leur vie par un travail honnête et qui les condamne, pour survivre, à agir contre leur conscience en se rendant complices de la banalité du mal est profondément en crise. Telle est pourtant bien notre modernité tardive, depuis les pêcheurs qui ne peuvent s'en tirer qu'en massacrant les fonds marins jusqu'aux éleveurs qui torturent leurs bêtes, en passant par les exploitants agricoles qui détruisent le sol nourricier, par les cadres dynamiques devenus des « tueurs », etc. [2].

Elle crée un bien-être largement illusoire

On rencontre là le paradoxe écologique de la croissance. L'obsession du PNB fait que l'on compte comme positives toute production et toute dépense, y compris celles qui sont nuisibles et celles nécessaires pour neutraliser les effets négatifs des premières. « On considère toute activité rémunérée, note Jacques Ellul, comme une valeur ajoutée, génératrice de bien-être, alors que l'investissement dans l'industrie antipollution n'augmente en rien le bien-être, au mieux il permet de le conserver. Sans doute arrive-t-il parfois que l'accroissement de valeur à déduire soit supérieur à l'accroissement

---

1. Majid Rahnema, *Quand la misère chasse la pauvreté*, Fayard/Actes Sud, Paris/Arles, 2003, p. 14.
2. Voir notre livre *Justice sans limites. Le défi de l'éthique dans une économie mondialisée*, Fayard, Paris, 2003, en particulier le chapitre IV, « La banalité économique du mal ».

de valeur ajoutée [1].» Pour Hervé-René Martin, cela ne fait pas de doute : «La vérité commande pourtant de dire que la désorganisation sociale et environnementale provoquée par le système de production industriel (matières plastiques en tête) et les modes de vie qu'il induit tuent infiniment plus de personnes que les filtres et les prothèses en plastique ne pourront jamais en sauver [2].» Il est de plus en plus probable qu'au-delà d'un certain seuil la croissance du PNB se traduise par une diminution du bien-être.

Ainsi, en 1991, les États-Unis ont dépensé 115 milliards de dollars, soit 2,1 % de leur PNB, pour la protection de l'environnement, et ce n'est pas fini. Le *Clean Air Act* devrait accroître cette somme, estime-t-on, de 45 à 55 milliards de dollars par an [3]. Certes, les évaluations du coût de la pollution ou du prix de revient de la dépollution sont éminemment délicates, problématiques et, bien sûr, controversées. Les débats et les marchandages sur la facture de Tchernobyl lors de la réunion du G7 à Naples, en 1995, en ont fourni une illustration caricaturale. On a calculé que l'effet de serre pourrait coûter entre 600 et 1 000 milliards de dollars par an dans les années à venir, soit entre 3 et 5 % du PNB mondial. Les médecins du travail estiment le coût du stress à 3 % du PIB en France [4]. Le World Resources Institute, de son côté, a tenté d'évaluer la réduction du taux de croissance en cas de prise en compte des ponctions sur le capital naturel dans l'optique du développement durable. Pour l'Indonésie, il a ainsi ramené le taux de croissance entre 1971 et 1984 de 7,1 à 4 % en moyenne annuelle, et ce en intégrant seulement trois éléments : la

---

1. Jacques Ellul, *Le Bluff technologique*, Hachette Littératures, Paris, 1998, p. 76.
2. Hervé-René Martin, *La Mondialisation racontée à ceux qui la subissent*, vol. 2, *op. cit.*, p. 79.
3. *Le Monde*, 22 novembre 1991.
4. Selon Margot Wallström, vice-présidente de la Commission européenne, «chaque année les États membres de l'Union européenne perdent 600 millions de jours de travail en raison de maladies liées au stress». *Le Figaro*, 24 mars 2006.

destruction des forêts, les prélèvements sur les réserves de pétrole et de gaz naturel, et l'érosion du sol. L'économiste allemand W. Schultz a calculé pour 1985, à partir d'un inventaire non exhaustif des pollutions, que la prise en compte des dommages causés à la RFA équivaudrait à 6 % du PIB [1]. Peut-on assurer pour autant que l'on a compensé toutes les pertes du « capital naturel » ? Selon les informations fournies par l'Académie chinoise des sciences, si « les coûts "cachés" du développement économique liés aux pollutions et à la réduction des ressources naturelles étaient comptabilisés, la croissance moyenne du PIB chinois entre 1985 et 2000 devrait être réduite de 8,7 à 6,5 points ». On lit également dans le rapport du Millenium Ecosystem Assessment (ONU) de mars 2005 que « nombre de pays qui ont présenté une croissance positive apparaîtraient en fait avec une richesse en baisse si l'on faisait entrer la dégradation des ressources naturelles dans les comptes [2] ». En 2003, les embouteillages ont coûté aux États-Unis 63 milliards de dollars en temps perdu et en surconsommation, selon le rapport 2005 de l'université du Texas. La pollution et la congestion automobile à Dakar enlèvent 5 points de PIB au Sénégal, d'après la Banque mondiale [3].

Annoncés avec triomphalisme, les indices de croissance de la productivité, qui démontreraient de manière irréfutable le progrès du bien-être, résultent souvent d'artifices comptables. Certes, notre nourriture, grâce au productivisme de l'agriculture, incorpore cent fois moins de travail direct que celle de nos grands-parents, et nos précieuses automobiles vingt fois moins que celles de nos parents [4], mais un bilan complet intégrant la totalité des coûts du système agroalimen-

---

1. Hervé Kempf, *L'Économie à l'épreuve de l'écologie*, Hatier, Paris, 1991, p. 52.
2. Jean-Paul Besset, *Comment ne plus être progressiste... sans devenir réactionnaire, op. cit.*, p. 193-194.
3. *Ibid.*, p. 283.
4. Alors qu'en 1951 il fallait 145 heures de travail environ pour construire une voiture, 98 suffisaient en 1979 et moins de 12 aujourd'hui...

taire ou du système automobile ferait apparaître des résultats moins reluisants. La prise en compte pour l'agroalimentaire de la multiplication des emplois annexes (conseil, recherche, conservation-transformation, agrochimie, agrobiologie, etc.) réduirait considérablement la fameuse productivité. Il y a cinquante ans, les agriculteurs recevaient entre 45 et 60 % de ce que les consommateurs dépensaient pour leur nourriture; aujourd'hui, ils ne touchent que 18 % en France, 7 % au Royaume-Uni, et même 3,5 % aux États-Unis. La différence finance les activités annexes [1]. Résultat : le consommateur ne note pas de baisse absolue du prix des produits alimentaires, en revanche la qualité laisse beaucoup à désirer [2]. Par ailleurs, l'intégration des dommages collatéraux (prélèvements d'eau, pollution des nappes phréatiques, pollution des fleuves et des océans, vache folle, fièvre porcine et autres pandémies [3]) amènerait sans doute à conclure à une *contre-productivité* comparable à celle qu'Ivan Illich mettait naguère en évidence pour la voiture.

Dans ces conditions, la hausse du niveau de vie dont pensent bénéficier la plupart des citoyens du Nord est de plus en plus illusoire. Certes, ils dépensent plus en termes d'achat de biens et services marchands, mais ils oublient d'en déduire l'élévation supérieure des coûts. Celle-ci prend des formes diverses, marchandes et non marchandes : dégradation de la qualité de vie non quantifiée mais subie (air, eau, environne-

---

1. *Nouvelles de Longomaï*, n° 82, automne 2002, cité par Hervé-René Martin, *La Mondialisation racontée à ceux qui la subissent*, vol. 2, *op. cit.*, p. 142.

2. « En dix ans, les prix alimentaires en France (ce que paie le consommateur) ont augmenté de 11 %, tandis que les prix agricoles à la production (ce qui est payé au paysan) chutaient d'autant. Et il y en a encore qui osent prétendre que ça profite au consommateur ! » (*ibid.*, p. 25). Le goût, par exemple, n'arrive qu'au septième rang des critères de recherche sur les variétés actuelles, après la productivité, le calibrage, la couleur, la conservation, etc. (*ibid.*, p. 28).

3. Une étude intitulée « Les coûts masqués de l'agriculture intensive » pour la Grande-Bretagne nous apprend qu'« en 1996 les compagnies de distribution d'eau ont dépensé 330 millions d'euros pour éliminer les pesticides, les nitrates et les agents pathogènes d'origine agricole contenus dans l'eau destinée à la boisson » (*ibid.*, p. 25).

ment), dépenses de « compensation » et de réparation rendues nécessaires par la vie moderne (médicaments, transports, loisirs), élévation des prix des denrées raréfiées (eau en bouteille, énergie, espaces verts…) [1]. « Nos sociétés occidentales, remarque Denis Bayon, se trouvent depuis quelques années dans la situation d'un individu qui, pour gagner 3 000 euros, est amené à adopter un mode vie tellement *contre-nature* qu'il l'oblige à dépenser 2 000 euros pour essayer (sans espoir) de compenser les effets catastrophiques sur sa santé physique et mentale [2]. » Ce « paradoxe » est d'ailleurs corroboré par toute une série d'indicateurs « alternatifs » : indice de santé sociale, produit vert, produit intérieur doux des Québécois, etc. [3]. Le triste record français en matière de consommation d'antidépresseurs illustre ce cercle vicieux dans lequel la croissance nous a fait entrer. Pour supporter le surcroît de stress engendré par la vie moderne (conditions de travail, transports, environnement, etc.), nos concitoyens ont besoin de drogues, ce qui leur permet de croître encore plus… Autant dire que la croissance est un mythe à l'intérieur même de l'imaginaire de l'économie de bien-être, sinon de la société de consommation !

---

1. *Le Monde*, le 22 décembre 1998, écrivait déjà : « Les cancers ont progressé en vingt ans en France de 25 % pour les hommes, le plus répandu étant celui de la prostate, en augmentation très rapide dans tous les pays industrialisés, et de 20 % pour les femmes, avec un bond de 60 % pour les cancers du sein : une femme sur dix le connaîtra (après la guerre, une sur quarante). Si la probabilité pour un homme de contracter un cancer au cours de sa vie est désormais de 46,9 %, celle d'en mourir, grâce au progrès de la médecine, n'est que de 27,6 %. » Désormais, avec le rapport du Pr Belpomme, on sait de quoi il retourne. « Je me suis aperçu que le cancer était une maladie que notre société fabriquait de toutes pièces et qu'il était en grande partie induit par la pollution de notre environnement. » Il meurt en France 150 000 personnes par an du cancer et 80 à 90 % des cancers sont dus à la dégradation de l'environnement. Ces vingt dernières années, l'augmentation a été de 35 % (*Le Monde*, 14 février 2004).

2. Denis Bayon, « Décroissance économique : vers une société de sobriété écologique », www.ladecroissance.org, p. 9.

3. Rapport de Jean Gadrey et Florence Jany-Catrice sur les indicateurs de richesse et de développement, consultable à l'adresse suivante : www.travail. gouv.fr/IMG/pdf/rapport-indicateurs-richesse-developpement.pdf.

Elle ne suscite pas pour les « nantis » eux-mêmes une société
conviviale, mais une « antisociété » malade de sa richesse

Jean-Baptiste Say posait en loi que le bonheur est proportionnel au volume de la consommation. Il s'agit là de l'imposture économiste et moderniste par excellence, qui trouve déjà
ses fondements chez Thomas Hobbes. Celui-ci annonce en effet
avec délectation cette *hubris*, cette démesure propre à l'homme
occidental : « La félicité de cette vie ne consiste pas dans le repos
d'un esprit satisfait. Car n'existent en réalité ni ce *finis ultimus*
(ou but dernier) ni ce *summum bonum* (ou bien suprême) dont
il est question dans les ouvrages des anciens moralistes. […]
La félicité est une continuelle marche en avant du désir d'un
objet à un autre, la saisie du premier n'étant encore que la route
qui mène au second. […] Ainsi, je mets au premier rang, à titre
d'inclination générale de toute l'humanité, un désir perpétuel
et sans trêve d'acquérir pouvoir après pouvoir, désir qui ne
cesse qu'à la mort[1]. » Émile Durkheim dénonce ce présupposé
utilitariste du bonheur comme une somme de plaisirs liés à la
consommation égoïste. Pour lui, un tel bonheur n'est pas loin de
mener à l'anomie, c'est-à-dire au dysfonctionnement social et
au suicide[2]. Selon l'OMS (Organisation mondiale de la santé),
le nombre annuel de morts par suicide atteint presque le million
à l'échelle mondiale, loin devant les homicides (500 000) et les
victimes des guerres (250 000)[3]. L'OCDE estime qu'au cours
des trente dernières années les taux de suicide ont progressé en
moyenne de 10 % dans les pays membres.

Certains statisticiens ont tenté de formaliser le bonheur.
Celui-ci serait une fonction croissante du revenu monétaire
et des biens relationnels. On remarque alors que la disponi-

---

1. Thomas Hobbes, *Léviathan*, Sirey, Paris, 1971, chapitre XI, p. 95-96.
2. Voir Christian Laval, *L'Ambition sociologique. Saint-Simon, Comte, Toc-*
queville, Marx, Durkheim, Weber, La Découverte, Paris, 2002, p. 255 *sq.*
3. Voir Jean-Paul Besset, *Comment ne plus être progressiste… sans devenir*
réactionnaire, op. cit., p. 258.

bilité en biens relationnels tend à diminuer quand le revenu augmente. Au-delà d'un certain équilibre, la félicité tendrait à décroître. L'économiste de Harvard et ancien ministre du Travail de Bill Clinton Robert Reich en fait une analyse lucide à partir de son expérience personnelle : « Le problème est que cet équilibre entre se gagner de quoi vivre et se gagner une vie plus équilibrée devient de plus en plus difficile à atteindre parce que la logique de la nouvelle économie fait que l'on s'attache de plus en plus au travail et de moins en moins à la vie individuelle. [...] Nous tirons tous de grands avantages de la nouvelle économie. [...] Nous jouissons des extraordinaires opportunités qu'elle nous offre en tant que consommateurs et, toujours plus, comme investisseurs/spéculateurs. Nous poussons la nouvelle économie en avant. Et pourtant, il y a un "mais". Quelque merveilleuse que soit la nouvelle économie, nous sacrifions sur son autel des parts significatives de notre vie : des pans entiers de la vie de famille, de nos amitiés, de la vie collective, de nous-mêmes. Ces pertes vont de pair avec les bénéfices que nous en retirons. En un certain sens, ce sont les deux faces de la même médaille [1]. »

En fait, à y regarder de près, la *richesse* a un caractère bien plus pathologique que la pauvreté. L'extrême richesse constitue le fléau principal de la société moderne. Plutôt que de l'accroître encore en prétendant porter remède à la pauvreté, il faudrait s'y attaquer comme à une maladie dangereuse masquée par l'imaginaire institué de la croissance. Majid Rahnema note avec pertinence : « La misère morale des riches et des puissants – sujet tabou dans la littérature spécialisée sur la pauvreté – a curieusement plus attiré l'attention des romanciers, des poètes et, bien entendu, des pauvres eux-mêmes, que celle des sociologues et des économistes qui la considèrent comme hors sujet.

---

1. Robert Reich, *The Future of Success*, Alfred A. Knopf, New York, 2000, cité par Luigino Bruni, « L'economia e i paradossi della felicita », *in* Pier Luigi Sacco et Stefano Zamagni (dir.), *Complessita' relazionale e comportamento economico*, Il Mulino, Bologne, 2002, p. 242.

L'étude profonde des véritables causes de la misère pourrait bien, pourtant, montrer qu'elle est bien au cœur – sinon le cœur – du sujet. » Il poursuit : «La misère morale des nantis, "habillée" de ses plus beaux atours et donc bien moins visible de l'extérieur, est paradoxalement plus pernicieuse que celle qui frappe les indigents : à l'obsession proprement pathologique du plus-avoir, au désir incessant d'accumuler pour soi et de retirer aux autres pour le seul plaisir d'exercer sur eux un pouvoir s'ajoutent des facteurs extérieurs tels que les nombreux critères de réussite sociale, l'impitoyable dynamique de la compétition, la règle d'or du profit à tout prix ou la marchandisation de toutes les relations humaines [1]. » Il est remarquable que le langage moderne, qui stigmatise le pauvre, «n'utilise jamais le mot manque quand il s'agit des riches et des puissants : aussi ne vient-il à l'idée de personne de définir certaines catégories de riches par un manque de clairvoyance, un manque de vertu ou de solidarité, un manque de sens de la justice sociale ou un manque de compassion [2]».

Le bonheur promis aux gagnants se traduit par une accumulation frénétique de consommation avec croissance du stress, de l'insomnie, des troubles psychosomatiques, de maladies de toutes sortes (cancers, crises cardiaques, allergies diverses, obésité, cirrhoses du foie, diabète…). «À mesure que la croissance progresse sur l'ensemble des fronts de la société, remarque Jean-Paul Besset, le malaise individuel augmente : états dépressifs, syndromes de fatigue chronique, tentatives de suicide, troubles psychiques, actes de démence, internements, consommation d'antidépresseurs, de tranquillisants, de somnifères, d'antipsychotiques, de stimulants, addictions en tout genre, absentéisme au travail, à l'école, anxiété, conduites à risque [3]…»

---

1. Majid Rahnema, *Quand la misère chasse la pauvreté*, *op. cit.*, p. 231.
2. *Ibid.*, p. 134.
3. Jean-Paul Besset, *Comment ne plus être progressiste… sans devenir réactionnaire*, *op. cit.*, p. 258.

En France, selon Patrick Viveret, «l'angoisse, la peur de vivre, et pas seulement celle de mourir, pèse en fait très lourd dans les quelque 315 milliards d'euros […] que les Français consacrent chaque année à leur sécurité sociale. Les coûts générés par le mal de vivre pourraient ainsi constituer un gisement pour lancer des programmes ambitieux d'éducation à l'art de vivre. Le temps gagné sur la course et la logique de guerre économique, le temps gagné sur le travail, ce temps est précieux pour la participation civique et la capacité à s'adonner au plus beau métier qui soit : faire de sa vie une œuvre [1]».

Les plus nantis sont condamnés à mourir «d'une effroyable tristesse de l'âme [2]». Certains «gavés» en arrivent même au comble de la solitude. Aux États-Unis, la proportion de personnes seules est passée de 17% de l'ensemble des foyers à 26%. La misère psychique et spirituelle des repus produit, à l'autre bout, la misère matérielle des exclus, car, dans une société qui fait de la vie un combat et de la mort un échec, le remède à la dépression psychique est l'excitation, dont la spéculation boursière donne un exemple. La dépression culturelle dénoncée par Keynes engendre cette double misère, alimentée et exacerbée par la publicité – un moyen étudié pour vous rendre mécontent de ce que vous avez et vous faire désirer ce que vous n'avez pas.

Dans ces conditions, il serait urgent de retrouver la sagesse de l'escargot. Nous avons peut-être encore plus à apprendre de lui que des poules, des huîtres et des araignées, dont nous avons déjà parlé. En effet, il ne nous enseigne pas seulement la nécessaire lenteur : «L'escargot, nous explique Ivan Illich, construit la délicate architecture de sa coquille en ajoutant l'une après l'autre des spires toujours plus larges, puis il

---

1. Patrick Viveret, *Pourquoi ça ne va pas plus mal ?*, Fayard, Paris, 2005, p. 115.
2. Hervé-René Martin, *La Mondialisation racontée à ceux qui la subissent*, vol. 2, *op. cit.*, p. 20.

cesse brusquement et commence des enroulements cette fois décroissants. C'est qu'une seule spire encore plus large donnerait à la coquille une dimension seize fois plus grande. Au lieu de contribuer au bien-être de l'animal, elle le surchargerait. Dès lors, toute augmentation de sa productivité servirait seulement à pallier les difficultés créées par cet agrandissement de la coquille au-delà des limites fixées par sa finalité. Passé le point limite d'élargissement des spires, les problèmes de la surcroissance se multiplient en progression géométrique, tandis que la capacité biologique de l'escargot ne peut, au mieux, que suivre une progression arithmétique[1]. » L'escargot, en divorçant de la raison géométrique, qu'il a épousée pour un temps, nous montre la voie pour penser une société de « décroissance », si possible sereine et conviviale.

---

1. Ivan Illich, *Le Genre vernaculaire*, in *Œuvres complètes*, t. 2, Fayard, Paris, 2005, p. 291-292.

Chapitre 2

Peut-on mettre un vin nouveau dans de vieilles outres? Décroissance, «disvaleur» et mesure du bien-être

« Le niveau, la composition et l'extrême importance du PIB sont à l'origine d'une des formes de mensonge social les plus répandues. »

John Kenneth Galbraith [1]

La construction d'une société de décroissance passe certainement par la démystification de l'indice fétiche du bien-être moderne, le PNB/PIB (produit national ou intérieur brut). Il importe donc de revenir sur la signification de cet indicateur. Faut-il en rester là et ne doit-on pas se poser la question de la portée et des limites des propositions alternatives? Certains semblent penser qu'il suffirait de calculer la richesse autrement pour sortir de l'enfer de la croissance. Existe-t-il un « bon » indice capable de transcender les systèmes sociaux qui eux-mêmes définissent le sens et le contenu de la richesse?

---

1. John Kenneth Galbraith, *Les Mensonges de l'économie. Vérité pour notre temps*, Grasset, Paris, 2004.

BONHEUR, RICHESSE, « DISVALEUR » : L'IMPOSTURE DU PIB/PNB

En cohérence avec Jean-Baptiste Say qui définissait le bonheur par la consommation, Jan Tinbergen a purement et simplement proposé de rebaptiser le PNB BNB : bonheur national brut[1]. Pour l'anecdote, signalons que l'idée a été reprise avec un certain humour par le roi du Bhoutan, qui a inscrit l'objectif d'accroissement de ce BNB dans la Constitution.

La prétention arrogante de l'économiste hollandais n'est en fait qu'un retour aux sources. Le bonheur, cette « idée neuve en Europe » au XVIIIᵉ siècle, selon le mot célèbre de Saint-Just, se matérialise en bien-être, version euphémisée du « bien-avoir ». « L'idéologie du bonheur, écrit Jacques Ellul, exige une croissance de consommation de bien-être en établissant le terrain favorable pour l'éclosion de nouveaux besoins. [...] Mais plus la consommation augmente, plus l'idéologie du bonheur doit être puissante pour combler le vide de l'absurde du cycle engagé. Sans bien-être, le bonheur paraît illusoire et vain, il est dépossédé de tous ses moyens de réalisation. La voie pour accéder au bonheur est celle du bien-être, et seulement de lui. Au fur et à mesure, le bien-être a d'ailleurs pris une telle importance que l'on est tenté de minimiser le bonheur, notion floue, incertaine, complexe, comportant une survivance de subjectivités regrettables et de sentimentalité romantique. Des sociologues, des économistes actuels préfèrent de beaucoup avoir affaire au bien-être (niveau de vie, style de vie, etc.) qui peut être cerné, analysé, à la rigueur chiffré[2]. » C'est sans doute là une des raisons pour lesquelles

1. Jan Tinbergen, *Politique économique et optimum social*, Economica, Paris, 1972.
2. Jacques Ellul, *Métamorphose du bourgeois*, La Table ronde, Paris, 1998, p. 93. Pour être bien sûr d'être compris, il en rajoute une couche : « Le bonheur est la valeur idéologique du bien-être. Il en est la forme, la gloire et la légitimation. Mais sans bien-être, le bonheur n'est plus pour l'homme réaliste de ce temps que mensonge et dérision » (*ibid.*, p. 94).

la suggestion de Tinbergen n'a pas été retenue, bien plus qu'à cause de l'imposture qu'il y aurait à identifier « bien-avoir » et bien-être.

Certes, comme le rappelle judicieusement Jean Gadrey, les comptables nationaux, lorsqu'on les attaque, déclarent que « le PIB et la croissance ne mesurent pas le bien-être, ils ne sont pas faits pour ça [1] ». N'empêche que si le public s'y trompe, c'est que tout est fait pour cela. Dans les Jeux olympiques de la croissance, le palmarès des PIB par tête est présenté, aussi bien par les hommes politiques que par les médias, comme le résultat de la course mondiale au bien-être, sinon au bonheur. La confusion est d'autant plus facile que le PIB par tête est fortement relié dans l'imaginaire et dans les faits au niveau de vie et au niveau de salaire. Nous avons été « formatés » à y voir la mesure de notre bien-être, celui-ci étant considéré comme strictement proportionnel à notre consommation marchande. « Le niveau de vie, écrit de façon significative Jean Fourastié, est mesuré par la quantité de biens et services que permet d'acheter le revenu national moyen [2]. »

Il est facile de faire justice de cette prétention et de montrer que le produit intérieur ou national ne mesure que la « richesse » marchande et celle qu'on peut lui assimiler. « Le PIB est donc, point essentiel, un flux de richesse purement marchande et monétaire, notent encore Jean Gadrey et Florence Jany-Catrice. Quant à la croissance, c'est la progression du PIB, c'est-à-dire la progression du volume de toutes les productions de biens et de services qui se vendent, ou qui coûtent monétairement, *produites par du travail rémunéré [3].* » Autrement dit, « tout ce qui peut se vendre et qui une valeur

---

1. Jean Gadrey, « De la critique de la croissance à l'hypothèse de la décroissance. Croissance et innovation », *Cahiers français*, n° 323, repris *in* Jean Gadrey et Florence Jany-Catrice, *Les Nouveaux Indicateurs de richesse, op. cit.*

2. Jean Fourastié, article « Niveau de vie », *in* Jean Romoeuf, *Dictionnaire des sciences économiques*, PUF, Paris, 1958, p. 800.

3. Jean Gadrey et Florence Jany-Catrice, *Les Nouveaux Indicateurs de richesse, op. cit.*, p. 17.

ajoutée monétaire va gonfler le PIB et la croissance, indépendamment du fait que cela ajoute ou non au bien-être individuel et collectif. [...] De nombreuses activités et ressources qui contribuent au bien-être ne sont pas comptées, simplement parce qu'elles ne sont pas marchandes ou qu'elles n'ont pas un coût de production monétaire direct[1]». On dit encore que le PIB mesure les *outputs* ou la production, non les *outcomes* ou les résultats.

« Le PIB, selon Gadrey, ne considère pas que la progression du temps libre est une richesse digne d'être comptée. [...] Aux États-Unis, depuis 1980, le temps de travail annuel moyen par personne a progressé de l'équivalent de cinq semaines de travail par an (204 heures), contrairement à ce qui s'est passé dans presque tous les pays européens. On a là un bel exemple d'une contribution essentielle au bien-être, le temps libre, qui n'apparaît pas dans les comptes de la richesse[2].» « Notre PIB [...], déclarait Robert Kennedy, comprend aussi la pollution de l'air, la publicité pour les cigarettes et les courses des ambulances qui ramassent les blessés sur les routes. Il comprend la destruction de nos forêts et la destruction de la nature. Il comprend le napalm et le coût du stockage des déchets radioactifs. En revanche, le PIB ne tient pas compte de la santé de nos enfants, de la qualité de leur instruction, de la gaieté de leurs jeux, de la beauté de notre poésie ou de la solidité de nos mariages. Il ne prend pas en considération notre courage, notre intégrité, notre intelligence, notre sagesse. Il mesure tout, sauf ce qui fait que la vie vaut la peine d'être vécue[3].»

On se gausse volontiers d'une évaluation qui compte en positif la souffrance des accidents. La tempête de décembre

1. *Ibid.*, p. 18.
2. Jean Gadrey, «De la critique de la croissance à l'hypothèse de la décroissance. Croissance et innovation», art. cité, p. 23.
3. Cité par Derek Rasmussen, «Valeurs monétisées et valeurs non monétisables» (titre original «The priced versus the priceless»), *Interculture* (Montréal), n° 147, octobre 2004.

1999 en France, par exemple, aurait contribué à une hausse de 1,2 % du taux de croissance. Derek Rasmussen note : « Plus il y eut de véhicules remorqués, plus il y eut de réparations, plus de sang de transfusion a été vendu et acheté, plus de médecins, infirmières et conseillers juridiques ont trouvé des emplois. En effet, les accidents d'auto augmentent le PIB ! Le PIB nous apprend que l'économie se porte bien. Plus haut monte le PIB, mieux nous nous portons selon les économistes conventionnels. Mais les familles concernées par les accidents d'auto se sentent-elles bien ? Se sentiront-elles mieux si un économiste leur dit que, grâce à leur douleur, la situation économique s'est améliorée ? » Et Rasmussen de conclure : « Qu'est-ce qui cloche dans ce tableau [1] ? »

Nous sommes confrontés au sophisme de la formule journalistique provocatrice reprise dans la plupart des pays en croissance à un moment ou un autre : « L'économie se porte bien, mais les citoyens vont mal. » « Le Japon va mieux, les Japonais moins bien », titrait *Le Monde Économie* le 18 novembre 2003. Cela est particulièrement d'actualité avec la mondialisation, dès lors que le fameux *trickle-down* du développement (c'est-à-dire l'effet de diffusion ou de retombée) s'est mué en *trickle-up* (accroissement des inégalités). C'est bien évidemment le contenu de cette notion polysémique de richesse, dont les économistes n'ont pu se débarrasser, qui est sur la sellette. « Une chose que je trouve fort intéressante dans le débat en cours, note Elaine Bernard dans le film *The Corporation*, est ce concept de qui crée de la richesse, que cette richesse soit créée uniquement lorsqu'elle est possédée *en privé*. Et comment appelle-t-on une eau pure, de l'air frais, un environnement sans danger, n'est-ce pas une forme de richesse ? Pourquoi tout cela deviendrait-il richesse seulement si une entité déroule une clôture autour et le déclare

---

1. *Ibid.*, p. 6.

propriété privée ? Eh bien, sachez que cela n'est pas *créer* de la richesse, c'est *usurper* la richesse [1]. »

L'affaire est entendue : le PIB/PNB ne mesure que ce que le système capitaliste considère comme richesse et fort mal, voire pas du tout, le bien-être vécu et les « vraies » richesses. Les raisons proprement *techniques* de ce *dysfonctionnement* ont été assez bien identifiées par les statisticiens eux-mêmes, et ce dès le départ, en particulier avec le fameux paradoxe de la cuisinière qui fait diminuer le produit dès lors qu'elle épouse son patron [2]. Toutefois, qu'est-ce que cela change ?

Dès 1893, Émile Durkheim, étudiant l'anomie, c'est-à-dire les dysfonctionnements sociaux, observait que « le nombre de ces phénomènes morbides [suicides et crimes] semble s'accroître à mesure que les arts, les sciences et l'industrie progressent [3] ». Il mettait ainsi en cause « la relation supposée évidente entre la richesse économique et le bonheur social, que la croissance observée du taux de suicides dans les sociétés développées lui semble infirmer [4] ». Il corroborait, ce faisant, une critique de la modernité inaugurée par l'économie sociale, cette remise en cause réformiste et morale de l'industrialisation naissante. Pour Alban de Villeneuve-Bargemont, l'un de ses représentants, « le véritable paupérisme, c'est-à-dire la détresse générale, permanente et progressive des populations ouvrières, a pris naissance en Angleterre, et c'est par elle qu'il a été inoculé au reste de l'Europe [5] ». Eugène Buret, le plus grand théoricien de cette école et inspirateur de Marx, distinguait pour cela la pauvreté objective de la misère

---

1. Cité in *ibid.*, p. 10.
2. La richesse évaluée par le PIB démontre aussi son insignifiance quand on réfléchit au délire vertigineux de la croissance sans qualité. Entre 1900 et 2000, le PIB réel de la France, c'est-à-dire notre pouvoir d'achat, a été multiplié par 12. Que signifie un bien-être douze fois supérieur ?
3. Émile Durkheim, *De la division du travail social*, Alcan, Paris, 1926, p. 13.
4. François Vatin, *Trois Essais sur la genèse de la pensée sociologique*, *op. cit.*, p. 125.
5. *Ibid.*, p. 102.

morale. «La misère, c'est la *pauvreté moralement sentie.* [...]
La misère est un phénomène de civilisation; elle suppose
dans l'homme l'éveil et même déjà un développement avancé
de la conscience [1].»

La domination de l'économisme a été telle qu'il a fallu
pratiquement attendre les années 1968 pour entendre, en particulier avec Ivan Illich et son concept de «disvaleur», une
reprise et un prolongement de cette critique. La disvaleur
désigne «la perte [...] qui ne [saurait] s'estimer en termes
économiques». Ainsi, l'économiste «n'a aucun moyen d'estimer ce qui arrive à une personne qui perd l'usage effectif de
ses pieds parce que l'automobile exerce un monopole radical
sur la locomotion. Ce dont cette personne est privée n'est pas
du domaine de la rareté. À présent, pour aller d'ici à là elle
doit acheter du kilomètre-passager. Le milieu géographique
lui paralyse les pieds. L'espace a été converti en une infrastructure destinée aux véhicules. Est-ce à dire que les pieds
sont obsolescents? Certainement pas. Les pieds ne sont pas
des "moyens rudimentaires de transport personnel", comme
certains responsables des réseaux routiers voudraient nous le
faire accroire. Mais il se trouve que, étant désormais englués
dans l'économique (pour ne pas dire anesthésiés), les gens
sont devenus aveugles et indifférents à la perte induite par la
disvaleur [2]».

Un aspect voisin de cette forme de disvaleur, rarement
pris en compte dans l'évaluation du bien-être, est le remplacement des produits anciens par des produits nouveaux.
Les nouveaux produits étant plus séduisants, on s'empresse
d'oublier les qualités des anciens et de les déprécier. Ce faisant, on surestime considérablement l'aspect positif du pro-

---

1. *Ibid.*, p. 103. «Si la campagne est *pauvre,* disait dans la même veine
Michelet, la ville, avec tout son éclat, est peut-être plus *misérable*» (*ibid.*,
p. 104).

2. Ivan Illich, *Dans le miroir du passé,* in *Œuvres complètes, op. cit.,* t. 2,
p. 744-745.

grès et on sous-estime le poids réel des produits « disparus ». « C'est ainsi, écrit Jacques Ellul, que, quand on évalue la progression de la consommation des textiles, on ne place dans les statistiques que les textiles actuellement utilisés, laine, coton et textiles artificiels, mais on ne tient aucun compte des textiles dont l'usage a disparu (lin, chanvre), usage beaucoup plus considérable qu'on ne le croit et qui donnait des tissus infiniment plus durables. » Et il ajoute : « Ceci ne vise pas à nier la croissance de la consommation, mais elle est beaucoup moins importante qu'on ne l'imagine : il faudrait évaluer les produits dont la production a été éliminée [1]. »

Cette substitution de produits nouveaux à des produits anciens a des effets négatifs de disvaleur nombreux et divers. Une seule entreprise hollandaise de fabrication de fibres synthétiques a remplacé la totalité de la culture de sisal en Indonésie, pourtant très importante. La découverte de l'aniline a purement et simplement fait disparaître la culture de l'indigo, cette plante herbacée qui donnait leur couleur bleue aux vêtements des Touaregs. La fabrication de produits chimiques a stoppé la récolte de résine dans les Landes. Tout cela a des conséquences innombrables – la ruine de milliers de personnes, le dépérissement de régions entières, etc. – qui ne sont pas prises en considération dans le calcul de la richesse [2].

Dans l'agroalimentaire, le prix à payer pour la « croissance » comprend aussi une dégradation de la qualité des produits – qualité gustative, nutritive et sanitaire. On ne peut plus sans danger manger des fruits avec leur peau, utiliser des grains avec leur enveloppe. On a oublié le goût du veau naturel. Le miel même est devenu toxique… Ces phénomènes

---

1. Jacques Ellul, *Le Bluff technologique*, *op. cit.*, p. 60. Pierre Jakez Hélias, dans son livre *Le Cheval d'orgueil*, rappelait comment, en pays bigouden, on se mariait avec le linge de toute sa vie – 52 chemises de lin, une pour chaque semaine, entassées dans des coffres et lavées une fois l'an à la cendre, et quelques paires de draps inusables (*Le Cheval d'orgueil. Mémoires d'un Breton du pays bigouden*, Plon, Paris, 1975).

2. Jacques Ellul, *Le Bluff technologique*, *op. cit.*, p. 60.

sont désormais désignés par le terme générique de «mal-bouffe» (*junkfood*). Enfin, la classe paysanne a disparu dans les pays industriels et est en voie de disparition accélérée dans les pays du Sud, au profit d'une nouvelle «non-classe» dont on peut se demander si elle est plus saine et plus heureuse : les chômeurs et les SDF ici, les clochards des bidonvilles là-bas... Cette situation entraîne toutes sortes de dommages collatéraux sur l'environnement, le paysage et l'équilibre social.

Toutefois, c'est dans les pays du Sud que la «modernisation» se traduit aujourd'hui par la mise en disvaleur la plus massive, avec l'apparition de produits marchands comptabilisés et la disparition de productions non marchandes le plus souvent non comptabilisées : régression des cultures vivrières au profit des cultures de rente, bière contre vin de palme, boîte disco contre danse de brousse, informel contre formel... «Je soutiens, note Ivan Illich, que la valeur économique ne s'accumule qu'en raison de la dévastation préalable de la culture – qui peut aussi être considérée comme création de disvaleur[1].» Les statistiques enregistrent de ce fait des croissances purement comptables qui peuvent cacher, et qui cachent souvent, des dégradations réelles de la qualité de vie en raison de cette mise en disvaleur de la culture traditionnelle.

La contre-épreuve consisterait à montrer que le PIB ne mesure pas non plus la «vraie» pauvreté. Quel est le nombre de réprouvés, victimes de l'économie mondiale ? S'agit-il des 1,2 ou 2,8 milliards (selon que l'on utilise les chiffres de la Banque mondiale ou des ONG) qui vivent avec moins d'un ou deux dollars par jour ? Probablement pas de tous ceux-là, mais sans doute de beaucoup plus au total si l'on inclut les nouveaux pauvres de l'Occident et ceux des pays de l'Est, moins bien lotis, même avec quelques dollars de plus... Dans l'optique du développement humain et sous l'influence

---

1. Ivan Illich, *Dans le miroir du passé*, in *Œuvres complètes*, t. 2, *op. cit.*, p. 780.

d'Amartya Kumar Sen, le PNUD fait des estimations du niveau de pauvreté dans les pays du Sud en se fondant seulement sur la faible espérance de vie, l'absence d'éducation de base et le manque d'accès aux ressources publiques et privées. En 1997, les niveaux de pauvreté sont de 4,1 % pour Trinité et Tobago, de 10,9 % pour le Mexique, de 11,9 % pour la Thaïlande. Mais les évaluations réalisées entre 1993 et 1996 sur d'autres bases par les pays concernés donnent 17,8 % pour le Canada, 13,7 % pour les États-Unis et 20 % pour le Royaume-Uni. L'institut de recherches sociales Eurispes, dans son rapport de 2005, évalue à 4,7 millions le nombre de familles italiennes pauvres ou quasi pauvres, soit 14 millions de citoyens ou 22 % de la population (le ministère du Travail les évalue à seulement 7 millions, soit 12 % de la population en 2003). Qu'ils soient objectifs ou relatifs, spécifiques au Nord ou au Sud, «ces critères d'évaluation de la richesse et de la pauvreté, commente Maurizio Pallante, sont intrinsèques à la culture d'un système économique et productif fondé sur la marchandisation totale et sur la croissance du produit intérieur brut, parce qu'ils mesurent aussi bien la pauvreté relative que la pauvreté absolue avec des paramètres monétaires [1]».

La misère au Nord est souvent plus insupportable que la pauvreté au Sud, où les processus *objectifs,* étrangers au milieu, sont ressentis et vécus comme une fatalité. Certaines populations sont désarmées face à ce destin artificiellement créé par l'occidentalisation du monde et en désarroi devant le déficit de sens ainsi advenu. Évidente au regard de l'expert extérieur et invisible, ou presque, à l'intérieur de la société concernée, la pauvreté au Sud est donc le plus souvent «non pensée». Elle n'en est pas moins scandaleuse, mais elle ne conduit pas nécessairement à la même désespérance que la misère modernisée. À l'inverse, le spectacle télévisuel de

---

1. Maurizio Pallante, *La decrescita felice. La qualità della vita non depende dal PIL*, Editori Riuniti, Rome, 2005, p. 34.

l'abondance factice du Nord pousse les masses déracinées du Sud à venir se fracasser contre les remparts frontaliers de la honte, en tentant désespérément de rejoindre les mirages de la richesse.

LES INDICATEURS ALTERNATIFS

Un autre mode de mesure permettrait-il d'échapper à de telles imperfections ? Cette revendication est loin d'être originale et nouvelle. Le souci de tenir compte des multiples aspects de la réalité était déjà présent dans la pensée des statisticiens à l'origine des premières comptabilités nationales. Le rapport des Nations unies de 1954 sur la définition et la mesure des *standards* et des *levels of living* relève douze composantes du niveau de vie servant aux comparaisons internationales : la santé, l'alimentation, l'éducation, les conditions de travail, l'habitat, l'habillement, les loisirs, la sécurité sociale et les droits de l'homme [1]. Qui dit mieux ?

Les indicateurs alternatifs dits de « bien-être » – IDH ou indicateur de développement humain, Genuine Progress Indicator (GPI [2]) ou indicateur de progrès authentique, indicateur de santé sociale (ISS [3]) de Robert Putnam, calcul de PIB verts, PID (produit intérieur doux des Québécois) – consistent à élargir l'évaluation à des aspects « oubliés » ou à corriger par d'autres indices le poids du PIB dans un indice synthétique censé représenter le bien-être. Le premier IBED (indice de bien-être durable) est dû à John Cobb et Herman Daly en

---

1. Nations unies, *Report in International Definition and Measurement of Standards and Levels of Living*, Doc. E. CN 5/229 (1954).
2. Calculé depuis 1995 par l'institut californien Redefining Progress. Il consiste dans l'addition d'une estimation monétaire du travail bénévole et domestique et dans la soustraction d'une estimation monétaire des dégradations écologiques et sociales.
3. Élaboré en 1996 par Marc et Marque-Luisa Miringoff.

1989, et il a été repris en 1994 par Clifford Cobb et John Cobb. La formule est la suivante :

> consommation marchande des ménages
> + services du travail domestique
> + dépenses publiques non défensives
> − dépenses privées défensives
> − coûts des dégradations de l'environnement
> − dépréciation du capital naturel
> + formation de capital productif

Le loisir et le capital humain en sont absents. L'indicateur de progrès authentique de Redefining Progress, établi à partir de 1995, est proche. Il intègre des corrections concernant les dépenses «défensives», liées à la dégradation de la qualité de vie (pollution de l'eau et de l'air, nuisances acoustiques, migrations alternantes, accidents de la route, criminalité urbaine, perte des zones humides et des ressources non renouvelables), et prend en compte le travail à domicile non rétribué [1].

«Exemple imaginaire : si un pays rétribuait 10 % des gens pour détruire des biens, faire des trous dans les routes, endommager des véhicules, etc., et 10 % pour réparer, boucher les trous, etc., il aurait le même PIB qu'un pays où ces 20 % d'emplois (dont les effets sur le bien-être s'annulent) seraient consacrés à améliorer l'espérance de vie en bonne santé, les niveaux d'éducation et la participation aux activités culturelles et de loisir [2].» En conséquence, «si les ménages achètent de plus en plus d'équipements et de services de protection contre le vol ou de dispositifs antipollution, et si les États dépensent des milliards pour prévenir des risques terroristes croissants, leurs dépenses correspondantes doivent être soustraites du PIB (ou du niveau de vie) si l'on souhaite mieux évaluer les variations du bien-être [3]».

---

1. La pensée écologiste nomme «dépenses défensives» celles qui servent à réparer les dégâts de la croissance...

2. Jean Gadrey et Florence Jany-Catrice, *Les Nouveaux Indicateurs de richesse*, *op. cit.*, p. 21.

3. *Ibid.*

Par ailleurs, en 1981, la valeur de l'activité domestique en France représentait, selon les hypothèses, entre 32 et 77% du PIB[1]. Si l'on suit les graphiques de l'évolution du PIB et du GPI (Genuine Progress Indicator), on voit qu'à partir des années 70, pour les États-Unis, les tendances divergent. Alors que le PIB continue sur son *trend* de croissance, le GPI entame un déclin de plus en plus prononcé. Le bien-être diminue tandis que le «bien-avoir» augmente. Deux chercheurs du Stockholm Environment Institute, Jim Jackson et Susanna Stymne, ont obtenu des résultats similaires à ceux de Herman Daly pour l'Allemagne, le Royaume-Uni, l'Autriche, les Pays-Bas et la Suède.

Il est regrettable que personne en France n'ait encore entrepris de faire ces calculs. On a toutes les raisons de penser que le résultat serait comparable. L'indicateur de santé sociale confirme à sa façon les conclusions précédentes. Cet indice a été mis au point, dans le cadre du Fordham Institute for Innovation in Social Policy, par Marc et Marque-Luisa Miringoff dans les années 80; il comprend 16 variables élémentaires regroupées en cinq composantes associées à des catégories d'âge (mortalité infantile, maltraitance des enfants, pauvreté infantile, suicide des jeunes, usage de drogues, abandon des études universitaires, enfants nés de mères adolescentes, chômage, salaire hebdomadaire moyen, couverture par une assurance maladie, pauvreté des plus de 65 ans, espérance de vie à 65 ans, délits violents, accidents de la route mortels liés à l'alcool, accès à un logement à un prix abordable, inégalité de revenu familial)[2].

Les autres indices – le BIP 40, baromètre des inégalités et de la pauvreté (France), son cousin belge l'indice de sécurité sociale (mis au point par l'Institut pour un développement durable), l'indice de sécurité personnel canadien – vont le plus

---

1. Selon Fouquet et Chadeau, cités *ibid.*, p. 24.
2. Cet indicateur, comme tout indice, a aussi ses limites : par construction, il ne peut descendre en dessous de 0 ni dépasser 100.

souvent dans le même sens. «La prétendue économie du bien-être est en réalité une économie du beaucoup-avoir[1]», écrit Patrick Viveret en citant Jean Gadrey. «Le jour où nous compterons nos destructions dans notre fameux PIB, conclut Bernard Maris, nous risquons de nous retrouver bien pauvres[2]!»

Si, faisant un pas supplémentaire, on tente de remonter du bien-être au bonheur, les écarts, pour autant qu'on puisse les mesurer, sont impitoyables. Dans un livre remarquable, *The Loss of Happiness in Market Democracies*, Robert E. Lane recense tous les biais théoriques possibles de la comptabilité pour essayer de mesurer, malgré tout, l'évolution du bonheur personnel (*subjective well-being*) dans les sociétés libérales. En résumé, la progression du niveau matériel de vie aux États-Unis s'est accompagnée d'une baisse indiscutable du bonheur réel de la majorité des Américains. Cette baisse serait essentiellement due à la dégradation effective des rapports humains fondamentaux (ce que Lane nomme *companionship*)[3], constat confirmé par de nombreuses études. Les enquêtes d'opinion sur le bien-être subjectif opposé au beaucoup-avoir du PIB permettent de se faire une idée sur le sujet. «Lorsqu'on a demandé aux Canadiens, en 1998, s'ils estimaient que la situation économique globale de leur génération était meilleure que celle de leurs parents lorsque ces derniers avaient le même âge, moins de la moitié (44%) a estimé que tel était le cas, en dépit d'un accroissement de 60% du PIB par tête au cours des vingt-cinq années précédentes[4].» Les sondages réalisés aux États-Unis en 2005 par Gallup pour le *Financial Times* vont dans le même sens. Si «la richesse

---

1. Patrick Viveret, *Reconsidérer la richesse*, Éditions de l'Aube, La Tour-d'Aigues, 2003.
2. Bernard Maris, *Antimanuel d'économie*, Bréal, Rosny-sous-Bois, 2003, p. 290.
3. Robert E. Lane, *The Loss of Happiness in Market Democracies*, Yale University Press, New Haven, 2000. Voir aussi Jean-Claude Michéa, *Orwell éducateur*, Climats, Paris, 2003, p. 162.
4. Lars Osberg et Andrew Sharpe, 2003, cités par Jean Gadrey et Florence Jany-Catrice, *Les Nouveaux Indicateurs de richesse*, *op. cit.*, p. 24.

moyenne a plus que triplé depuis la dernière guerre, passant de 15 000 à 35 000 dollars constants annuels [...], la proportion de gens très heureux décline depuis 1960[1]».

Déjà, Pellegrino Rossi, libéral-social du XIXe siècle, pensait que l'économie politique ne pouvait être la science du bonheur social, car à ses yeux pas plus pour les sociétés que pour les individus le bonheur ne saurait s'identifier à la richesse : «La richesse n'est point une cause nécessaire de bonheur; on peut concevoir le bonheur matériel avec peu de richesse, et le malheur largement distribué à côté d'une grande masse de richesses. Ce qui est vrai de chacun de nous est vrai de tous, et peut être vrai d'une société tout entière. Enfin la richesse et le bonheur matériel peuvent bien être des causes indirectes, auxiliaires, secondaires, mais ne sont pas des causes nécessaires du développement moral[2].»

Dans ces conditions, il semble qu'il faille changer les indicateurs de croissance et compter autrement. «Aujourd'hui, affirme Patrick Viveret, les notions de production, d'activité, de richesse et de valeur doivent être impérativement réévaluées si nous voulons prendre pleinement en compte des enjeux écologiques et sociétaux largement ignorés à l'époque où se sont construits les systèmes de comptabilité nationale et les indicateurs comme le PIB[3].» En conséquence, la mode est aux indices de développement humain et autres sophistications statistiques. Toutefois, cela permet-il de résoudre les problèmes? Certes, si le thermomètre est mauvais, mieux vaut en changer pour suivre l'évolution de la maladie; mais

1. Rapporté par Éric Le Boucher, *Le Monde*, 16-17 juin 2005. Déjà, en 1968, selon François de Closets, «les citoyens de huit grands pays industrialisés ont été interrogés [...] par l'Institut français d'opinion publique. 49% des Américains ont estimé que le bonheur est en recul, 26% qu'il progresse. 69% ont estimé que leur inquiétude augmente, 15% qu'elle diminue [...]. 79% des Hollandais disent que leur sérénité diminue, 4% qu'elle augmente. Dans tous les pays étudiés, les citoyens sentent monter leur inquiétude» (*En danger de progrès*, Denoël, Paris, 1970, p. 43).

2. *Cours* (1835-1836), in *Cours*, t. 1, p. 22-23, cité par François Vatin, *Trois Essais sur la genèse de la pensée sociologique, op. cit.*, p. 33.

3. Patrick Viveret, *Reconsidérer la richesse, op. cit.*, p. 68.

si celle-ci est grave, le meilleur thermomètre au monde sera impuissant à apporter la guérison. Existe-t-il un bon indicateur du bien-être ?

Les conventions sur lesquelles repose le calcul du PIB contiennent une part incontestable d'arbitraire. On peut y inclure ou non certains biens et services non marchands. La comptabilité nationale est d'ailleurs, dans son origine, d'inspiration plus keynésienne, c'est-à-dire macroéconomique, que néoclassique. Toutefois, ces indicateurs reflètent plutôt bien les valeurs dominantes du capitalisme contemporain. Sans doute passent-ils à côté des valeurs d'usage lorsque celles-ci ne prennent pas la forme de marchandises ou de services non marchands validés socialement par leur financement public (le prélèvement fiscal) ; mais, dans une société de marché, on ne s'intéresse pas à la valeur d'usage en tant que telle. C'est dire que le PIB/PNB traduit une certaine «réalité». Pour l'essentiel, les conventions qui le fondent s'étayent à leur tour sur une «tradition» culturelle solide, construite en Occident par trois siècles d'économie politique, sept siècles de capitalisme et vingt de pratique marchande. On trouve à la base de l'édifice la question des frontières de l'économique, de ce qui en définit les catégories fondatrices (production, consommation, travail) [1]. Les premiers économistes cherchant à découvrir derrière les apparences marchandes une problématique «essence» de l'acte économique ont rencontré cette difficulté. Thomas Robert Malthus nous fait part de sa perplexité : «Si la peine qu'on se donne pour chanter une chanson est un travail productif, pourquoi les efforts qu'on fait pour rendre une conversation amusante et instructive et qui offrent assurément un résultat bien plus intéressant seraient-ils exclus du nombre des actuelles productions ? Pourquoi n'y comprendrait-on pas les efforts que nous avons besoin de faire pour régler nos passions

---

1. Voir sur ce point notre livre *L'Invention de l'économie*, Albin Michel, Paris, 2005.

et pour devenir obéissants à toutes les lois divines et humaines, qui sont, sans contredit, le plus précieux des biens ? Pourquoi, en un mot, exclurions-nous une action quelconque dont le but est d'obtenir le plaisir ou d'éviter la douleur, soit dans le moment même soit dans l'avenir ? Il est vrai qu'on pourrait y comprendre de cette manière toutes les activités de l'espèce humaine pendant tous les instants de la vie [1]. »

En effet, pourquoi ne serait point travail la danse de la pluie destinée à rendre les esprits propices à la récolte ? Pourquoi ne serait pas production de services de loisir le tam-tam joué près du feu de brousse ? Pourquoi ne seraient pas consommation nationale les caresses obtenues de son partenaire sexuel ? L'usage d'un véhicule personnel n'est-il pas une production de services de transport ? Et son achat, par conséquent, investissement ? Le travail dépensé à l'usine n'est-il pas une consommation de l'énergie accumulée ? Etc.

On le sent, toutes les barrières sont susceptibles de s'effondrer, tous les repères de sauter pour peu que l'on s'émancipe des tabous de la tribu des économètres sur lesquels ils reposent. Jean Gadrey réitère, deux siècles après Malthus, cette perspective relativiste. « Dès lors que l'on met le doigt dans l'engrenage de la prise en compte de la production domestique, du bénévolat ou des actifs naturels, on ne sait plus où il conviendra de s'arrêter dans l'extension des frontières de la richesse ainsi (re)définie : le temps libre, le sommeil réparateur, les ébats amoureux... » Et il conclut sagement, dans le même sens que son illustre prédécesseur : « On ne peut pas faire des comptes nationaux du bonheur [2] ! » D'ailleurs, ajoute-t-il, personne ne le demande. Pas si sûr !

Malthus et les premiers économistes, désemparés, en ont appelé au sens commun, c'est-à-dire aux préjugés de la pra-

---

1. Thomas Robert Malthus, *Principes d'économie politique*, Arthaud, Paris, 1820, p. 28.
2. Jean Gadrey et Florence Jany-Catrice, *Les Nouveaux Indicateurs de richesse*, *op. cit.*, p. 48.

tique bourgeoise de l'époque, pour conjurer le vertige du non-sens. Il reste que ce «sens commun» peut varier dans le temps et dans l'espace, voire suivant le sexe et au sein de la même tribu. Ainsi, la définition de la richesse est conventionnelle. Les indicateurs correspondent toujours à des objectifs que l'on se donne (la reconstruction, la puissance, l'accroissement de la consommation marchande, etc.[1]). On peut y inclure l'armement et le budget militaire. Les comptables nationaux américains y voient un investissement fournissant un service de défense nationale alors que les Européens y voient la dépense improductive stérile par excellence. «La cohérence et la théorie ont bien moins d'influence sur les choix comptables que les représentations dominantes de l'ordre social[2]», reconnaît Gadrey. Christine Delphy dénonce le «machisme» de notre vision : «Si cultiver un poireau est de la production, le préparer en cuisine l'est aussi[3].» C'est l'imaginaire occidental et lui seul qui fonde ce système classificatoire. Pas de travail au sens moderne du terme sans l'éthique «protestante», pas de production marchande sans les mythes de la nature, du besoin, de la rareté et une conception de la matière empruntée à la physique du XVIIIe siècle, pas de consommation sans l'utopie du marché généralisé. Ce qui sépare, dans l'infinie variété de l'activité humaine, le geste ludique du geste laborieux, et, dans ses résultats, l'objet produit de l'objet consommé ou du déchet, est entièrement fondé sur les valeurs culturelles. L'élevage du même animal (chien ou bœuf) sera investissement, production ou consommation suivant le lieu, s'il est destiné à la chasse ou au labour, à la boucherie, à la parade ou à l'affection. Les catégories comptables sont une forme radicale d'impérialisme culturel. Lorsque la mondiali-

---

1. François Fourquet (dir.), *Les Comptes de la puissance. Histoire politique de la comptabilité nationale et du Plan*, Recherches, Paris, 1980.

2. Jean Gadrey et Florence Jany-Catrice, *Les Nouveaux Indicateurs de richesse*, op. cit., p. 53.

3. Christine Delphy, *L'Ennemi principal*, t. 1 : *L'Économie politique du patriarcat*, Syllepse, Paris, 1998.

sation impose ce *charcutage* statistique aux pays non occidentaux, ce ne sont pas seulement le bonheur et la joie de vivre
de l'habitant des pays du Sud qui sont réduits en un dérisoire
niveau de PIB par tête, c'est son être même qui est bafoué et
méconnu dans sa «vraie» richesse et ses virtualités.

Les indicateurs dits de bien-être que nous avons évoqués
sont très utiles pour leur rôle critique. On peut être d'accord
avec la formule de Patrick Viveret : «Le droit à compter
autrement a pour but de défendre le droit de ne pas compter»,
mais à condition, ce faisant, de convenir que c'est la société
de marché ou l'économie que l'on conteste.

Ces indicateurs peuvent-ils servir à «construire» une
«bonne» économie, une «bonne» croissance ou un «vrai»
développement, voire une *autre* société? D'abord, en admettant que ces expressions ne soient point des oxymores, on a
de fortes raisons de douter que le bonheur authentique, c'est-
à-dire le fait que les gens se sentent plutôt heureux et bien
là où ils sont, ait un lien avec l'imaginaire du progrès, de la
croissance et du développement. Ensuite, il n'est pas du tout
sûr que le bonheur soit mesurable.

Par exemple, l'impuissance de l'IDH à cerner la «vraie»
richesse comme la «vraie» pauvreté est assez évidente. On
a, pour le construire, recherché des critères, des évaluations
de situations forcément *objectifs*, universels et transculturels,
mais sans quitter pour autant l'espace de l'imaginaire économique occidental. Ainsi, qualifier de besoins les éléments d'un
mode de vie «idéal» emprunté au modèle des pays développés
permet de l'imposer symboliquement dans l'imaginaire des
autres sociétés. La recherche sur la pauvreté ou sur la richesse
n'échappe ni à l'impérialisme culturel ni à l'ethnocentrisme.
Pour les autres indices concernant les sociétés occidentales,
la question est plus complexe. Si, en s'appuyant sur eux, on
pense cerner une «vraie» richesse permettant non seulement
de subvertir la société de marché mais encore de construire cet
autre monde possible que les altermondialistes appellent de

leur vœux, on fait fausse route. Certes, nous rappelle opportunément François Flahault, la pensée moderne s'est focalisée
« sur la circulation des biens marchands (les biens qu'on *a* ou
qu'on *n'a pas*) et a sous-estimé l'importance des biens qui
font qu'on *est* [1] », mais « ce qui compte ne se compte pas », dit-
on. Les biens « relationnels » ne sont des « biens » que de façon
métaphorique, sur le plan économique. Castoriadis disait toujours : je préfère acquérir un nouvel ami qu'une nouvelle voiture. Oui, mais un nouvel ami, ça vaut combien ?

« À l'homme, dit Spinoza, rien n'est plus utile que
l'homme [2]. » Arnaud Berthoud commente : « Nous vivons
d'abord par le fait d'user de l'image, de la parole, de l'intelligence, du savoir, des gestes et du corps sexué d'autrui. Nous
sommes pauvres ou riches selon la quantité, la qualité et la
variété des services dont nous disposons dans notre vie conjugale, familiale et sociale. Notre propriété s'exprime dans le
langage commun par tous les possessifs avec lesquels nous
décrivons le cercle de nos relations ordinaires – ma femme ou
mon mari, mes enfants ou mes parents, mes amis, mes voisins, mon docteur, mon professeur et tous ceux qui sont à mon
service et sous la main [3]. » La remarque, pertinente, remet en
cause la conception moderne de la consommation. Toutefois,
tout cela, qui est la « vraie » richesse, fait-il encore partie de
l'économie ? L'idée de Stéphane Breton d'une « économie des
personnes », rejoignant les recherches d'Arnaud Berthoud, est
intéressante s'il s'agit d'une métaphore pour dénoncer l'imposture des indicateurs officiels, mais dangereuse s'il s'agit
de « sauver l'économie » malgré tout [4].

---

1. François Flahault, *Pourquoi limiter l'expansion du capitalisme ?*, Descartes et Cie, Paris, 2003, p. 151.
2. Un proverbe wolof dit de façon analogue que l'homme est la solution pour
l'homme.
3. Arnaud Berthoud, « La richesse et ses deux types », *Revue du MAUSS*,
n° 21, 1er semestre 2003, p. 279.
4. Voir par exemple Stéphane Breton, *Télévision*, Hachette Littératures,
Paris, 2006.

Sortir de l'économie
et entrer dans la société de décroissance

En partant des graphiques de divergence de l'évolution du PIB et de l'ISS (indicateur de santé sociale de Robert Putnam) ou du GPI (Genuine Progress Indicator de Daly), on peut concevoir un « ciseau » inverse. Le PIB diminuerait tandis que l'ISS et le GPI augmenteraient ou resteraient stables. C'est précisément de là que part l'intuition de la construction d'une société de décroissance : organiser la baisse du PIB et l'amélioration de l'ISS/GPI. Il s'agit de découpler ou de déconnecter l'amélioration de la situation des particuliers de l'élévation de la production matérielle, autrement dit de faire décroître le « bien-avoir » statistique pour améliorer le bien-être vécu. Par l'alchimie marchande, l'économie s'est montrée capable d'engendrer une croissance des valeurs sans croissance de la satisfaction, voire avec une décroissance de celle-ci. En incorporant transport, emballage, publicité, marque, on peut multiplier le prix du yoghourt, de l'eau, de tous les aliments, de la molécule pharmaceutique, sans en améliorer les performances. Seulement, cet accroissement de valeur est incroyablement consommateur d'énergie (transport) et de matériaux divers (emballages, conserves, publicité...). « Aux États-Unis, rapporte Bertrand de Jouvenel, la consommation alimentaire par tête mesurée en prix constants aurait progressé de 75 % de 1909 à 1957. Or, selon les calculs du Departement of Agriculture, l'accroissement de consommation physiologique a été tout au plus de 12 à 15 %. C'est-à-dire, selon l'analyse de Simon Kuznets, que les quatre cinquièmes au moins du progrès apparent de la consommation d'aliments ont, en fait, reflété l'accroissement des services de transport et de distribution afférent aux aliments [1]. » Les tentatives actuelles, quasiment désespérées, pour accroître encore les valeurs dans

---

[1]. Bertrand de Jouvenel, *Arcadie. Essai sur le mieux-vivre, op. cit.*, p. 178.

une planète épuisée (aquaculture, OGM, énergie nucléaire, par exemple) sont proprement catastrophiques par leur impact écologique. Certes, par leur biais, des emplois (souvent mal payés) sont créés, mais la même satisfaction finale pourrait être obtenue par une réduction drastique des horaires de travail, comme nous le verrons au chapitre 9. À l'inverse, redécouvrir la qualité hors des logiques marchandes fait décroître les valeurs économiques. On voit bien, par exemple, qu'en produisant soi-même, hors marché, on réduit à la fois l'empreinte écologique et le PIB tout en améliorant une certaine forme de satisfaction personnelle.

Évaluer la richesse autrement n'a vraiment d'intérêt que s'il s'agit de faire advenir une autre richesse. Il est bien question, comme l'écrit le psychanalyste Georges Didier, de « décroître à la tyrannie de la toute-puissance pour croître à la qualité relationnelle [1] ». C'est pourquoi réévaluer, c'est-à-dire revoir les valeurs auxquelles nous croyons, sur lesquelles nous organisons notre vie, et changer celles qui ont un effet négatif sur la survie heureuse de l'humanité, est la première étape de la construction d'une société de décroissance [2].

Faut-il pour autant quantifier ce qui n'est pas marchand, donner un prix à ce qui n'en a pas, de la nature au bénévolat ? N'est-ce pas ce que prétend faire l'*ecological ecology* ? Mais n'est-ce pas aussi ce que suggèrent les ultralibéraux ? Certaines formes d'internalisation des coûts externes de l'économie sont des pièges. Il en est ainsi du *full-cost accounting* préconisé par Lester R. Brown, fondateur du Worldwatch Institute. « La solution pour restructurer l'économie, écrit-il, réside dans la création d'un marché honnête [...]. [Le marché] n'incorpore pas les coûts indirects des biens et services, il n'évalue pas adéquatement les services de la nature [...]. Malheureusement, nous avons un système de comptabilité fautif

---

1. Georges Didier, « Moins consommer demande un renoncement et un pont entre psychologie et écologie », *Silence*, n° 302, novembre 2003, p. 11.
2. Voir le chapitre 6.

au niveau global [...]. La prospérité économique provient en partie de l'accumulation de déficits écologiques : des coûts qui n'apparaissent pas dans les livres comptables mais que quelqu'un devra payer en fin de compte [...]. Chaque fois que nous calculons l'ensemble des coûts d'un produit ou d'un service, nous pourrions les incorporer dans le prix de vente en restructurant les taxes. Si nous mettons en place un marché qui reflète la réalité, nous pourrons éviter d'être pris par surprise par un système de comptabilité fautif[1] [...].»

Il s'agit de fixer un prix pour chaque chose. «Nous ne sommes pas, pour notre part, écrivent Jean Gadrey et Florence Jany-Catrice, enthousiasmés par l'idée que, pour pouvoir se faire entendre lorsqu'on défend une vision non strictement économique de la richesse et du progrès, il faille obligatoirement en passer par *la valorisation économique de toutes les variables non économiques*. On peut y voir une contradiction dans les termes, qui signerait la victoire définitive de l'économie comme valeur suprême et comme seule justification crédible des actions en faveur de la justice, du lien social ou de l'environnement. Justifier le bénévolat, c'est-à-dire le don, et sa contribution sociétale, par une valeur monétaire, c'est-à-dire, qu'on le veuille ou non, par une référence au marché, quel incroyable aveu d'impuissance à faire prévaloir d'autres valeurs que celles de l'économie marchande[2] !» Le danger, en effet, est d'aller dans le sens de l'*omnimarchandisation*. Il suffirait de définir les droits de propriété sur tout et de laisser les gens faire du commerce. D'où des calculs «absurdes», pour déterminer par exemple le prix de la biodiversité au Canada (60 milliards de dollars), le prix d'une bonne vie sexuelle (72 000 dollars selon le *Globe and Mail*), le prix

---

1. Lester R. Brown, *Blueprint for a Better Planet*, Mother Earth News, Hendersonville, 2004, p. 92-95, cité par Derek Rasmussen, «Valeurs monétisées et valeurs non monétisables», art. cité, p. 16.

2. Jean Gadrey et Florence Jany-Catrice, *Les Nouveaux Indicateurs de richesse*, *op. cit.*, p. 49.

du corps humain (20 000 dollars), etc. On a même proposé sérieusement de vendre l'air. Il s'agit, pour les anarchistes ultralibéraux, de remédier à la tragédie des *commons* (biens communs), engendrée par l'individualisme de l'économie moderne capitaliste et marchande, par leur suppression pure et simple, sans voir que la véritable tragédie a résidé dans leur suppression programmée à partir du XVIe siècle avec le drame des *enclosures*. «La proposition de prescrire une valeur marchande à toutes les valeurs naturelles au titre de solution à la crise écologique revient à administrer la maladie comme remède[1]», note justement Vandana Shiva.

D'une certaine façon, on va toujours dans le sens de l'impérialisme économiste. On en arrive même à déplorer que le travail n'ait pas étendu suffisamment son empire et son emprise sur la vie et que le «travail» de maison ou le bénévolat ne soient pas pris en compte, voire rétribués. Suivant l'avertissement d'Ivan Illich, les féministes aussi se trompent lorsqu'elles revendiquent des salaires pour les tâches ménagères. «Le mieux qu'elles puissent attendre [pour les tâches ménagères], ce n'est pas un prix fantôme [*shadow price*] mais un prix de consolation[2].» Réévaluer, certes, mais pas forcément en s'appuyant sur du quantitatif. Il y a d'autres indices à inventer. Retrouver le sens de la mesure, n'est-ce pas d'abord sortir de l'obsession du mesurable et dire adieu à l'économie pour retrouver le social? Nous sommes là face au paradoxe qui consiste à penser la sortie de l'économie en des termes économiques[3].

---

1. Vandana Shiva, «The world on the edge», *in* Will Hutton et Anthony Giddens (dir.), *On the Edge : Living with Global Capitalism*, New Press, New York, 2000, p. 128, cité par Derek Rasmussen, «Valeurs monétisées et valeurs non monétisables», art. cité, p. 17.
2. Ivan Illich, *Le Genre vernaculaire*, in *Œuvres complètes*, t. 2, *op. cit.*, p. 279.
3. Le danger serait de perpétuer la religion de la croissance en définissant comme PIB un agrégat de biens et de services réels et virtuels, marchands et non marchands, et d'empêcher la nécessaire sortie de l'économie par une économicisation totale.

Dans l'optique de la construction d'une société de décroissance, le problème n'est pas de changer l'étalon de mesure pour transformer la société, mais de commencer par changer les valeurs et d'en tirer les conséquences pour les concepts. La réévaluation précède la reconceptualisation. C'est parce qu'il s'est produit un changement des mentalités que les indicateurs de richesse (ou de pauvreté) ne sont plus adéquats. Les modifier tout en conservant intact le cadre économique et social, c'est mettre un vin nouveau dans de vieilles outres. La décolonisation de l'imaginaire engendre un réenchâssement de l'économique dans le social (et, ce faisant, dans la biosphère) qui bouleverse les termes mêmes du problème. Réenchâsser l'économie, c'est d'abord la chasser... En se polarisant sur la richesse économique dans une société marchande, on sélectionne la pauvreté comme un problème et une injustice contre lesquels il faut lutter. Cette lutte est d'ailleurs vouée à l'échec puisque, par définition en quelque sorte, la cible recule au fur et à mesure que l'on avance. «En 2003, selon la CGIL, en Italie on était pauvre avec un revenu de 800 euros par mois. En 2005, selon l'Institut de recherches économiques ISIAE, selon la perception des Italiens, les attentes et les désirs ajoutés aux besoins requièrent un revenu minimum de 1 250 euros[1].» Ainsi, le seuil de pauvreté relatif se déplace toujours vers le haut avec la croissance. De ce fait, la pauvreté est objectivisée (avec définition de seuils de pauvreté : moins de 1 ou 2 dollars, moins de la moitié du revenu médian ou du revenu minimum, etc.). On en oublie que, dans une société démocratique, c'est la richesse marchande qui fait problème. «L'organisation de l'économie tout entière en vue du *mieux-être*, disait déjà Ivan Illich en 1973, est l'obstacle majeur au

---

1. Cité par Maurizio Pallante, *La decrescita felice*, *op. cit.*, p. 38. La CGIL (Confederazione generale italiana del lavoro) est l'équivalent de la CGT.

bien-être [1]. » Pour rendre dignité à la pauvreté matérielle, éliminer la misère et retrouver le sens des « vraies » richesses, il faut mettre des bornes à l'enrichissement économique et donc à l'accumulation du capital. Il ne s'agit pas d'économiciser les satisfactions diverses des économiquement pauvres pour les enrichir statistiquement, ni non plus d'appauvrir les riches en défalquant de leur richesse les coûts de leur obésité ou de leur mal-être. La réévaluation du revenu des « pauvres » ne vise pas du tout à tenter de leur démontrer qu'ils auraient tort de se plaindre, mais au contraire à leur redonner le minimum de dignité et d'estime d'eux-mêmes nécessaire pour pouvoir mener le combat. Il s'agit de mettre un terme à l'accaparement sans frein pour sortir les miséreux de la pauvreté économique et les réinsérer dans une société plus conviviale et plus soutenable.

---

1. Ivan Illich, *La Convivialité*, in *Œuvres complètes*, t. 1, *op. cit.*, p. 572.

Chapitre 3

Décroître ou rétrograder

« Si nous pouvions effectivement imaginer un mode de production moins destructeur du milieu, ce serait un "retour en arrière" hautement souhaitable. Car en réalité ce qui serait un retour en arrière pour nous serait en fait une grande avancée pour les peuples du tiers-monde. Cela ne remettrait en cause le confort de vie que d'une toute petite minorité de la population mondiale qui a vécu jusqu'ici d'une manière tout à fait anormale. »

François Partant [1]

« Vous voulez nous ramener à l'âge de pierre », protestent souvent les journalistes lorsqu'on évoque devant eux la décroissance. La décroissance n'est-elle pas effectivement un retour en arrière ? Pour les « terroristes de la modernité, remarque François Brune, l'injure suprême : vous menez un combat d'arrière-garde ! C'est vrai, d'ailleurs : nous menons un combat d'arrière-garde, mais, paradoxalement, ce combat se trouve être... un *combat d'avenir*. Car, lorsqu'une armée est engagée dans une impasse, il faut bien que, tôt ou tard, elle fasse demi-tour, et alors, *l'arrière-garde se trouve aux avant-*

---

1. Interview sur France Culture, 18 mai 1995.

postes [1] ! ». Les « rétrogrades » deviennent au bout du compte
les « vrais » progressistes… « Il est toujours progressiste d'être
en retard dans la mauvaise voie ! Voilà ce qu'implique l'idée
de *décroissance tempérée* [2]. » Les objecteurs de croissance
pourraient certes, par provocation, se définir, à l'instar de
l'anarchiste américain Paul Goodman, comme des « conservateurs néolithiques [3] ». De fait, l'âge de pierre tel que l'analyse
Marshall Sahlins dans son livre fameux *Âge de pierre, âge
d'abondance* [4], ce n'est pas si mal ! « Les Papous Kapauku
de Nouvelle-Guinée, remarque Yves Cochet dans la même
veine, ne consacrent pas plus de deux heures quotidiennes
au travail d'une agriculture de subsistance. Il en est de même
des Indiens Kuikuru du bassin de l'Amazone, ou des paysans russes avant la révolution d'Octobre. Les administrateurs
coloniaux ont pu s'étonner d'une telle sous-production insti-
tuée, comme si les populations qui vivaient ainsi préféraient
l'art, la bagarre et le repos à l'intensification de la production. Ou bien ces groupes n'avaient-ils pas l'intuition qu'un
accroissement du temps de travail agricole n'aurait apporté
qu'une production supplémentaire marginale ? Autrement dit,
n'avaient-ils pas la connaissance acquise que l'intensification
agricole aurait certes augmenté le rendement à l'hectare, mais
au prix d'une productivité horaire décroissante ? À l'inverse,
d'autres sociétés, sous l'effet de la croissance démographique
notamment, se résolurent à l'intensification agricole, au prix
d'une complexité croissante (sarcler, retourner, amender, irriguer, semer, récolter, commercialiser, transformer, distribuer,
détailler…) et d'un considérable déficit énergétique [5]. » Mais,
quitte à pousser la provocation, si possible, j'aimerais nous

1. François Brune, *Casseurs de pub*, n° 18, novembre 2003, repris dans François Brune, *De l'idéologie, aujourd'hui*, Parangon, Paris, 2005, p. 165.
2. *Ibid.*, p. 163.
3. Jean-Claude Michéa, *Orwell éducateur*, *op. cit.*, p. 67.
4. Marshall Sahlins, *Âge de pierre, âge d'abondance. L'économie des sociétés primitives* (1972), Gallimard, Paris, 1976.
5. Yves Cochet, *Pétrole apocalypse*, *op. cit.*, p. 166-167.

renvoyer plus loin, au temps de la civilisation des bonobos, nos sympathiques cousins dont la culture consiste à faire l'amour et pas la guerre...

À côté de la question «technique» d'une nécessaire réduction qui nous ramènerait, toutes choses égales par ailleurs, «en arrière» (au Néolithique? à la société préindustrielle? aux années 60?), se posent deux questions philosophiques. La première, à résonance politique, est bien exprimée par le titre de l'ouvrage de Jean-Paul Besset, *Comment ne plus être progressiste... sans devenir réactionnaire.* La seconde, à résonance éthique : dans quelle mesure le choix volontaire de la sobriété répond-il à l'exigence de décroissance? Comme le résume fort bien le même Besset : «Sortir de l'autoroute du progrès n'implique pas de s'enfoncer dans le cul-de-sac du passé [1].» Il importe de répondre à ces deux interrogations sur un plan théorique avant de voir jusqu'à quel point il est nécessaire de réduire concrètement notre consommation des ressources naturelles de la planète.

DÉCROISSANCE ET RÉGRESSION

«Jouons le jeu et essayons de voir ce que cela signifie de "revenir à la bougie" [...] dans le cas de l'agriculture, écrit Silvia Pérez-Vitoria. Cette expression fait référence à un retour en arrière technologique. Remarquons tout d'abord que la plupart des paysans du monde sont encore "à la bougie" (ou du moins à la lampe à pétrole). Dans beaucoup de pays du Sud (ou même d'Europe de l'Est), jusqu'à 50%, voire 90% des habitants vivent de l'agriculture. Dans leur très grande majorité, ces paysans se trouvent exclus du modèle dominant même s'ils en subissent les effets : difficultés à survivre,

---

1. Jean-Paul Besset, *Comment ne plus être progressiste... sans devenir réactionnaire, op. cit.*, p. 326.

misère, disparition. Cette moitié de l'humanité vit selon des "valeurs paysannes" […]. Ce sont ces paysans qui préservent la biodiversité, les sols, l'eau ; ce sont eux qui maintiennent des rapports sociaux diversifiés. Si l'on en revenait "à la bougie", la grande majorité de l'humanité continuerait à vivre comme elle vit maintenant avec une pression beaucoup moins forte sur ses ressources et ses cultures. Quant aux autres, à savoir la petite minorité mécanisée et motorisée, elle devrait progressivement utiliser les rotations et les engrais naturels plutôt que les fertilisants chimiques, voire la traction animale ou des outils légers de production plutôt qu'une forte mécanisation. On aurait besoin de plus de main-d'œuvre dans les campagnes. En France, on aurait sur les marchés 3 600 variétés de pommes au lieu des 12 actuelles. Les transports de produits seraient réduits faute de moyens. On consommerait davantage sur place, et l'on mangerait des produits de meilleure qualité [1]. »

La fin du pétrole bon marché risque de nous conduire à cette situation. L'agriculture industrielle productiviste, en effet, dépend étroitement des hydrocarbures, qu'il s'agisse des machines, des engrais et fertilisants (3 tonnes de pétrole sont nécessaires pour produire une tonne d'engrais azoté), de l'irrigation ou du transport. Ce « retour à la bougie, note encore Silvia Pérez-Vitoria, ne serait évidemment pas total, l'histoire est passée par là : les espèces qui ont été implantées dans nos contrées y resteront, on ne reviendra pas à la propriété féodale ». Et de conclure : « Somme toute ce ne serait pas si mal [2]… »

Nous nous rangeons totalement à cette analyse. La décroissance n'est pas la récession, comme essaient de le faire croire ceux qui ne veulent pas entendre parler d'une remise en question de nos modes de vie. La récession en est même sa

---

1. Silvia Pérez-Vitoria, *Les paysans sont de retour*, *op. cit.*, p. 192.
2. *Ibid.*, p. 193.

« contrefaçon négative [1] ». La *novlangue* a substitué l'expression « croissance négative » à « décroissance ». Il est certain que, le voudrait-on, on ne reviendra pas en arrière, mais il y a des séquences qui doivent être inversées, des cycles parcourus dans l'autre sens. Il y a des « pertes » qu'il est tout à fait légitime de déplorer et souhaitable de récupérer. La masse de nos « regrets » est proportionnelle aux excès du progrès. Nous avons écrit naguère qu'il n'y a pas de honte, pour nous Occidentaux, à partager le rêve progressiste occidental.

Toutefois, après avoir pris conscience des méfaits du développement, il s'agit d'aspirer à une meilleure qualité de vie et non à une croissance illimitée du PIB. Nous entendons réclamer le *progrès* de la beauté des villes et des paysages, le *progrès* de la pureté des nappes phréatiques qui nous fournissent l'eau potable, le *progrès* de la transparence des rivières et de la santé des océans, exiger une amélioration de l'air que nous respirons et de la saveur des aliments que nous mangeons. Il y a encore bien des perfectionnements à imaginer pour lutter contre l'invasion du bruit, accroître les espaces verts, préserver la faune et la flore sauvages, sauver le patrimoine naturel et culturel de l'humanité, sans parler des avancées nécessaires en matière de démocratie. La réalisation de ce programme de *regrès* – si l'on nous permet ce néologisme – suppose le recours à des techniques sophistiquées dont certaines sont encore à inventer. Il serait injuste de qualifier les partisans de la décroissance de technophobes et de réactionnaires sous le seul prétexte qu'ils réclament un « droit d'inventaire » sur le progrès et la technique – une revendication minimale pour l'exercice de la citoyenneté. La mise au point de nouveaux outils conviviaux et de technologies douces aisément maîtrisables et reproductibles serait bienvenue pour récupérer un minimum d'autonomie.

---

1. Selon l'heureuse expression de Madeleine Nutchey, de la rédaction de la revue *Silence*.

Il en va de même, nous le verrons, pour les pays du Sud. Les actions préconisées, qui prennent la forme d'un programme en 5 «R» (rompre, renouer, retrouver, réintroduire, récupérer), sont le remède à la destruction de l'identité, des savoirs et des savoir-faire.

«Imaginons demain, écrit Philippe Saint-Marc, une France où il n'y ait plus que 200 000 chômeurs, où la criminalité soit réduite des quatre cinquièmes, les hospitalisations pour troubles psychiatriques des deux tiers, où les suicides des jeunes diminuent de moitié, où la drogue disparaisse : n'aurions-nous pas l'impression d'une merveilleuse embellie humaine […]? C'était cependant la France des années 60[1].» Toutes choses égales par ailleurs – c'est-à-dire en faisant abstraction de la «démesure» déjà contenue dans la dynamique de croissance des Trente Glorieuses –, le retour aux années 60 de Philippe Saint-Marc, qui est tout de même assez éloigné de l'âge de pierre tout en étant conforme à l'équité écologique et à la soutenabilité, serait un premier pas dans la voie d'une décroissance sereine. Ce «recul» raisonnable n'a rien de nostalgique, il doit s'accompagner de changements qualitatifs rendus possibles par les techniques les plus récentes et souhaitables pour l'équité écologique et sociale. Ainsi, aujourd'hui, nous vivons de plus en plus virtuellement, mais nous voyageons réellement, ce qui est catastrophique pour les écosystèmes. La relocalisation devrait nous conduire à vivre réellement là où nous sommes et à voyager beaucoup plus virtuellement, ce que les nouvelles technologies permettent de faire.

Rétrograder au sens propre s'impose dans certains domaines où les prélèvements dépassent la reproduction soutenable. On a évoqué le cas de l'agriculture. C'est encore plus

---

1. Philippe Saint-Marc, *L'Économie barbare*, Éditions Frison-Roche, Paris, 1994, cité par Pierre Drouin, «Pathologie sociale», *Le Monde des livres*, juin 1994. Et pourtant, dans une enquête de la fin des années 60, les Français ont été les seuls à déclarer croire que le bonheur progressait : 35 % étaient de cet avis, 22 % de l'avis contraire, 27 % considéraient qu'il était stationnaire (François de Closets, *En danger de progrès*, *op. cit.*, p. 43).

évident pour l'exploitation des richesses halieutiques. «La moisson des eaux stagne, écrit Jean-Paul Besset. La production mondiale de pêche, qui augmentait en moyenne annuelle de 7 % depuis les années 50, plafonne depuis les années 90. Parmi les dix espèces de poissons les plus pêchées, sept sont considérées comme "pleinement exploitées ou surexploitées". La moitié des principales zones de pêche a atteint ses capacités naturelles de renouvellement, le quart les a dépassées. Même si on détruit ce qui reste de mangroves pour les remplacer par des piscines à poissons et à crevettes, l'aquaculture ne comblera pas le déficit. Surtout quand on sait qu'il faut transformer quatre kilos de poissons de mer en farine pour qu'un saumon d'élevage atteigne un kilo [1].» Au contraire, l'aquaculture, encouragée par la Banque mondiale qui y voit le remplacement de la prédation (nom donné par les économistes aux dons de la nature...) par l'exploitation rationnelle, ne peut qu'aggraver le phénomène.

Il ne s'agit pas de passer en revue toutes les réductions nécessaires pour construire un futur soutenable – c'est ce que nous ferons dans la deuxième partie de ce livre –, mais d'imaginer comment, en leur principe, elles peuvent être pensées de manière positive.

L'exemple des Amish est intéressant à méditer, non pas, bien sûr, pour en faire une imitation servile dans la lettre et dans l'esprit, mais pour réfuter les objections concernant l'«irréalisme» du projet de la décroissance. Le refus d'un grand nombre de techniques par les membres de cette secte pour des raisons religieuses les a amenés à s'adapter au monde moderne en conservant des aspects incroyablement «archaïques», comme l'usage des chevaux pour travailler la terre et transporter les hommes et les marchandises, ou encore l'absence de l'électricité de réseau. La motivation religieuse et

---

1. Source : Rapport biennal de la FAO, mars 2005, cité par Jean-Paul Besset, *Comment ne plus être progressiste... sans devenir réactionnaire, op. cit.*, p. 59.

pas du tout écologique de ces attitudes entraîne des choix qui
nous semblent cocasses ou aberrants – tel celui de porter des
robes et des chapeaux XVIIᵉ siècle avec des tennis. Toutefois, le
fonctionnement démocratique des communautés et la prise de
décision délibérative sur les options technologiques prouvent
qu'il est possible de soumettre la sphère techno-économique
au politique [1]. On ne peut se contenter de délégitimer hâtivement cette forme d'autogestion microlocale, résultat d'une
hétéronomie que nous ne partageons pas, sous le seul prétexte
de «l'oppression des aspirations individuelles», qui sont le
plus souvent «individualistes». Après tout, les Amish qui ne
supportent pas les choix collectifs peuvent sortir de la communauté et aller s'éclater ailleurs. Et certains ne s'en privent
pas...

On sait depuis l'expérience d'Athènes que les résultats
d'une délibération populaire ne sont pas nécessairement cohé-
rents ni «corrects» (pensons à la condamnation de Socrate),
mais en tout cas ils ne résultent pas d'une force extérieure
(main invisible ou tyran promulguant ses oukases). Il n'est pas
sûr que nos philosophes médiatiques donneurs de leçons, qui
n'ont que la démocratie et les droits de l'homme à la bouche,
auraient supporté de vivre la démocratie directe à Athènes,
non pas parce que celle-ci excluait les esclaves, les femmes et
les métèques, mais parce qu'elle soumettait le citoyen au juge-
ment du *demos* (le peuple) et de l'*ecclesia* (l'assemblée).

Hans Jonas, qui veut nous préparer à une réorientation des
choix pour l'avenir en nous situant dans un «temps partiellement réversible», insiste de son côté sur «la nécessité d'envisager non pas un recul mais une avancée vers une plus grande
sobriété consciente et volontaire qui participe pleinement de
la "décroissance" [2]».

1. Stéphane Lavignotte, «Pour une stratégie post-amish», document non publié.
2. Alain Gras, *Fragilité de la puissance*, *op. cit.*, p. 92.

Décroissance, austérité, simplicité.
Retrouver le sens de la limite

La décroissance est souvent assimilée à la « simplicité volontaire ». Il existe en effet depuis quelques années, aux États-Unis et au Canada, tout un mouvement de « déconsommation », ou *downshifting*. Selon le *Concise Oxford Dictionary*, *to downshift* signifie « modifier son style de vie pour un autre, moins stressant ». Il s'agit en d'autres termes de travailler, de produire, de dépenser et de consommer moins en réaction à l'ultraconsumérisme. Le mot *downshifting* aurait été utilisé pour la première fois en 1986 dans un article publié par l'*Arkansas Democratic Gazette* à propos de l'expérience d'un homme qui avait décidé de diviser par deux son temps de travail en renonçant à un poste important dans une société. Mais la montée en puissance du mouvement pour une « simplicité volontaire » ne date que du milieu de la décennie suivante [1]. En 1995, 2 % des actifs interrogés aux États-Unis auraient réduit volontairement leur niveau de vie et leurs horaires de travail [2]. Ils seraient près d'un quart en Australie parmi les 35-39 ans. On trouverait déjà 12 millions de tels « décroissants » à travers l'Europe [3]. Certaines enquêtes révèlent que le nombre de personnes intéressées par un changement de ce type serait largement majoritaire [4].

Une longue tradition philosophique préconise une forme de limitation des besoins pour trouver le bonheur. Selon

---

1. Serge Mongeau a lancé le terme français au Canada en 1985 (*La Simplicité volontaire, plus que jamais...*, Écosociété, Montréal, 1998), à la suite de Duane Elgin aux États-Unis (*Voluntary Simplicity : Toward a Way that is Outwardly Simple, Inwardly Rich*, Morrow, New York, 1981). Voir aussi Dominique Boisvert, *L'ABC de la simplicité volontaire*, Écosociété, Montréal, 2005.

2. Polly Ghazy et Judy Jones, *Downshifting. A Guide to Happier Simpler Living*, Hodder et Stoughton, Londres, 2004.

3. *Libération*, 27 juin 2005.

4. Voir Majid Rahnema, *Quand la misère chasse la pauvreté, op. cit.*, dernière partie : « Sur les sentiers de la simplicité volontaire : vers une pauvreté réinventée ».

Épicure, « l'homme qui n'est pas content de peu n'est content de rien ». La quête infinie aboutit, d'après Hans Jonas, à l'« échec infini ». Lucrèce développe cette idée : « Mais si tu désires toujours ce que tu n'as pas, tu méprises ce que tu as, ta vie s'est donc écoulée sans plénitude et sans charme ; et puis soudain la mort s'est dressée debout à ton chevet avant que tu puisses te sentir prêt à partir content et rassasié. » Le mythe du supplice des Danaïdes, ces jeunes filles condamnées, pour avoir tué leur époux pendant la nuit de noces, à remplir un tonneau sans fond dans le Tartare, illustre bien cette insatiabilité.

La version américaine de la simplicité volontaire (*simple living, downshifting, simplicity with style*) trouve une part importante de son inspiration dans la philosophie d'Henry David Thoreau [1]. La tradition européenne peut se revendiquer de Léon Tolstoï, mais aussi de Gandhi et de ses disciples, comme Lanza del Vasto, fondateur des communautés de l'Arche. « Le sommet de la civilisation, pour Gandhi, se rattachant ainsi à une longue tradition d'*aparigraha* (non-possession), n'est pas de posséder, d'accumuler toujours plus, mais de réduire et limiter ses besoins [2]. »

Dans *La Convivialité*, Ivan Illich prône « la sobre ivresse de la vie [3] ». Il dénonce par ailleurs « la condition "humaine" actuelle, dans laquelle toutes les technologies deviennent si envahissantes qu'on ne saurait plus trouver de joie que dans ce que j'appellerais un techno-jeûne [4] ». La limitation nécessaire de notre consommation et de la production, l'arrêt de l'exploitation de la nature et de celle du travail par le capital ne signifient pas, pour lui, un « retour » à une vie de priva-

---

1. Robert Vachon, « Le terrorisme de l'argent (II) », *Interculture* (Montréal), n° 149, octobre 2005.

2. Cité in *ibid.*, p. 29.

3. Ivan Illich, *La Convivialité*, in *Œuvres complètes*, t. 1, Paris, Fayard, 2003, p. 476.

4. Ivan Illich, « L'origine chrétienne des services », in *La Perte des sens*, Fayard, Paris, 2004, p. 43.

tion et de labeur, mais au contraire – si l'on est capable de renoncer au confort matériel – une libération de la créativité, un renouveau de la convivialité et la possibilité de mener une vie digne[1].

Pour l'objecteur de croissance François Brune, «la recherche de la simplicité volontaire, ou si l'on préfère d'une vie sobre, n'a rien à voir avec un parti pris de frustration masochiste. C'est le choix de vivre autrement, de vivre mieux en fait, et plus en harmonie avec ses convictions, en remplaçant la course aux biens matériels par la recherche de valeurs plus satisfaisantes. Les rares familles qui choisissent de vivre sans télévision ne sont pas à plaindre. Aux satisfactions que pourrait leur offrir la lucarne magique, elles en préfèrent d'autres : vie familiale ou sociale, lecture, jeux, activités artistiques, temps libre pour rêver et simplement goûter la vie...» Il ajoute fort justement : «Ce chemin est évidemment en général progressif, et ne va pas de soi tant sont fortes les pressions contraires de la société. C'est un chemin qui demande de dominer ses peurs, peur du vide, peur de manquer, peur de l'avenir, peur aussi de ne pas être conforme aux moules préfabriqués, peur de se démarquer par rapport aux normes en vigueur. C'est le choix de vivre aujourd'hui plutôt que de sacrifier la vie présente à la consommation ou à l'accumulation de valeurs sans valeur, à la construction d'un plan de carrière censé rendre demain satisfaisant, ou au remplissage d'un plan d'épargne retraite chargé de contrer la peur de ne pas avoir assez[2].» Ainsi, Bruno Clémentin et Vincent Cheynet proposent un programme : «Le réfrigérateur serait remplacé par une pièce froide, le voyage aux Antilles par une randonnée à vélo dans les Cévennes, l'aspirateur par le balai et la serpillière, l'alimentation carnée par une nourriture végéta-

---

1. Commentaire de Camille Madelain *in* Christian Comeliau (dir.), *Brouillons pour l'avenir : contributions au débat sur les alternatives*, *op. cit.*, p. 242.
2. François Brune, interview radiophonique. Voir aussi *De l'idéologie, aujourd'hui*, *op. cit.*, p. 175.

rienne, etc.» Certains se font même lyriques : «La simplicité est lumineuse, insouciante, propre et aimante – elle n'est pas un *trip* ascétique d'autopunition[1].» Pour Paul Ariès, «il ne s'agit nullement d'opposer un modèle héroïque fondé sur le plaisir et un modèle sacrificiel fondé sur le renoncement. On ne joue jamais impunément avec ces images archaïques. [...] Il y a pourtant autant de bonheur à renoncer à la croissance pour la décroissance qu'à passer de la pratique des "amours" tarifées à la rencontre amoureuse d'un autre sujet[2]». Cet appel à la simplicité volontaire, à la frugalité, à l'économie économe est fort sympathique, mais il a toutes les chances de rester un vœu pieux, sachant qu'il faudrait que ce comportement se généralise à toute la société pour être efficace.

Il est d'autre part certain que l'impératif *externe* d'austérité, vécu comme une contrainte morale (par exemple : «Je roule à 130, ce n'est pas bien, je dois ralentir à 100»), est à la fois inefficace et souvent contre-productif. La seule façon d'échapper à la toxicodépendance consumériste, selon Marco Deriu, serait de renoncer à tout contrôle de la consommation, car l'autolimitation renforcerait la dépendance en raison de son rationalisme même. La soutenabilité ne peut venir de notre décision rationnelle précisément parce que la rationalité nous a fait perdre le sens de la limite. Certes, la remarque ne manque pas de pertinence, mais dans le même temps il ne faut pas négliger l'importance de la manipulation dont nous sommes victimes et qui ne s'évanouira pas sans résistance. L'objectif nécessaire de réduction passe par un changement d'imaginaire qui rendrait le comportement requis «naturel». Il ne s'agit pas de remplacer un impératif compulsif de consommation par un autre impératif non moins compulsif d'austérité, mais d'opérer une véritable «catharsis».

---

1. Gary Snyder, *The Old Ways*, City Lights Books, San Francisco, 1977, p. 98.

2. Paul Ariès, *Silence*, n° 302, p. 5.

L'éthique est une dimension fondamentale de la vie personnelle et aucune société humaine ne peut survivre sans une morale intériorisée au moins en partie par ses membres. On sait aussi qu'aucune collectivité dans l'histoire n'a vécu selon la morale qu'elle professait. Quel que soit le nom que l'on donne à l'éthique souhaitable (frugalité, austérité, sobriété, simplicité, renoncement...), celle-ci pose un certain nombre de problèmes qui en limitent la portée. D'abord, elle se heurte à la toxicodépendance de la drogue consumériste. Ensuite, elle risque, en quelque sorte par réaction, de verser dans un intégrisme ascétique à résonance mystique qui n'est pas absent dans les rangs des «décroissants». Elle ne peut, enfin, apporter qu'un élément de réponse au défi de la décroissance parce qu'elle est confrontée aux pièges de l'effet rebond et au sophisme de composition. La rupture avec l'ambiance consumériste dominante constitue un choix héroïque qui, même s'il est raisonnable, est susceptible de prendre des allures d'ascèse. Toutefois, il peut être facilité s'il est fait de façon collective. Le regroupement au sein de réseaux et de groupes, comme les «bilans de justice» du Veneto italien – dont les adhérents s'efforcent de réduire leur consommation à un niveau d'empreinte écologique soutenable et équitable [1] –, voire au sein de communautés, comme les écovillages, tel celui de Torri Superiore en Italie, près de Vintimille, permet de surmonter partiellement les obstacles de la marginalisation sociale.

Il importe de prendre la pleine mesure de notre addiction à la croissance. Le démon du consumérisme que nous croyons chasser par la porte revient avec encore plus de force par la fenêtre. On retrouve là les pièges subjectifs et objectifs de l'effet rebond. On pense sauver la planète en allant vivre à la campagne pour manger bio, mais on multiplie les parcours en voiture pour se rendre en ville avec toutes sortes de bons

---

1. Campagna bilanci di giustizia, rapport 2004, www.bilancidigiustizia.it.

motifs [1]. Michel Bernard évoque le calvaire du «décroissant» consciencieux qui veut vraiment réduire globalement l'empreinte écologique. Notre candidat décide d'acheter bio. Il va devoir payer plus cher et donc il lui restera moins d'argent, par exemple pour faire des voyages, voyages qui consomment tous du pétrole à plus ou moins grande ampleur. Jusqu'ici tout va bien. Mais s'ils sont nombreux à avoir fait le même raisonnement, «notre producteur bio du coin a commencé à faire des affaires et c'est lui qui s'est retrouvé avec plus d'argent. Et, paf, il a acheté un plus gros camion pour nous amener ses légumes et il pollue plus. Bon, après tout, ce n'est pas très grave, c'est plus utile d'avoir un gros camion chargé de légumes bio sur les routes que plein de voitures qui partent en week-end. Oui, mais comme le mouvement est national, la bio bondit dans les statistiques et les maraîchers en profitent pour changer de véhicules et cela finit où : dans la poche du marchand de véhicules utilitaires qui, avec l'argent qu'il a ainsi collecté de nos marchands bio, peut se payer un super voyage en avion à l'autre bout du monde en polluant autant que toutes nos voitures délaissées [2]». Notre héros teste alors d'autres stratégies : travailler moins, produire moins. Mais, à chaque fois, ce qui est réduit par Pierre est libéré pour Paul, et au final la planète est toujours outragée.

Michel Bernard pose de bonnes questions. Elles montrent de nouveau, quelques siècles après Bernard de Mandeville et sa célèbre fable des abeilles, que les vertus privées ne font pas nécessairement la fortune publique, en l'espèce une société de décroissance conviviale... L'austérité, la frugalité, la simplicité volontaires comme initiatives individuelles risquent le plus souvent de ne pas suffire pour sauver la planète. La

---

1. Le sympathique guide du *downshifting* à usage des bobos de Christilla Pellé-Douël, *Voulez-vous changer de vie ? Consommation, travail, environnement, argent...* (Le Cherche Midi Éditeur, Paris, 2005), en fournit quelques exemples.

2. Michel Bernard, «Sortir des pièges de l'effet rebond», *Silence*, n° 322, avril 2005.

logique globale est plus forte que notre volontarisme personnel. Une réflexion plus poussée sur l'empreinte écologique permet, en effet, de saisir le caractère systémique de la «surconsommation» et les limites de la simplicité volontaire individuelle. En 1961 encore, l'empreinte écologique de la France correspondait tout juste à une planète, contre trois aujourd'hui. Est-ce à dire que les foyers français mangeaient trois fois moins de viande, buvaient trois fois moins d'eau et de vin, brûlaient trois fois moins d'électricité ou d'essence? Sûrement pas. Seulement, le petit yoghourt à la fraise que nous mangions n'incorporait pas encore 8 000 km, pas plus que le costume que nous portions! Et le bifteck dévorait moins d'engrais chimiques, de pesticides, de soja importé et de pétrole. C'est moins notre mode de vie lui-même qui est devenu pervers que la logique qui l'engendre et lui permet d'exister.

Les éléments d'une économie complexe comme la nôtre sont interdépendants. Producteurs, consommateurs, argent, marchandises, environnement interagissent. La nature ayant horreur du vide, ce que nous épargnons d'un côté crée un appel d'air pour plus de dépenses. Acheter bio, c'est bien. On peut espérer qu'à la différence de l'exemple cité par Michel Bernard le responsable de la Biocoop sera un militant convaincu de la décroissance et qu'il profitera de l'élargissement de son marché pour réduire ses marges, accroître les salaires des employés à temps partiel et utiliser des triporteurs plutôt qu'un camion pour ses livraisons. Et qu'en fin de compte l'argent économisé dans la dépense prédatrice de l'environnement stimulera la production de «biens relationnels», si possible hors marché. En tout état de cause, on fera plus pour la décroissance en produisant soi-même sa nourriture bio ou en recourant à un système de circuit court type AMAP (Association pour le maintien d'une agriculture paysanne). Les AMAP ont été inventées au Japon sous le nom de Seikatsu Club en 1965 et comptent dans ce pays 21 millions de membres regroupés en plus de 600 coopératives d'achat[1]. Elles se sont ensuite développées aux États-Unis, où elles sont aussi présentes sous le nom de Community Supported Agriculture (Agriculture soutenue par la communauté), puis ont gagné l'Europe. Cette forme de circuit court permet une forte relocalisation de la production et de la consommation avec des effets écologiques, environnementaux et sociaux positifs.

Dans la mesure du possible, en revenir à l'*autoproduction* serait souhaitable. En fabriquant soi-même son petit yoghourt, comme le préconise Maurizio Pallante, on supprime les emballages plastique et carton, les agents conservateurs, le transport (donc économie de pétrole, de CO_2 et de déchets), et on gagne des bactéries précieuses pour la santé. Sans compter que, bien sûr, on fait diminuer considérablement le PIB, les impôts (TVA, taxes sur les carburants), ce qui provoque une cascade d'effets récessifs sur les institutions comme sur la demande (moins de plastique, donc moins de pétrole, donc moins de taxes, effets positifs sur la santé, donc moins de médicaments, de médecins, moins de transport routier, donc moins d'accidents, donc moins de soins, etc.). La même analyse peut être faite concernant l'abandon de l'eau en bouteilles plastique venues d'ailleurs et le retour à l'eau du robinet provenant d'une nappe phréatique de proximité assainie. De même pour les services. « Le soin de ses propres enfants ou l'assistance aux vieux faits avec amour, remarque Pallante, sont qualitativement supérieurs à tout ce que peut faire une personne salariée, mais cette activité faite contre paiement fait croître le PIB, l'autre, offerte par amour, non[2]. » On a là une spirale vertueuse de décroissance[3].

1. Silvia Pérez-Vitoria, *Les paysans sont de retour*, op. cit., p. 212.
2. Maurizio Pallante, *La decrescita felice*, op. cit., p. 24.
3. Maurizio Pallante, « Il manifesto per la decrescita felice » et « Care, losche e triste acque in bottighie di plastica », *Il Consapevole*, n° 2, mars-avril 2005 (voir aussi www.decrescita.it), et *La decrescita felice*, op. cit.

Confronté à des objections du type de celles de Michel Bernard dans sa croisade pour une décroissance heureuse, Maurizio Pallante a tendance à voir dans l'autoproduction *la* solution au problème. Le remplacement d'une marchandise par un bien non marchand diminue le produit intérieur brut non seulement de la valeur de cette marchandise mais aussi de tous les intrants associés (emballages, transports, déchets…). Toutefois, cela seul ne suffit pas. Si cette substitution entraîne une épargne monétaire, à moins de stériliser bêtement celle-ci, la dépense fera croître le PIB dans des proportions égales à la baisse. L'unique possibilité pour éviter cet effet rebond est de réduire son travail rémunéré pour se consacrer à d'autres activités gratifiantes [1].

Il existe sans doute d'autres moyens concrets de restreindre la dépendance de la logique globale. Une politique de décroissance se devrait de mener des recherches pour les trouver et les promouvoir.

Échappe-t-on pour autant à tout effet rebond? Non, car l'eau économisée, l'air non pollué, le pétrole et l'énergie non consommés, etc., sont théoriquement disponibles pour les «salopards» qui, dans leur imaginaire de croissance, veulent produire toujours plus pour encaisser plus de profits et poussent à consommer toujours plus et mal. Tant qu'on ne mettra pas un fond au tonneau des Danaïdes du consumérisme, il sera impossible d'affirmer que le plein est fait… Toutefois, cette récession consommatrice est aussi une récession de la production. Dans la mesure où des cercles vertueux ont été enclenchés, où une sphère alternative est bien vivante et se développe, la logique systémique du productivisme trouve pour se déployer un espace toujours plus restreint. Sans avoir été totalement bouchée, la fuite est sérieusement colmatée. On n'a pas bloqué la «machine» infernale, mais on a bridé son moteur. C'est autant de gagné pour la survie de la planète!

---

1. Maurizio Pallante, *La decrescita felice, op. cit.*, p. 88.

Le changement d'imaginaire qui permettrait d'assurer le triomphe d'une société de décroissance, s'il ne se décide pas, résulte tout de même de multiples changements de mentalité qui sont en partie préparés par la propagande et par l'exemple. Il faut que les mentalités «basculent» pour que le système change. La sortie du cercle type œuf et poule implique d'enclencher une dynamique vertueuse. Elle permet aussi d'imposer d'autres règles, comme la réduction drastique du temps de travail, l'internalisation des effets externes, l'incitation à l'usage de techniques plus conviviales, la pénalisation des dépenses nuisibles comme la publicité, etc. On peut imaginer que la sphère de la société conviviale finira par absorber et résorber celle de l'économie productiviste.

Des économistes obsessionnels voulant se recycler dans la décroissance pourraient tenter de nous proposer de beaux modèles d'articulation entre l'économie capitaliste/productiviste en régression et l'*antiéconomie* conviviale en expansion. Jusqu'à quel niveau réduire la production ? demande Michel Bernard. En réalité, si on a suivi ce qui précède, on voit que revenir à l'empreinte écologique de 1960 n'implique pas tant de produire moins de valeurs d'usage (eau, alimentation, vêtements, logements) que de les produire autrement. Il s'agit de réduire la surconsommation, bien sûr, mais plus encore la prédation et le gaspillage. Et plutôt que de fermer les usines automobiles et de mettre les ouvriers au chômage, il convient de songer à les reconvertir dans la fabrication de cogénérateurs domestiques (dont la technologie est proche) pour mettre en œuvre le scénario négaWatt de division par quatre de nos consommations d'énergie. L'objecteur de croissance Willem Hoogendijk présente un petit schéma assez vraisemblable de réduction du PIB de 60 %, mais qui se traduit par une baisse de consommation utile de 25 % seulement [1].

_____

1. Willem Hoogendijk, *The Economic Revolution*, *op. cit.*, p. 86.

	PIB	DÉPENSES DE COMPENSATION, GASPILLAGE...	RÉSULTAT NET
Situation actuelle	100	60	40
Situation future	40	10	30
		⇛ réduction 60 %	⇛ réduction 25 %

Reste la grande question : comment procéder ? De toutes les façons et partout où c'est possible. Sans doute ne peut-on commencer que de manière modeste, et d'abord à son niveau, au niveau local. Cependant, il importe de ne pas perdre de vue l'objectif final ambitieux. En attendant, si le choix de la décroissance est assumé parce qu'il est aussi souhaitable pour vivre mieux, c'est toujours ça de pris pour ceux qui s'y sont mis.

Une forme de rétrogradation « progressiste » résultant d'un choix de simplicité volontaire est certainement la « démarchandisation » proposée en particulier par Maurizio Pallante. Il s'agit de se procurer les mêmes satisfactions mais sans recourir au système marchand. L'impact est un recul du PIB et donc de l'empreinte écologique pour le plus grand bonheur de tous (sauf peut-être des marchands...). Deux voies individuelles pour décroître : la première, consommer moins, c'est la sobriété ; la seconde, autoproduire et échanger selon la logique du don. Seul celui qui ne sait rien faire est condamné à devenir un consommateur acharné, et cette incapacité est la marque d'un appauvrissement culturel. Pour retrouver le sens de la mesure, il importe d'articuler cette éthique de la décroissance volontaire avec le projet politique d'ensemble que nous explorerons dans la deuxième partie de cet ouvrage.

Chapitre 4

Décroissance et soutenabilité.
La résilience du développement

« Le plus grand médecin de notre temps n'est pas un
Christian Barnard mais un José Bové, qui sait que tout le
monde est malade de la mondialisation et que le monde ne
se sauvera qu'après la fin du développement. »

Michael Singleton [1]

L'imposture du développement durable comme tentative
pour conjurer le spectre de la décroissance provient avant tout
de ce qu'on retrouve, sous « les habits neufs du développement », la croissance dans toute sa nudité. Nous ne reviendrons
pas ici sur les débats scolastiques opposant croissance et développement, longuement abordés dans nos précédents travaux [2],
sinon pour dénoncer le développement durable comme tentative
incantatoire de sauvetage de la croissance. Et cela non parce
que le développement durable est un oxymore mais parce qu'il
est un pléonasme. Ainsi, derrière d'apparentes convergences

1. Michael Singleton, « De la mission de la science à la science comme mission, parole d'un démissionnaire ! », *in* Bernadette Bensaude-Vincent, Ahmed
Djebbar, Michel Gourinet *et al.*, *Figures de la science*, Parenthèses, Marseille,
2005, p. 152.
2. Voir en particulier *Survivre au développement, op. cit.*, et bien sûr *Faut-il
refuser le développement ?, op. cit.*

entre tous les adversaires de la mondialisation libérale (productivistes et antiproductivistes) sur des mesures concrètes (et bien sûr la possibilité heureuse de compromis politiques provisoires) se cachent des divergences profondes, le comble de la confusion étant atteint lorsque la décroissance est présentée comme une variété de développement. «Il n'est donc pas étonnant, note Edwin Zaccaï, codirecteur du Centre d'études du développement durable à l'ULB (Université libre de Bruxelles), de (re)voir surgir un modèle de développement concurrent, et surtout plus radical : la "décroissance"[1].» Il y a bien concurrence radicale, mais elle se situe précisément entre croissance/développement durable, «requalifié(e)» ou non, et décroissance ou après-développement. Le développement durable, même quand il est dénoncé comme oxymore ou reconnu comme pléonasme, reste inoxydable. Il nous faut donc inlassablement déconstruire l'hypostase du développement. L'attachement irrationnel au concept fétiche de «développement», malgré tous ses échecs, en le vidant de tout contenu et en le requalifiant de mille façons, traduit cette impossibilité de rompre avec l'économicisme et finalement avec la croissance elle-même.

LE DÉVELOPPEMENT DURABLE COMME OXYMORE

On appelle oxymore (ou antinomie) une figure de rhétorique consistant à juxtaposer deux mots contradictoires, comme l'«obscure clarté[2]». Ce procédé poétique servant à exprimer l'inexprimable est de plus en plus utilisé par les technocrates pour persuader de l'impossible : ils parlent ainsi de «guerre propre», de «mondialisation à visage humain», d'«économie solidaire» ou «saine», etc. Le développement durable est une telle antinomie.

---

1. Edwin Zaccaï, *Politique, Revue de débats* (Bruxelles), n° 35, juin 2004, p. 52.
2. «... qui tombe des étoiles» (Corneille, *Le Cid*, acte IV, scène 3).

La trouvaille plutôt heureuse d'«écodéveloppement» – terme employé pour la première fois lors de la conférence sur l'environnement de l'ONU tenue à Stockholm en 1972 et repris dans la déclaration de Cocoyoc par le PNUE (Programme des Nations unies pour l'environnement) et la CNUCED en 1974 – n'ayant pas été retenue, c'est le *sustainable development* qui a fini par s'imposer sous la pression des lobbies. Si l'on en croit Ignacy Sachs, Kissinger lui-même se serait employé à obtenir la substitution de l'expression «développement durable» à celle d'«écodéveloppement». Le développement durable, soutenable ou supportable a été «mis en scène» au Sommet de la Terre à Rio en juin 1992. On trouve aussi les adjectifs «fiable», «viable» ou encore «vivable» comme traduction de l'anglais *sustainable*[1]. Jean-Marie Harribey, dans un mémoire de DEA sur le concept de développement durable (Bordeaux I, 1993), propose même «développement soutenable durablement». C'est Maurice Strong, le responsable du PNUE, qui serait l'inventeur de l'expression en 1973. Il s'agit encore d'un bricolage conceptuel visant à changer les mots à défaut de changer les choses. Toutefois, avec l'expression «développement durable» et son antinomie mystificatrice, on a affaire à une monstruosité verbale. En même temps, par son succès universel, elle témoigne du fait que la question du développement ne concerne pas seulement, ou plus seulement, les pays du Sud, mais aussi ceux du Nord.

Les documents de la conférence de Johannesburg montrent que, désormais, le développement durable comme mythe rassemble tous les espoirs des développements «à particule». Selon les ONG, il s'agit en effet d'un développement «économiquement efficace, écologiquement soutenable, socialement équitable, démocratiquement fondé, géopolitiquement

---

1. L'économie étant une religion dont la langue sacrée est l'anglo-saxon, la traduction des termes économiques met les experts à la torture. Voir aussi Franck-Dominique Vivien, *Le Développement soutenable*, *op. cit.*, p. 13.

acceptable, culturellement diversifié ». Bref, le merle blanc.
Pour les organisateurs officiels, la mise en avant du bien-être
social et de la question de la pauvreté a servi à liquider pratiquement tous les engagements de Rio. Les 2 500 recommandations de l'Agenda 21 ont été abandonnées au bon vouloir
des ONG et au sponsoring (éventuellement subventionné) des
firmes transnationales, et la résolution des problèmes de pollution (changement climatique et autres) a été confiée aux
forces du marché [1].

Ainsi, le contenu de ce concept « fourre-tout » fluctue
entre l'approche « réaliste » du monde des affaires et celle,
« humaniste », des rêveurs, des naïfs ou des idéologues. Pour
les « réalistes », l'important est que le développement tel qu'il
a cours actuellement puisse durer indéfiniment [2] – position
des industriels, de la plupart des politiques et de la quasi-tota-
lité des économistes [3]. Michel de Fabiani, président de British
Petroleum France, nous en donne la recette : « Le développement durable, c'est tout d'abord produire plus d'énergie,
plus de pétrole, plus de gaz, peut-être plus de charbon et de
nucléaire, et certainement plus d'énergies renouvelables.
Dans le même temps, il faut s'assurer que cela ne se fait pas
au détriment de l'environnement [4]. » On retrouve, au centre
de cette approche du développement capitaliste qualifiée
d'écocompatible ou baptisée écocapitalisme, l'écoefficience
et les stratégies gagnant-gagnant (*win-win opportunity*) sou-

---

1. Catherine Aubertin, « Johannesburg : retour au réalisme commercial »,
Écologie et politique, n° 26, 2002.
2. « Il y a, en effet, un autre sens – dangereux – qui peut être donné à soutenable. Ce sens se réfère non à la durabilité de la nature, mais bien à celle du
développement lui-même. » Il s'agit « d'un glissement désastreux du sens de
sustainability » (Vandana Shiva, « Resources », in *The Development Dictionary*,
op. cit., p. 217).
3. Le président de la Caisse des dépôts et consignations, qui est aussi le président du Conseil international pour le développement durable, définissait celui-
ci sur France Inter en février 2002 comme « le développement des échanges de
toute nature au niveau mondial ». Cela ne diffère pas beaucoup du libéralisme
pur et dur !
4. Déclaration du 11 novembre 2001.

tenues par l'association Entreprises pour l'environnement, dont le slogan est : «L'écologie, pas l'idéologie!» Le courant de l'«écologie industrielle» s'est efforcé de théoriser cette vision, qui consiste dans la modernisation écologique du capitalisme. L'optimisme des experts se fonde sur l'hypothèse d'une courbe de Simon Kuznets (ou en U inversé) de la fonction de production/pollution. Après une phase d'expansion, grande consommatrice de ressources naturelles et productrice d'une forte pollution, viendrait une phase où la technique permettrait de continuer de croître en réduisant toujours plus l'impact négatif de la croissance industrielle. Cette conception, qui est celle de la plupart des économistes, est répercutée par les lobbies industriels et justifie la politique américaine. Le développement soutenable serait ainsi une sixième étape de la croissance dans la vision développée par Walt Whitman Rostow. Pour fonder cette thèse, Rostow s'appuyait sur la baisse, entre 1970 et 1974, aux États-Unis, des émissions de dioxyde de soufre (SO_2) et des particules en suspension. L'ennui, c'est qu'il existe des polluants pour lesquels il n'est pas possible d'établir une telle corrélation : les émissions de gaz carbonique (CO_2) et la production de déchets ménagers continuent de croître. Ajoutons à cela qu'une telle relation, quand elle existe, est rarement spontanée[1].

La démarche de l'écologie industrielle repose sur l'étude du métabolisme industriel des systèmes socio-économiques. Celle-ci permet d'assigner aux entreprises quatre objectifs, réalisables grâce à l'ingénierie écologique : 1) l'optimisation de l'usage de l'énergie et des matières premières (écoefficience au sens strict); 2) la minimisation des émissions de polluants et le recyclage des flux qui circulent à l'intérieur des systèmes productifs (écoefficience élargie); 3) la dématérialisation des activités économiques; 4) la réduction de la

---

1. Voir Franck-Dominique Vivien, *Le Développement soutenable*, *op. cit.*, p. 43.

dépendance vis-à-vis des sources énergétiques non renouvelables, et en particulier des énergies fossiles, pour lutter contre le changement climatique.

L'exemple proposé est celui de la zone industrielle de Kalundborg, au Danemark, qui constitue selon ses partisans un «écosystème industriel modèle». «À l'image des décomposeurs qui, dans les écosystèmes, se nourrissent des déchets et des dépouilles des autres espèces, les sous-produits et les déchets des entreprises servent de matière première pour la production d'autres firmes [1].» Une raffinerie utilise la chaleur perdue d'une centrale thermique et revend le soufre extrait du pétrole à une usine chimique. Elle fournit aussi du sulfate de calcium à un producteur de plaques murales, tandis que la vapeur excédentaire de la centrale chauffe l'eau d'une société aquacole et les serres des habitations. Le résultat est une économie de ressources et une réduction importante des déchets finaux. Tout cela, bien sûr, en respectant la loi du marché. Même si des stratégies de ce type peuvent parfois être mises en œuvre par les entreprises, cette *success story* est-elle généralisable ? Parler de «main invisible verte» est certainement abusif. C'est parce que des politiques publiques sont menées que l'on peut enregistrer des résultats encourageants dans le domaine de la lutte contre les pollutions. Sans un minimum d'incitations, fiscales ou autres, les évolutions positives restent plus que marginales. La revendication d'une attitude autorégulatrice de la part du monde de l'entreprise pour résoudre la question environnementale a surtout pour but d'éviter que lui soient imposées des contraintes en raison de sa responsabilité dans la destruction de l'écosystème planétaire [2].

---

1. *Ibid.*, p. 77.
2. «Les rares "victoires" obtenues sur le front de la crise du vivant, souligne justement Jean-Paul Besset, l'ont été grâce à des choix politiques déterminés, accompagnés de mesures "coercitives", du type interdiction des CFC [chlorofluorocarbone] dans les aérosols et la chaîne du froid ou mise en place de normes obligatoires dans l'industrie pour éviter les pluies acides. La dégradation de la qualité de l'air dans les agglomérations européennes n'est contenue que depuis

Croire qu'on parviendra sans effort, sans douleur, et en gagnant de l'argent de surcroît, à établir une compatibilité entre le système industriel productiviste et les équilibres naturels, en se fiant seulement aux innovations technologiques ou en recourant à de simples correctifs au niveau des investissements, est un mythe[1].

Dans la pratique quotidienne des entreprises, le développement durable est devenu un simple label publicitaire sans contenu, au point que le Bureau de vérification de la publicité (BVP), organisme régulateur non contraignant que s'est donné la profession, a dû élaborer en décembre 2003 une recommandation sur l'utilisation de l'expression «développement durable» dans la communication commerciale. Il considère que l'assimilation de ce concept à une «auberge espagnole» «induit en erreur le consommateur en utilisant des arguments tendancieux et non vérifiables». L'exemple vient d'en haut. Gao Feng, le chef de la délégation chinoise dans les négociations climatiques internationales, a déclaré que son pays n'accepterait de discuter que «dans le cadre du développement durable», qu'il a défini comme étant celui d'«une croissance et d'un développement qui ne soient pas entravés». Voilà qui a le mérite d'être clair[2].

Après la position des «réalistes», voyons celle des «humanistes». Pour eux, le développement soutenable/durable est avant tout un développement respectueux de l'environnement. L'accent est alors mis sur la préservation des écosystèmes. «Et quand quelqu'un vous demandera : "Qu'est-ce que c'est que le développement durable?", vous pourrez répondre : "C'est faire en sorte que chacun d'entre nous puisse avoir une vie splendide en n'ayant à sa disposition que les ressources

---

que l'Union européenne a fixé des normes obligeant les constructeurs automobiles à s'adapter» (*Comment ne plus être progressiste... sans devenir réactionnaire, op. cit.*, p. 196).

1. *Ibid.*, p. 197.
2. *Ibid.*, p. 202.

fournies par 1,8 hectare de terre"[1].» Le développement est
supposé signifier, selon une conception mythique, bien-être
et qualité de vie satisfaisants, et on ne s'interroge pas vraiment sur la compatibilité des deux objectifs, poursuite du
développement et sauvegarde de l'environnement[2]. Cette attitude est assez bien représentée chez les militants d'ONG et
chez les intellectuels altermondialistes (René Passet, Ignacio
Ramonet, Bernard Cassen, Dominique Plihon, Daniel Cohn-
Bendit...). La prise en compte des grands équilibres écologiques peut aller, dans ce cas, jusqu'à la remise en cause de
certains aspects de notre modèle économique de croissance,
voire de notre mode de vie. Elle devrait même entraîner la
nécessité d'inventer un autre paradigme de développement[3]
(encore un! Mais lequel? Perplexité...).

Le développement durable a rapidement éprouvé le besoin,
à son tour, de se «relooker». Une des formes qu'ont prises ses
habits neufs réside dans un autre oxymore, celui de la «croissance verte», position en quelque sorte intermédiaire entre
«réalistes» et «humanistes». Cette conception d'une économie de croissance écocompatible est défendue par Lester
Brown et, en France, par Alain Lipietz. Ce dernier, avant de se
rallier à un «développement sans croissance», pensait qu'il
était possible de «croître sans détruire». En 2003, il a présenté
un scénario avec croissance annuelle du PIB de 2% et croissance de l'écoefficience multipliée par 3 en quarante ans. Ce

---

1. Mathis Wackernagel, «Il nostro pianeta si sta esaurendo», *in* Andrea
Masullo, *Dal mito della crescita al nuovo umanesimo. Verso un nuovo modello
di sviluppo sostenibile*, Delta 3 Edizioni, Grottaminarda, 2004, p. 95.

2. «On parle de développement durable, dit Jean-Marie Pelt, il faut donner
un contenu à ce concept. Et le contenu que je vois au développement durable,
c'est la solidarité» (*Alliance*, janvier 2006, p. 7).

3. C'est aussi la conclusion d'Alain Ruellan : «Nombreux sont aujourd'hui
les scientifiques, les philosophes et les politiques qui estiment qu'il y a *incom-
patibilité* [entre développement et environnement] et qu'il faut chercher d'autres
modèles de développement. Lesquels? Des travaux sont à mener» (*Tiers-Monde*,
n° 137, p. 179). Après plus de soixante ans de recherches et trois siècles d'expériences, c'est à désespérer !

dernier aspect repose sur l'hypothèse d'une croissance de la productivité du travail comparable à celle de la période 1950-1970. L'effort de prospective est méritoire, le schéma proposé ne manque pas d'intérêt pour alimenter la discussion, et les objecteurs de croissance devront élaborer aussi des scénarios prospectifs de transition. Toutefois, en jouant avec des chiffres abstraits, on en arrive à oublier les réalités. Le prolongement du *trend* des Trente Glorieuses sur lequel se fonde l'exercice est peu réaliste en ce qui concerne la productivité. Sa croissance pendant cette période a été exceptionnelle au regard de l'histoire du capitalisme. Elle est due à la reconstruction et à la consommation de masse dans un contexte de pétrole bon marché, conditions non reproductibles et dont il s'agit précisément de s'écarter. Même avec ces hypothèses optimistes et héroïques, l'émission de gaz à effet de serre serait encore de 4,4 tonnes par an et par habitant, soit un chiffre bien supérieur à la norme souhaitable [1].

En conséquence, beaucoup de partisans du développement durable renoncent désormais à s'accrocher désespérément à la croissance. «Le développement soutenable, dit Enzo Tiezzi, est un concept complètement différent de la croissance soutenable, qui est un non-sens [2].» La position «développement sans croissance» rallie un certain nombre d'adeptes, depuis Herman Daly naguère jusqu'à Michel Mousel aujourd'hui. «La *croissance durable* est contradictoire dans les termes, pas le développement», déclarait l'Union internationale pour la conservation de la nature (UICN) en 1991. Telle est aussi la position du rapport Meadows de 2002 [3].

Le «soutenable» est tellement chic qu'il est mis à toutes les sauces : soutenabilité sociale, soutenabilité financière,

---

1. Denis Bayon, «Décroissance économique», art. cité.
2. Enzo Tiezzi, préface à Nicola Russo, *Filosofia ed ecologia*, Guida Editori, Naples, 1998, et Enzo Tiezzi et Nadia Marchettini, *Che cos'è lo sviluppo sostenibile?*, Donzelli, Rome, 1999.
3. Voir sur ces points Franck-Dominique Vivien, *Le Développement soutenable*, *op. cit.*, p. 22.

emplois durables, villes durables, management durable, organisation durable, consommation durable, démocratie durable,
etc. [1]. Au point qu'il faudrait, selon Herman Daly, parler de
« soutenabilité soutenable [2] » ! C'est la fascination de la soutenabilité qui permet de « sauver » le développement et explique
en partie l'étonnante résilience du concept. « Dans l'expression, remarquent Corinne Gendron et Jean-Pierre Reveret,
la durabilité semble n'être qu'un qualificatif accroché à un
substantif qui a fait, et fait toujours, l'objet d'une abondante
littérature en sciences sociales. Or, étonnamment, la notion
de développement durable s'est propagée de façon autonome,
sans que l'arrimage avec le substantif soit toujours fait. Il
semble exister un ancrage plus fort avec le monde de l'environnement qu'avec celui du développement [3]. »

Une des sources de l'idée de soutenabilité se trouve, on
l'a vu, dans les modèles de « foresterie » élaborés à partir du
XVIIIe siècle. « La ressource biologique, remarque Franck-
Dominique Vivien, [y] est considérée comme une sorte de
capital naturel dont il importe d'optimiser la gestion dans le
long terme. Un des objectifs à atteindre est celui du "rendement soutenable maximum" (*maximum sustainable yield*),
c'est-à-dire la quantité maximale de ressources susceptible
d'être exploitée à chaque période sans porter atteinte à leur
capacité de régénération, autrement dit, la consommation
maximale de ressources qui peut être indéfiniment réalisée à
partir du stock existant [4]. » Bien évidemment, cette conduite
prudente n'a rien à voir avec le développement réellement
existant. Ce faisant, même rationalisées comme « rendement

---

1. Voir Isabelle Robert, « La diffusion du concept de développement durable
au sein des familles : une étude exploratoire », *Recherches familiales*, n° 3, « La
famille », 2006.
2. Herman Daly, *Beyond Growth*, *op. cit.*, p. 9, cité par Franck-Dominique
Vivien, *Le Développement soutenable*, *op. cit.*, p. 4.
3. Corinne Gendron et Jean-Pierre Reveret, « Le développement durable »,
Économies et sociétés, série F, n° 37, 2000, p. 111.
4. Franck-Dominique Vivien, *Le Développement soutenable*, *op. cit.*, p. 65.

soutenable maximum», ces mesures vont à l'encontre de la logique marchande. «Le temps de régénération de la ressource en bois, note encore Vivien, risque fort d'entrer en contradiction avec la gestion financière à court terme qui obéit à la logique de l'accumulation capitaliste [1]», et même tout simplement à l'impératif de croissance. Or c'est bien celui-ci qui préside au développement.

Le problème est le même pour la gestion, déjà évoquée, de la richesse halieutique. En dépit de la convention de 1949 sur les pêches de l'Atlantique du Nord-Ouest, qui stipulait que l'objectif à atteindre était celui du rendement maximum soutenable, la maladie de la croissance et du développement a entraîné une «surpêche». La FAO (Organisation des Nations unies pour l'alimentation et l'agriculture) estime que 70% des stocks pêchés commercialement sont en situation de surexploitation. Là, en tout cas, une véritable «croissance négative» est nécessaire avant de songer à une «a-croissance» soutenable... Ce schéma de «soutenabilité» est celui qui s'impose pour une gestion prudente des ressources naturelles renouvelables, et celui qui, peu ou prou, régnait sur les sociétés «traditionnelles». En ce qui concerne les ressources non renouvelables, la gestion se devrait d'être infiniment plus prudente. Or ce qui «booste» notre économie moderne, c'est l'utilisation massive de sources d'énergie fossile, le charbon durant l'ère du capitalisme «carbonifère» (Lewis Mumford) et le pétrole, ce «cadeau provisoire du passé géologique de la Terre [2]», dans le système «thermo-industriel» contemporain. «Le modèle productiviste contemporain, remarque Yves Cochet, intrinsèquement lié à l'échange inégal d'énergie par l'extraction des hydrocarbures, ne pourra pas survivre sans le pétrole, matière irremplaçable de la pérennité du système [3]», sauf pour les «philosophes cornucopiens médiatiques».

---

1. *Ibid.*, p. 64.
2. Richard Heinberg, *The Party's Over*, Clairview Books, 2005, cité par Yves Cochet, *Pétrole apocalypse, op. cit.*, p. 81.
3. Yves Cochet, *Pétrole apocalypse, op. cit.*, p. 163.

L'objectif de soutenabilité peut ainsi se définir comme la non-décroissance à travers le temps du stock de capital naturel. Le «capital naturel critique» serait alors l'ensemble des éléments fournis par la nature dont les générations futures ne sauraient se passer.

La sage «reproduction» des écosystèmes sociaux traditionnels n'impliquait pas nécessairement la stagnation, et moins encore la régression, mais une évolution mesurée hors du culte obsessionnel de la croissance. Le problème est que «le modèle de développement suivi par tous les pays jusqu'à aujourd'hui est fondamentalement non durable, au-delà des arguties qui entourent le concept de développement durable», déclare Michel Petit, expert du GIEC (Groupe intergouvernemental d'étude du climat), membre du conseil général des technologies de l'information [1]. C'est le moins que l'on puisse dire. Si l'on prenait la «durabilité» au sérieux, cela supposerait une transformation dont la toile de fond serait «un processus de décroissance matérielle et de reconsidération de la richesse à l'aune de nouveaux indicateurs, non plus de croissance, mais de viabilité écologique et de justice sociale [2]».

LE DÉVELOPPEMENT DURABLE COMME PLÉONASME

On peut dire que, dès ses origines implicites comme processus historique vers 1750 avec le *take-off* (décollage) de l'industrialisation britannique, ou dès ses origines explicites comme politique délibérée lancée par Harry Truman en 1949, le développement a été repensé ou habillé de neuf. Par le socialisme utopique puis scientifique dans le premier cas, par la stratégie d'euphémisation par adjectif dans le second.

---

1. Cité par Jean-Pierre Dupuy, *Pour un catastrophisme éclairé. Quand l'impossible est certain*, Seuil, Paris, 2002, p. 30.
2. Yves Cochet et Agnès Sinaï, *Sauver la Terre, op. cit.*, p. 113.

Ce second cas, auquel nous nous limiterons, nous a fait entrer dans «l'ère des développements à particule [1]». On a vu des développements «autocentrés», «endogènes», «participatifs», «communautaires», «intégrés», «authentiques», «autonomes et populaires», «équitables», et même un développement «durable régulé» (Transversales), un développement «humain durable» (Jean Gadrey) et un développement «humain soutenable et équitable» (Jacques Généreux). On va jusqu'à tripler la particule! Et c'est sans parler du développement local, du microdéveloppement, de l'écodéveloppement, voire de l'écodéveloppement durable (WWF), de l'endodéveloppement ou même de l'ethnodéveloppement. Avec le développement «éco-équo-auto-soutenable», Alberto Tarozzi mérite sans doute la palme dans cet art d'enfiler les qualificatifs [2]!

Il s'agit d'une tentative magique pour conjurer la malédiction de l'entreprise développementiste. Toutefois, en accolant un, deux, trois ou quatre épithètes au concept de développement, on ne remet pas vraiment pour autant en question l'accumulation capitaliste. Tout au plus songe-t-on à adjoindre à la croissance économique une composante écologique ou un volet social, comme on a pu naguère lui ajouter une dimension culturelle [3].

Selon Attac, «le développement durable est un pléonasme, si le développement se définit par les changements qualitatifs synonymes d'amélioration du bien-être [4]». Voilà qui n'est

---

1. Marc Poncelet, *Une utopie post-tiers-mondiste. La dimension culturelle du développement*, L'Harmattan, Paris, 1994, p. 76.

2. Alberto Tarozzi, *Ambiente, Migrazioni, Fiducia*, L'Harmattan Italia, Turin, 1998.

3. «La dimension culturelle, note Marc Poncelet, semble conférer une dimension humaine à une problématique trop sèchement environnementaliste. Elle procure un supplément d'âme, un entregent social, une profondeur philosophique aux indicateurs humains» (*Une utopie post-tiers-mondiste*, *op. cit.*, p. 21).

4. Attac, *Le développement a-t-il un avenir?*, Mille et une nuits, Paris, 2004, p. 78.

pas tout à fait correct, car l'amélioration du bien-être n'est pas nécessairement compatible avec la régénération de la biosphère, mais, en revanche, ce serait juste si la définition du développement précisait qu'il doit être «respectueux de l'environnement». De fait, il en est ainsi; il s'agit bien d'une tautologie si l'on adopte la définition courante du développement de Rostow comme *self-sustaining growth*, c'est-à-dire croissance autosoutenue (durable). Si, effectivement, le développement est une croissance autosoutenable, l'adjonction du qualificatif «durable» ou «soutenable» est redondante.

Le dictionnaire des sciences économiques dirigé par Claude Jessua, Christian Labrousse, Daniel Vitry et Damien Gaumon y fait clairement référence [1]. Il définit ainsi le concept de développement : «En un premier sens traditionnel, le développement économique est une croissance du revenu par tête, durable ou autoentretenue et largement diffusée dans les différentes couches de la population. En un deuxième sens, le développement est l'accession progressive de la population à la satisfaction de ses besoins fondamentaux ou plus simplement une réduction progressive et durable de la pauvreté. En un troisième sens, il s'agit de l'amélioration des capacités humaines, ce qui a été clairement mis en relief par Amartya Sen (prix Nobel d'économie, 1998), et antérieurement, en France, notamment par F. Perroux.»

Le pléonasme est encore plus flagrant avec la définition donné par Mihajlo Mesarovic et Eduard Pestel [2]. Pour eux, c'est la croissance homogène, mécanique et quantitative qui est insoutenable, mais une croissance «organique» définie par l'interaction des éléments sur la totalité est un objectif supportable. Or, historiquement, cette définition biologique est précisément celle du développement ! Les subtilités d'Herman Daly tentant de définir un développement avec

---

1. *Dictionnaire des sciences économiques*, PUF, Paris, 2001.
2. Mihajlo Mesarovic et Eduard Pestel, *Strategie per sopravvivere*, Mondadori, Milan, 1974.

une croissance nulle ne sont tenables ni en théorie, ni en pratique [1]. Comme le note Nicholas Georgescu-Roegen : « Le développement durable ne peut en aucun cas être séparé de la croissance économique. [...] En vérité, qui a jamais pu penser que le développement n'implique pas nécessairement quelque croissance [2] ? » En tout cas, pour les auteurs du rapport Brundtland qui ont lancé l'expression, il n'y a aucun doute. Ils proposent un chiffre de croissance annuel de 5 à 6 % pour les pays en développement et de 3 à 4 % pour les pays industrialisés [3]. Pourquoi? Une publication du Forum de la haute route, *Objectif 10 % de croissance*, l'explique [4], comme les rapports de la CNUCED pour lutter contre la pauvreté. Tant qu'on reste dans le monde enchanté de l'économie, c'est sur la croissance qu'on compte pour remédier aux maux écologiques et sociaux qu'elle engendre.

Pour conclure sur ce point, appelons seulement en renfort le témoignage, non suspect de sympathie avec nos thèses, du directeur des affaires économiques de l'OTAN : « En dehors de tout préjugé idéologique, il semble bien qu'il n'existe qu'une sorte de modèle de développement. C'est celui qui permet de réaliser la croissance économique. Il n'y a pas d'alternative à la croissance économique [5]. » D'une certaine façon, Ignacy Sachs en tire la conclusion logique quant à l'inutilité

---

1. Une augmentation du revenu (au sens hicksien) sans atteinte au capital naturel permettrait d'affirmer qu'une croissance soutenable est une contradiction dans les termes, pas un développement durable. Voir Gianfranco Bologna (dir.), *Italia capace di futuro, op. cit.*, p. 32 *sq.*

2. Nicholas Georgescu-Roegen, *An Emigrant from a Developing Country. Autobiographical Notes I*, in J.A. Kregel (dir.), *Recollections of Eminent Economists*, Macmillan, Londres, 1990, p. 14, cité par Mauro Bonaiuti, *La teoria bioeconomica, op. cit.*, p. 54.

3. Franck-Dominique Vivien, «Histoire d'un mot, histoire d'une idée : le développement durable à l'épreuve du temps», *in* Marcel Jolivet, *Le Développement durable, de l'utopie au concept. De nouveaux chantiers pour la recherche*, Éditions scientifiques et médicales Elsevier, Issy-les-Moulineaux, 2001, p. 58.

4. Édouard Parker (dir.), *Objectif 10 % de croissance*, Critérion, Paris, 1993.

5. Cité *in* Yves-Marie Laulan, *Le tiers-monde et la crise de l'environnement*, PUF, Paris, 1974, p. 107.

ou à la redondance de l'épithète « durable » : « Le moment est venu, peut-être, de proposer une révolution sémantique et de revenir au terme "développement" sans aucune qualification, à condition bien entendu de le redéfinir en tant que concept pluridimensionnel [1]. »

C'est ce même développement « sans qualité » qu'Attac propose de « requalifier » en l'humanisant et en le verdissant dans son contenu, sinon dans le vocabulaire. Ignacy Sachs nous livre le fond de sa pensée en contre-attaquant les thèses des objecteurs de croissance : « Les post-développementistes [...] commencent aussi à mettre en cause le concept de développement, comme s'il y avait un mal à vouloir donner au processus de croissance et de transformation un contenu social, à prétendre respecter aussi les conditionnalités environnementales ; comme s'il était répréhensible, en d'autres mots, d'opposer à une croissance tirée par les forces du marché l'idée d'un processus qui se fonde sur un volontarisme responsable, capable de dépasser la myopie et l'absence totale de sensibilité sociale qui caractérisent le marché. Pour ma part, je pense que *plus que jamais le développement est une idée-force*[2]. »

Voilà, en effet, la même résilience du développement et du développementisme que dans le cas de la soutenabilité explicite, et une véritable allergie à la décroissance chez les esprits progressistes et altermondialistes. Alors que la mondialisation semblait avoir frappé d'un coma mortel l'idéologie du développement, on peut observer, depuis peu, son retour en force au Sud comme au Nord, dans la pensée dominante comme dans la pensée « altermondialiste ». Au Sud, sur la scène officielle, c'est l'agenda de Doha pour le développement ; sur la scène alternative, sa dénonciation par Martin Khor comme agenda antidéveloppement, ainsi que l'action

---

1. Ignacy Sachs, *Tiers-Monde*, n° 137, p. 54. Il ajoute : « C'est l'occasion d'approfondir le concept de développement » (*ibid.*, p. 60).
2. *In* Christian Comeliau (dir.), *Brouillons pour l'avenir : contributions au débat sur les alternatives, op. cit.*, p. 169.

du réseau GlobeNet3 et du Philippin Nicanor Perlas en faveur du développement durable. Au Nord, les déclarations suscitées d'Ignacy Sachs font écho, me semble-t-il, à celles présentées au Forum social européen par Jean-Marie Harribey comme étant « la position d'Attac », qui rejoint celle défendue par René Passet[1]. « L'orientation adoptée ici, lit-on dans la brochure d'Attac, est donc celle du refus du développement actuel totalement disqualifié et d'un choix en faveur d'un développement radicalement requalifié[2]. » Naturellement, c'est la croyance persistante dans la naturalité/universalité de l'économie et la foi dans le progrès qui expliquent et autorisent cette résurgence et permettent, contre toute évidence, de prétendre que le développement durable, c'est finalement la même chose sous un autre nom que la société de décroissance! Contre toute évidence, car s'il y a (et c'est heureux!) convergence sur certaines mesures concrètes à envisager, la différence d'analyse est totale entre ceux qui, depuis les années 60, dénoncent l'imposture du développement et les « humanistes » qui s'en font depuis toujours les complices.

Il est étonnant de voir ce point de vue repris par un auteur pourtant averti, Alain Caillé, qui tente, en caricaturant nos positions, de nous enfermer dans le paradoxe suivant : développement durable = PNB vert = décroissance conviviale = refus du développement durable. Un tel schéma repose sur la réduction de la construction d'une société de décroissance à l'internalisation des effets externes. Celle-ci, nous le verrons, n'a d'autre but que de montrer l'absurdité du développement durable. En fait, Caillé s'emploie à « sauver la possibilité théorique d'un développement ». De l'aspiration, ô combien légitime, de tout un chacun à l'épanouissement de son être et à l'égalité démocratique (quelque peu hypostasiée à partir de la

---

1. Voir aussi le débat avec Christian Comeliau dans le numéro de juin 2002 des *Nouveaux Cahiers de l'IUED*.

2. Sur le contenu de cette requalification, voir note 2, p. 254. Attac, *Le développement a-t-il un avenir ?*, *op. cit.*, p. 205-206.

modernité occidentale), il conclut hâtivement à la légitimité de l'aspiration à la croissance et au développement. Seule la croissance permettrait de soulager la misère dans les pays pauvres [1]. Et cela alors même que lui, du moins, n'ignore pas que c'est précisément cette croissance qui engendre la misère et qu'il ne conteste pas l'*hubris*, la démesure du développement. Le refus de remettre en question un système profondément injuste et destructeur l'amène à dénoncer le «pessimisme inhérent au spectre de la décroissance» au lieu de voir l'optimisme d'un pari qui mise sur la joie de vivre pour contrer la tendance suicidaire de la société de croissance.

Le qualificatif «durable» apparaît alors comme une hypothèse *ad hoc* pour tenter de sauver ce qui peut l'être du paradigme du développement, bien défraîchi après ses échecs répétés et remplacé par celui de mondialisation dans le milieu des affaires et les institutions de Bretton Woods. La résilience du développement se fonde sur la non moins étonnante résilience du progrès. Comme l'exprime admirablement Cornelius Castoriadis : «Plus personne ne croit vraiment au progrès. Tout le monde veut avoir quelque chose de plus pour l'année prochaine, mais personne ne croit que le bonheur de l'humanité est dans l'accroissement de 3 % par an du niveau de consommation. L'imaginaire de la croissance est certes toujours là : c'est même le seul qui subsiste dans le monde occidental. L'homme occidental ne croit plus à rien, sinon qu'il pourra bientôt avoir un téléviseur haute définition [2].» Et c'est cela qui empêche d'adhérer à la décroissance.

«Si lorsqu'il y a des dégâts sociaux et écologiques trop importants, protestent les auteurs de la brochure d'Attac, on

---

1. «L'objectif de croissance sans laquelle on ne voit pas comment pourrait être surmontée la misère dans les pays pauvres» («Sur l'idéal du développement durable», in *Dé-penser l'économie : contre le fatalisme*, La Découverte, Paris, 2005, p. 239).
2. Cornelius Castoriadis, *Une société à la dérive*, *op. cit.*, p. 220. Voir aussi notre ouvrage *La Méga-machine : raison technoscientifique, raison économique et mythe du progrès*, La Découverte, Paris, 1995, troisième partie.

ne peut parler de développement, on ne devrait plus considérer les pays dits développés comme développés.» Rien de
plus juste, en effet. Et, ajouterions-nous, on ne devrait plus
considérer les pays sous-développés comme sous-développés.
Cet *oubli* est bien une marque d'ethnocentrisme. Et l'auteur
ne peut s'empêcher d'ajouter avec pertinence : «Cela paraî-
trait pour le moins curieux[1].» Certes. On constate le même
paradoxe avec la définition papale du développement dans
l'encyclique *Populorum progressio* : «Le développement ne
peut être que celui de tout l'homme et de tous les hommes.»
Aucun pays, en ce sens, n'a jamais été développé. C'est pourtant ce «projet de développement humain dont pourraient
bénéficier tous les êtres humains présents et à venir» qui est
repris par Attac dans l'ouvrage déjà cité[2]. Certains se prétendent même favorables à la fois à la décroissance et au développement durable !

La commission écologie des Alternatifs va encore plus
loin. Après avoir rejeté explicitement le développement
durable – cette «charmante berceuse», selon les termes utilisés par Nicholas Georgescu-Roegen dès 1992 – et adopté la
décroissance, ils s'accrochent à la dernière planche de salut
du développement, le développement humain. «Pour notre
part, nous ne rejetons pas le terme "développement" dès
lors qu'il s'agit d'un processus contribuant à l'épanouissement de l'être humain. Le développement alternatif, ou "alter-
développement", englobe toutes les activités qui contribuent
à son émancipation : la créativité, la citoyenneté, l'éducation,
la culture, le loisir physique, le lien social[3]...» En fait, on
est tout à fait sur la même ligne qu'Attac, qui écrit : «Nous
disons donc clairement qu'il n'y a aucune raison de ne pas
continuer à appeler développement la possibilité pour tous

---

1. Attac, *Le développement a-t-il un avenir ?*, *op. cit.*, p. 79.
2. *Ibid.*, p. 171.
3. Roland Merieux, document pour le lancement des états généraux de la
décroissance, Lyon, octobre 2005.

les habitants de la Terre d'accéder à l'eau potable et à une alimentation équilibrée, aux soins et à l'éducation[1]. »

Cette position qui s'efforce de tirer au maximum sur l'écart conceptuel entre croissance et développement est difficilement tenable en théorie et en pratique. Le développement économique a toujours été lié à la croissance. On ne demande certes pas à des mouvements ou à des partis politiques de faire de leurs programmes des traités théoriques, mais l'incroyable confusion entretenue sur ce point ne peut que se répercuter dans la tête des militants. L'insistance sur le qualitatif ne peut le détacher du quantitatif que sous peine de le sortir de l'économie. C'est bien ce qu'on nous propose en apparence avec le développement « humain ». Mais alors, laissons les experts, théologiens et philosophes, plutôt que les économistes, gloser sur ce progrès qui nous a fait passer de Socrate à Bush junior ! Ce dont il s'agit, dans tous ces débats, c'est du développement économique (et c'est un antiéconomiste qui le dit...). « Il est pour le moins ironique que ce soit ceux qui suivent le modèle de destruction consumériste qui parlent de développement durable ! déclare le responsable d'Ekta Parishad, une ONG indienne. Ce sont eux qui ont déchaîné les forces du marché, responsables de la destruction de notre modèle durable[2]. » Finalement, conclut justement Jean Aubin, « on nomme développement l'accès d'une frange infime de la population à la voiture individuelle et à la maison climatisée. On nomme développement l'élargissement de la fracture sociale entre cette infime minorité qui accède à une richesse insolente, et la masse de la population confinée dans la misère[3] ».

Le problème avec le concept de développement, c'est qu'il s'agit d'un mot « plastique » (ou « amibe ») au sens qu'en

---

1. *Ibid.*, p. 183.
2. Cité par Jean Aubin, *Croissance : l'impossible nécessaire*, Planète bleue, Le Theil, 2003, p. 142.
3. *Ibid.*, p. 144.

donne le linguiste Uwe Pörsken, disciple d'Ivan Illich. «Ce qui caractérise un "mot plastique", c'est d'avoir appartenu d'abord à la langue courante, où il possède un sens clair et précis (le développement d'une équation), d'avoir été ensuite utilisé par la langue savante (le développement des espèces selon Darwin) et d'être aujourd'hui repris par la langue des technocrates dans un sens si extensif qu'il ne signifie plus rien, sinon ce que veut lui faire dire le locuteur individuel qui l'emploie [1].» Le développement est en outre un concept «génétiquement» occidentalo-centré, il contient l'*hubris*, du seul fait qu'il implique une absence de limites. Il n'est jamais dit développement de quoi, pour qui et pour quoi, mais jamais non plus jusqu'où. Un développement infini dans un monde fini n'a pas plus de sens qu'une croissance infinie. Au moins en biologie, le développement et la croissance trouvent leurs bornes avec le déclin et la mort qui suivent la maturité. L'idéologie du progrès fait entrer l'immortalité au cœur de la mythologie économique. La croissance infinie et artificielle des besoins et celle, postulée, des moyens d'en satisfaire une partie interdisent de regarder en face les limites de la condition humaine et d'affronter la finitude de notre planète pour tenter de résoudre le défi d'une «bonne» vie ou d'une société heureuse [2].

On peut dire qu'en continuant à propager le slogan du développement durable on se fait consciemment ou inconsciemment le propagateur du virus développementiste. «La

---

1. Uwe Pörsken, *Plastikwörter. Die Sprache einer internationalen Diktatur*, Klett-Cotta, Stuttgart, 1988, cité par Gilbert Rist, *Le Développement. Histoire d'une croyance occidentale*, Presses de Sciences-Po, Paris, 1996, p. 23.

2. «Si elle ne veut pas consommer une rupture définitive avec le système auquel elle appartient, l'ambition humaine est confrontée au défi de s'imposer des limites, de redessiner son champ d'action, de réorienter ses techniques, ses économies, ses échanges, de réévaluer ses désirs, de changer d'imaginaire et de représentation du monde» (Jean-Paul Besset, *Comment ne plus être progressiste... sans devenir réactionnaire, op. cit.*, p. 25).

stratégie d'intégration de la variable écologique dans le
système productiviste, note pertinemment Jean-Paul Besset,
quelque nom qu'elle porte – "développement durable", "croissance douce", "internalisation", "mariage de l'économie et de
l'écologie" –, n'a pas d'autre fonction que de conforter la
prééminence de l'économique. On en reste au traitement des
effets sans jamais s'en prendre aux causes. Or, en combat-
tant l'effet, on renforce la cause. On entretient le mal. Le système productiviste, jamais en panne de dynamisme, toujours
en capacité de récupération, y trouve une seconde jeunesse :
il s'offre le champ de marchés supplémentaires et continue
ainsi d'entretenir les reflets du miroir aux illusions [1]. » Le plus
grave, dans cette affaire, c'est qu'on se rend complice de l'in-
fection des populations non encore (ou pas trop) contaminées
par le virus et qui ne souhaitent pas le développement. On
peut dire que, en poussant tout le monde à faire comme les
Américains et à compter sur six planètes, l'idéologie développementiste a été « la plus grande arme de destruction massive [2] » imaginée par le génie humain. Comme le montre la
catastrophe écologique et sociale planétaire que la Chine nous
prépare, c'est le contraire qu'il faudrait faire : tenter de se
décontaminer et de circonscrire le fléau.

---

1. *Ibid.*, p. 195.
2. Mathis Wackernagel, « Il nostro pianeta si sta esaurendo », art. cité,
p. 103.

Chapitre 5

La décroissance doit-elle
être démographique ?

« Procreare è oggi un delitto ecologico. »

Pier Paolo Pasolini [1]

Si l'insuffisance des ressources naturelles et les limites de la capacité de régénération de la biosphère nous condamnent à remettre en question notre mode de vie, la solution paresseuse consisterait à réduire le nombre des ayants droit afin de rétablir une situation soutenable. Cette solution convient assez bien aux grands de ce monde puisqu'elle ne porte pas atteinte aux rapports sociaux ni aux logiques de fonctionnement du système. Pour résoudre le problème écologique, il suffirait d'ajuster la taille de l'humanité aux potentialités de la planète. Cependant, presque tous les auteurs de référence de la décroissance, ceux qui ont mis en évidence les limites de la croissance (Jacques Ellul, Nicholas Georgescu-Roegen, Ivan Illich, René Dumont, entre autres), ont tiré la sonnette d'alarme de la surpopulation. Et pourtant, ce ne sont pas, pour la plupart, des défenseurs du système… Même pour Casto-

---

1. « Procréer est aujourd'hui un délit écologique. » Lettre ouverte à Alberto Moravia dans le *Corriere della Sera*, 30 janvier 1975, repris in *Scritti corsari*, Garzanti Libri, Milan, 2005, p. 107.

riadis, «la relation entre l'explosion démographique et les problèmes de l'environnement est manifeste [1]». La question démographique constitue donc un élément incontestable du débat sur la décroissance. Toutefois, il s'agit d'un point particulièrement délicat. Les prises de position sur le sujet sont toujours passionnelles car, touchant à la fois aux croyances religieuses, au problème du droit à la vie, à l'optimisme de la modernité avec son culte de la science et du progrès, elles risquent de déraper très vite vers l'eugénisme, voire le racisme au nom d'un darwinisme rationalisé. La menace démographique, réelle ou imaginaire, peut être facilement instrumentalisée pour mettre en place des formes d'écototalitarisme. Il importe donc de cerner les différentes dimensions du problème et de peser les arguments en présence, avant de se prononcer sur la taille d'une humanité «soutenable».

L'OPTIMISME DÉMOGRAPHIQUE BÉAT

C'est au moment où l'Occident entre, avec la découverte de Christophe Colomb, dans le temps du monde fini qu'il fonde son économie sur la perspective de ressources infinies. Paradoxalement, l'économie invente la rareté et se révèle tout à la fois optimiste et pessimiste. Optimiste, puisque l'homme devenant maître et dominateur de la nature, tout devient possible. Pessimiste, parce que la disparition des biens communs, après la clôture des communaux, engendre une insupportable misère pour la masse des paysans prolétarisés. Les économistes classiques croyaient tous que la croissance allait se trouver bloquée par l'état stationnaire. En faisant sauter le facteur limitatif (la nature) par un coup de force théorique, grâce au subterfuge de la substituabilité des facteurs, les économistes modernes ont ouvert la voie à l'optimisme débridé

---

1. Cornelius Castoriadis, *Une société à la dérive, op. cit.*, p. 243.

que nous avons signalé : la science pourra résoudre tous les problèmes et la fin du pétrole bon marché n'est qu'une crise passagère. Ces « négationnistes », qui se regroupent au sein de la Global Climate Coalition, soutenue par les firmes multinationales et avec pour héros Bjorn Lomborg, nous promettent une énergie quasi gratuite et quasi illimitée pour demain, voire un surhomme de synthèse capable de résister à toutes les pollutions.

Pendant les Trente Glorieuses, les besoins réels de main-d'œuvre de l'économie capitaliste de croissance et la recherche permanente d'une « armée industrielle de réserve » de la part du capital ont poussé les pays développés dans la voie de l'incitation à la natalité (y compris dans les colonies) et du recours à l'immigration. Le démographe Alfred Sauvy est un bon représentant de cette aspiration à la croissance démographique. La France, selon lui, pouvait facilement supporter une population de 100 millions d'habitants, et la Terre de 50 milliards. Une population abondante serait favorable à une forte croissance, elle-même source de bien-être pour tous. Cet optimisme cadrait parfaitement avec la philosophie « cornucopienne » dominante pendant cette période. Jacques Ellul, peu suspecté de malthusianisme ou d'écofascisme, a été l'une des rares personnalités à dénoncer alors l'irresponsabilité et l'absurdité de la croissance démographique faisant cercle avec la croissance de la production.

Dans le tiers-monde, remarque-t-il, l'espérance de vie est supérieure aujourd'hui à ce qu'elle était en France quand le président François Mitterrand est né… Saluons l'exploit. Toutefois, cette « bonne nouvelle » pose un problème qu'il présente ainsi : « La société est chargée d'une masse considérable de vieillards qu'il faut entretenir et soigner. S'engage alors la course folle : pour compenser ce grand nombre de vieillards, il faut encore plus d'enfants, pour que la pyramide des âges ne repose pas sur la pointe ! Mais ceci me paraît d'une imprévision fantastique ! Car enfin ce doublement, ce

triplement demandé du nombre des enfants, va certes produire deux fois plus de travailleurs dans vingt ans, assurant
la production nécessaire pour l'entretien des vieillards ! Mais
dans soixante ans, nous aurons deux ou trois fois plus de
vieillards... Faut-il poursuivre ? Cela voudrait dire qu'en cinquante ans la population d'un pays serait multipliée par dix
environ ! Simplement absurde [1] ! » On retrouve là le paradoxe
de la raison géométrique. Albert Jacquard, dans *L'Équation
du nénuphar*, fait simplement remarquer que, avec un taux
d'accroissement de 0,5 % par an, la population humaine, qui
était d'environ 250 millions il y a deux mille ans, serait de
5 000 milliards aujourd'hui [2].

Ellul n'ignore pas non plus les possibilités de la technique,
mais il s'interroge sur les dangers que présente cette solution.
La surpopulation entraînée par les progrès de la médecine
engendre un risque de famine, qui peut être résolu par les
techniques biologiques et chimiques miracles, mais c'est au
prix de la nécessité d'apprendre aux gens à manger n'importe
quoi. « Il s'agit, écrit Ellul, de déstructurer les groupes et les
personnalités : une fois de plus on arrivera à nourrir matériel-
lement les gens au prix de leur destruction interne, psychique
et sociale. Le prix à payer est encore une fois considérable,
qualitativement immense et incommensurable avec le bien-
fait de la nourriture chimique [3]. » Les spécialistes songent, en
effet, à des mutations génétiques pour nourrir les démunis.
Il est techniquement possible, désormais, d'implanter dans
les colibacilles intestinaux un gène particulier qui permettrait
aux estomacs des pauvres d'assimiler les feuilles des arbres
et de s'alimenter avec l'herbe des champs... Ainsi serait
résolue *techniquement* la question lancinante de la faim dans
le monde, du moins tant qu'on dispose de pétrole ou d'une
énergie bon marché illimitée.

---

1. Jacques Ellul, *Le Bluff technologique, op. cit.*, p. 643.
2. Albert Jacquard, *L'Équation du nénuphar, op. cit.*
3. Jacques Ellul, *Le Bluff technologique, op. cit.*, p. 74.

Ici encore, la foi dans la science et la technique résout tous les problèmes de demain, à défaut de ceux d'aujourd'hui... L'optimisme ambiant repose largement sur des extrapolations statistiques. Un paysan français qui nourrissait sept personnes en 1960 en nourrit quatre-vingts quarante ans plus tard – un exploit que Malthus n'avait pas prévu. La quantité de maïs produite aujourd'hui par heure de travail d'un *farmer* américain est 350 fois celle obtenue par les Indiens Cherokee ! Ces chiffres donnent le vertige, mais il faut savoir raison garder. «On nous certifie encore, note Jean-Paul Besset, qu'il n'y a rien à craindre de l'arrivée de trois milliards de nouveaux habitants sur la planète d'ici à 2050 dans la mesure où d'autres révolutions vertes sont possibles, de nouvelles variétés plus résistantes sortant des laboratoires, les biotechnologies améliorant les rendements, l'aquaculture faisant des miracles. C'est beaucoup moins vrai [sous-entendu : qu'avec la première révolution verte]. C'est même peut-être complètement faux [1].» Alors que la quantité de céréales, de viande et de produits de la mer disponible par habitant augmentait toujours plus vite que la croissance démographique, d'après le département américain de l'Agriculture, elle ne ferait que baisser depuis les années 80 : – 11 % pour les céréales, – 15 % pour le bœuf et le mouton, – 17 % pour les poissons et crustacés. Ce n'est pas sur les ressources halieutiques naturelles, déjà en voie d'épuisement, que l'on pourra compter pour combler le manque.

Par ailleurs, le changement climatique ne va pas arranger les choses. Des études menées aux Philippines ont montré que chaque degré de température supplémentaire se traduisait par une baisse de 10 % des rendements agricoles. Selon Lester Brown, entre la mi-juillet et la mi-août 2003, la vague de chaleur qui a provoqué la mort de 35 000 personnes dans

---

1. Jean-Paul Besset, *Comment ne plus être progressiste... sans devenir réactionnaire, op. cit.,* p. 57.

huit pays européens (dont la moitié environ en France) a aussi réduit la récolte céréalière en Europe, de l'est de la France à l'Ukraine. Ainsi, d'après les estimations globales sur les céréales du département américain de l'Agriculture, le résultat pour la récolte de blé en Europe avait diminué de 32 millions de tonnes. «Pour donner une idée de la gravité du fait, il suffit de remarquer que cela correspond à la moitié de la récolte américaine. Il ne s'agit donc pas d'une baisse négligeable[1].»

Si une croissance infinie est incompatible avec un monde fini, cela concerne aussi la croissance démographique. La population ne peut, elle non plus, croître indéfiniment. La réduction brutale du nombre de consommateurs ne changerait pas la nature du système, mais une société de décroissance ne peut pas évacuer la question du régime démographique soutenable.

QUELLE POPULATION MONDIALE SOUTENABLE (POSSIBLE OU SOUHAITABLE) ?

La menace de la croissance démographique

La question est donc de savoir quel est le chiffre de peuplement «soutenable». Pour Nicholas Georgescu-Roegen, en 1975 il ne faisait pas de doute que, d'ores et déjà, la Terre était surpeuplée et qu'il fallait organiser une sérieuse réduction de la population. Il proposait alors un programme dont le point 3 stipulait une «diminution progressive de la population jusqu'à un niveau où une agriculture organique suffira à la nourrir convenablement[2]». Vers la même époque, René Dumont,

---

1. Lester R. Brown, «Plan B : Come affrontare la crisi alimentare incipiente», *in* Andrea Masullo (dir.), *Economia e Ambiente, op. cit.*, p. 77.

2. «L'énergie et les mythes économiques», repris dans *La Décroissance*, cité par Franck-Dominique Vivien, *Le Développement soutenable, op. cit.*, p. 101.

dans son programme *L'Utopie ou la Mort*[1], déclarait de son côté : «Non! Une croissance indéfinie est impossible», et il préconisait lui aussi une décroissance démographique. Arne Naess, philosophe norvégien, considéré comme l'un des théoriciens de l'écologie «profonde» (*deep ecology*), après avoir montré la menace que l'homme faisait peser sur la biosphère, proposait en 1973 une thèse programmatique en huit points dont voici le cinquième : «L'épanouissement de la vie et des cultures humaines est compatible avec une diminution substantielle de la population humaine. L'épanouissement de la vie non humaine requiert une telle diminution.»

Les philosophes cornucopiens ont vite fait de trouver ces positions malthusiennes, voire sectaires, signifiant par là le retour récurrent d'un pessimisme frileux et d'un obscurantisme de mauvais aloi. Toutefois, il est sans doute doublement impropre de qualifier ces positions de malthusiennes. D'une part, parce que Malthus visait la situation très particulière de l'Angleterre des débuts du capitalisme, où les travailleurs de la terre avaient été expropriés par la violence et de ce fait rendus artificiellement surnuméraires. D'autre part, parce que, tout sycophante (Marx *dixit*) qu'il ait été, le «sinistre pasteur» faisait preuve d'un incroyable optimisme en pensant que les ressources alimentaires pouvaient croître indéfiniment selon une progression arithmétique.

Une analyse mécaniste d'inspiration comparable consiste à faire remarquer que la population mondiale a explosé avec l'ère de la croissance économique, c'est-à-dire l'époque du capitalisme thermo-industriel. Le fait de disposer d'une source d'énergie abondante et bon marché, le pétrole, a permis un bond prodigieux, faisant passer la population mondiale d'environ 600 millions à 6 milliards d'individus. La disparition de cette source non renouvelable nous condamnerait à revenir à un chiffre de population compatible avec les capacités de

---

1. René Dumont, *L'Utopie ou la Mort*, Seuil, Paris, 1978.

charge durables de la planète, soit à peu près le chiffre de la
population antérieure à l'industrialisation. Telle est la thèse
soutenue, en particulier, par William Stanton dans son livre
The Rapid Growth of Human Population[1]. Elle est discutée
le plus sérieusement du monde au sein de l'ASPO (Association pour l'étude du *peak oil*), de même que les perspectives
écototalitaires que l'auteur en tire[2]. «Le scénario de réduction
de la population avec la meilleure probabilité de succès, selon
Stanton, doit être darwinien dans tous ses aspects, avec aucune
des sensibleries qui ont dorloté la seconde moitié du XXᵉ siècle
dans un brouillard épais de politiquement correct.»

Ce scénario, présenté comme une programmation volontaire équitable et paisible, vise à une réduction progressive
de la population sur cent cinquante ans à un taux égal à celui
de la déplétion du pétrole afin d'éviter le cauchemar d'une
réduction brutale à travers guerres (y compris nucléaires),
massacres, famines, etc. Les ingrédients en sont les suivants :
«L'immigration est interdite. Les arrivants non autorisés sont
traités comme des criminels. L'avortement ou l'infanticide
sont obligatoires si le fœtus ou le bébé s'avèrent très handi-
capés (la sélection darwinienne élimine les inaptes). Quand,
par l'âge avancé, par un accident ou une maladie, un individu
devient plus un poids qu'un bénéfice pour la société, sa vie est
humainement arrêtée. L'emprisonnement est rare, remplacé
par des punitions corporelles pour les petits délits et par le
châtiment capital sans douleur pour les cas les plus graves.»
L'auteur est conscient des oppositions qui peuvent surgir à
la mise en place de son schéma : «Le plus grand obstacle
dans le scénario ayant le plus de chance de succès est probablement (à mon avis) la dévotion inintelligente du monde
occidental pour le politiquement correct, les droits humains
et le caractère sacré de la vie humaine.» La réponse est aussi

---

1. William Stanton, *The Rapid Growth of Human Population*, *op. cit.*
2. Newsletter de l'ASPO, avril-mai-juin-juillet 2005. Voir www.peakoil.
net/.

impitoyable que le diagnostic : «Aux sentimentalistes qui ne peuvent pas comprendre le besoin de réduire la population de la Grande-Bretagne de 60 millions à environ 2 millions sur cent cinquante ans, et qui sont outrés par la proposition de remplacement des droits humains par une froide logique, je pourrais répondre : "Vous avez eu votre temps."» Pour faire bonne mesure, il précise : «Les actes de protestation violents, tels que ceux qui sont conduits par les activistes pour les droits des animaux ou les anti-avortements, pourraient, dans un monde darwinien, attirer un châtiment capital[1].»

Cette référence quasi obsessionnelle au monde darwinien fait écho aux déclarations cyniques du pasteur Malthus en son temps. C'est d'ailleurs la lecture de son essai sur le principe de population qui a inspiré à Darwin la thèse de la concurrence des espèces. On retrouve ces mêmes présupposés dans beaucoup d'analyses de la géopolitique américaine, et cette vision n'est pas sans résonance avec le choc des civilisations de Samuel Huttington. Ces thèses néomalthusiennes répondent à la reproduction d'un contexte de «néorévolution» industrielle : ce qui se produit avec l'industrialisation de la Chine et de l'Inde est comparable, à l'échelle planétaire, à ce qui s'est produit en Grande-Bretagne au XVIIIe siècle. L'exode rural chinois est colossal. Douze à quinze millions de «chapeaux de paille» quittent la terre chaque année. Chaque semaine, en Chine, un million de campagnards migrent vers les cités du Sud, soit 150 millions ces dernières années et autant pour les prochaines. Il s'agit de la plus grande catastrophe humaine de toute l'histoire. «Le rêve américain en Chine pourrait devenir le cauchemar du monde[2]», selon Lester Brown. Mais la société de consommation et de la communication, absorbée par d'intenses frivolités, préfère regarder ailleurs. La Chine

---

1. William Stanton, *The Rapid Growth of Human Population*, *op. cit.*, cité in *ibid*.

2. Cité par Jean-Paul Besset, *Comment ne plus être progressiste... sans devenir réactionnaire*, *op. cit.*, p. 153.

compte chaque année environ 280 000 suicides, dont 150 000
de femmes. «Un(e) Chinois(e) se donne la mort toutes les
deux minutes [1].» Les taux sont trois fois plus élevés à la campagne que dans les villes : 58 % des suicidés ont utilisé un
pesticide.

Toutefois, la croissance démographique est moins en cause
que l'adoption de la religion de la croissance industrielle.
«Lors d'un voyage qu'il effectua au début du siècle dernier en
Asie, l'Américain F.H. King rendit compte des "systèmes non
industriels qui permettaient d'alimenter 500 millions d'êtres
humains sur une surface plus petite que la totalité de l'aire
agricole des États-Unis et sur des sols qui avaient été utilisés
pendant près de quatre mille ans [2]". Ces systèmes se caracté-
risaient par le fait qu'ils utilisaient principalement du travail
humain et peu d'intrants externes. En particulier l'énergie
était majoritairement renouvelable et autoproduite [3].» Le
calcul de l'empreinte écologique montre que l'on n'a dépassé
les capacités de soutenabilité de la planète qu'en 1960 [4]. Or,
à l'époque, la Terre comptait 3 milliards d'habitants (contre
1 en 1860, c'est-à-dire avant l'ère industrielle). Autrement
dit, même en supposant un arrêt – peu probable – des gains
d'efficacité énergétique, le chiffre de 3 milliards paraît tout à
fait réaliste. D'autant que, du strict point de vue quantitatif, le
potentiel d'utilisation des terres serait loin d'être épuisé [5].

---

1. Source : *Le Quotidien du peuple*, 24 novembre 2003, repris par Silvia
Pérez-Vitoria, *Les paysans sont de retour*, op. cit., p. 116.

2. *L'Écologiste*, n° 14, octobre 2004.

3. Silvia Pérez-Vitoria, *Les paysans sont de retour*, op. cit., p. 91.

4. Jean Brière, président de Démographie et Écologie, se fondant sur les
énergies renouvelables disponibles (essentiellement la biomasse), estime qu'un
mode de vie soutenable est envisageable pour une population comprise entre
1 et 3 milliards, compte tenu du degré d'austérité matérielle accepté («Le drame
palestinien et la crise écologique», document de travail).

5. Si l'on en croit Silvia Pérez-Vitoria, «à l'échelle de la planète, 38 % des
terres sont agricoles et moins d'un tiers de ce pourcentage est cultivé, ce qui
représente 0,83 hectare de terre agricole et 0,25 hectare de terre cultivée par
habitant» (*Les paysans sont de retour*, op. cit., p. 39).

Du côté de la démographie, l'évolution «naturelle» est-elle susceptible de s'adapter à ces perspectives économiques/écologiques ? «Le taux de croissance démographique mondiale est passé de 2 % à 1,3 %, note Jean-Paul Besset, et c'est sans doute la meilleure nouvelle que l'humanité ait enregistrée ces dernières années. Mais ce taux s'applique désormais à une population beaucoup plus nombreuse et beaucoup plus jeune. Il suffit d'un demi-enfant supplémentaire par femme, 3 au lieu de 2,6 actuellement, pour qu'en deux générations la population mondiale grimpe non pas à 9 mais à 11 milliards d'habitants. C'est dire combien la ligne de crête est étroite. La *bombe P* n'est pas désamorcée. Elle n'en rend que plus urgente l'interruption de la crise du vivant [1].»

La décroissance démographique en douceur est possible, comme le montrent l'exemple italien et celui de la plupart des pays surdéveloppés. Au-delà de la stabilisation à 9 ou 10 milliards prévue par les démographes, est-il possible d'imaginer une nouvelle transition portant à un état stationnaire optimal (1 à 3 milliards) ? Évoquant la thèse de la fin de l'humanité de Christian Godin, Paul Ariès passe à l'autre extrême : «Il est fort probable que les taux de natalité du Nord qui n'assurent plus la reproduction se globalisent très vite dans les pays du Sud. L'humanité s'achemine donc tout doucement vers la mort, parce qu'elle n'aura plus la volonté de continuer tout simplement [2].» Sommes-nous déjà surpeuplés ? Oui, incontestablement, si tout le monde devait consommer comme un Américain moyen. Mais, à l'inverse, la pratique de la diète par le Burkinabé de base pourrait offrir encore une large marge de manœuvre. Alors que dans le premier cas la population devrait décroître pour atteindre environ 1 milliard d'individus, elle pourrait s'élever dans le second cas jusqu'à 23 milliards !

---

1. Jean-Paul Besset, *Comment ne plus être progressiste... sans devenir réactionnaire*, op. cit., p. 110.
2. Christian Godin, *La Fin de l'humanité*, Champ-Vallon, Seyssel, 2003, cité par Paul Ariès, *Décroissance ou barbarie*, op. cit., p. 85.

Ariès fait preuve d'un bel optimisme lorsqu'il écrit : « Soyons sérieux : les productions de base actuelles dépassent largement les besoins de toute la population mondiale existante : on estime même qu'on pourrait produire 23 % de denrées alimentaires en trop par rapport aux besoins nutritionnels de l'humanité[1]. » Si l'énergie journalière nécessaire à l'entretien d'un homme normal est de 3 500 kilocalories, la consommation française dans les années 70 était déjà 80 fois supérieure, soit l'équivalent de 80 esclaves à notre disposition ! Quel que soit l'arbitraire de ces chiffres, la notion de population mondiale soutenable est tout à fait relative. Il est sûr que si le niveau de vie américain n'est pas négociable, il va falloir éliminer beaucoup de monde… Mais en acceptant de mettre les problèmes à plat, la situation n'est pas aussi dramatique. L'humanité devra impérativement maîtriser sa reproduction.

Au total, on aurait tort de n'envisager la question que sous l'angle quantitatif. Même si elle est possible sans violence, la décroissance démographique, même souhaitable, n'en pose pas moins de redoutables problèmes (voir le drame de l'enfant unique en Chine et ailleurs) en matière d'éducation, de mœurs et de rapport entre les générations (sans entrer dans le débat sur le financement des retraites…). La construction d'une société de décroissance devra affronter ces défis, mais des réponses satisfaisantes ne sont ni impensables ni irréalistes.

---

1. Paul Ariès, *Décroissance ou barbarie, op. cit.*, p. 89.

Conclusion

La décroissance est-elle une alternative ?

Dans leur croisade en faveur d'une société de décroissance, les «objecteurs de croissance» sont confrontés à l'exigence d'une alternative. Comme le dit de façon symptomatique Christian Comeliau, «la recherche des alternatives est aujourd'hui souhaitée par tous les insatisfaits du développement, et ils sont légion : elle constitue aussi le prolongement indispensable de toute critique radicale des conceptions et des pratiques actuellement dominantes. Mais cette recherche est de celles qui donnent le vertige, lorsque le chercheur, le décideur ou le citoyen découvrent à la fois l'urgence de solutions nouvelles et le vide ou la minceur des propositions qui leur sont présentées [1]». La critique adressée aux positions des tenants de l'après-développement et de la décroissance s'articule en gros autour de deux volets : l'absence de propositions constructives (qu'est-ce que vous mettez à la place du développement pour remédier aux *vrais* problèmes ?) et le côté excessif du rejet du développement (vous rejetez le bébé de la *bonne* économie avec l'eau sale du *mauvais* libéralisme/capitalisme). Ainsi Ignacy Sachs : «Nier aujourd'hui la notion même de développement, ça implique d'y substituer quoi ? À

---

1. Christian Comeliau (dir.), *Brouillons pour l'avenir : contributions au débat sur les alternatives*, op. cit., p. 27.

cette question, je n'ai pas trouvé l'ombre d'une réponse dans les articles que les post-développementistes publient depuis quelques années [1]. » Il est vrai que, en 2003, le mouvement de la décroissance était encore dans les limbes. Toutefois, tous les projets qu'il portait étaient déjà bien présents.

En fait, il est clair que si nos propositions n'apparaissent pas constructives aux yeux des « développementistes » de bonne foi et surtout crédibles, c'est précisément parce qu'elles sortent du cadre où trône le bébé développementiste : l'universalisme des valeurs et de l'économie. De plus, elles impliquent une remise en cause des sociétés de marché.

Faut-il, alors, avoir quelques « alternatives » supplémentaires en réserve ? Gilbert Rist répond : « C'est oublier que la question est piégée parce qu'elle oblige, pour engager le débat, d'accepter les présupposés du contradicteur. Pour être pris au sérieux, et ne pas passer immédiatement pour un doux rêveur ou un dangereux utopiste, il faut "jouer le jeu" de l'autre, et donc se conformer aux règles de *son* jeu. Or, puisque ce sont précisément les règles du jeu qui sont en cause, le combat est perdu d'avance ! On peut sérieusement se demander s'il vaut la peine de s'engager dans cette voie, d'autant plus que […] les propositions de rechange existent, mais n'intéressent personne [2]. » Et de citer, par exemple, le rapport de 1975 de la fondation Dag Hammarskjöld, *Que faire ?*, où figure déjà une bonne partie de l'agenda de la décroissance.

Une alternative *réaliste*, en effet, est une expression quasi antinomique. Une véritable alternative remettant en cause l'état des choses, donc les rapports de forces, se heurtera toujours à des coalitions d'intérêts et des résistances, y compris, voire surtout, de la part des victimes dont le changement bouscule les habitudes de vie et de pensée. Elle est donc for-

---

1. Christian Comeliau (dir.), *Brouillons pour l'avenir : contributions au débat sur les alternatives, op. cit.*, p. 171.
2. Cité in *ibid.*, p. 150.

cément quelque peu utopique tant que les circonstances n'ont pas rendu sa réalisation inéluctable [1].

Il est certain qu'un programme de la décroissance et de l'après-développement n'est pas formulable dans le langage des experts et des technocrates. Il n'est, par ailleurs, ni simple dans sa présentation, ni facile à mettre en œuvre. La critique radicale exige des solutions non moins radicales et ce n'est pas parce que l'audace des propositions les rend difficilement réalisables qu'elles ne sont pas nécessaires ni qu'il faille renoncer à tout faire pour prendre les mesures concrètes qu'elles impliquent. Seulement, ces dernières ne constituent pas un modèle clefs en main comparable aux trop fameuses «stratégies de développement». Il s'agit très précisément d'utopies, d'utopies motrices et créatrices, susceptibles de rouvrir les espaces fermés et les perspectives bouchées. De plus, la construction d'une société de décroissance sera *nécessairement plurielle*. Il s'agit de la recherche de modes d'épanouissement collectif qui ne privilégieraient pas un bien-être matériel destructeur de l'environnement et du lien social.

En tant que telle, la décroissance n'est pas vraiment une alternative concrète, c'est bien plutôt la matrice autorisant un foisonnement d'alternatives. Bien sûr, toute proposition concrète ou contre-proposition est à la fois nécessaire et problématique.

---

1. «Le réalisme est la bonne conscience des salauds», disait Georges Bernanos avec sa légendaire impertinence.

DEUXIÈME PARTIE

LA DÉCROISSANCE, COMMENT ?

ORGANISER UNE SOCIÉTÉ DE « DÉCROISSANCE » SEREINE ET CONVIVIALE AU NORD ET AU SUD

> « Je crois que pendant une période comme celle-ci le rôle
> de ceux qui pensent la politique et qui ont une passion poli-
> tique (une passion pour la chose commune) est de dire à voix
> haute, même s'ils sont peu entendus, à la population ce qu'ils
> pensent. De critiquer ce qui est, de rappeler aussi au peuple
> qu'il y a eu des phases dans son histoire où il a lui-même été
> autrement, où il a agi d'une façon historiquement créative,
> où il a agi comme *instituant*. »
>
> Cornelius Castoriadis [1]

Le mot d'ordre de décroissance a surtout pour objet de
marquer fortement l'abandon de l'objectif insensé de la
croissance pour la croissance, objectif dont le moteur n'est
autre que la recherche effrénée du profit par les détenteurs
du capital. Bien évidemment, il ne vise pas au renversement
caricatural qui consisterait à prôner la décroissance pour

---

1. Cornelius Castoriadis, *Une société à la dérive, op. cit.*, p. 172.

la décroissance. En particulier, la décroissance n'est pas la croissance négative, expression antinomique et absurde qui traduit bien la domination de l'imaginaire de la croissance [1]. On sait que le simple ralentissement de la croissance plonge nos sociétés dans le désarroi en raison du chômage et de l'abandon des programmes sociaux, culturels et environnementaux qui assurent un minimum de qualité de vie. On peut imaginer quelle catastrophe représenterait un taux de croissance négatif ! De même qu'il n'y a rien de pire qu'une société travailliste sans travail, il n'y a rien de pire qu'une société de croissance sans croissance. C'est ce qui condamne la gauche institutionnelle, faute d'oser la décolonisation de l'imaginaire, au social-libéralisme. La décroissance n'est donc envisageable que dans une « société de décroissance ». Le projet de la décroissance est un projet politique, consistant dans la construction, au Nord comme au Sud, de sociétés conviviales autonomes et économes. Au niveau théorique, le mot d'« a-croissance » serait plus approprié, indiquant un abandon du culte irrationnel et quasi religieux de la croissance pour la croissance.

Entendons-nous bien : la décroissance de l'empreinte écologique au Nord (et donc du PIB) est une nécessité. Ce n'est au départ ni un idéal, ni l'unique finalité d'une société de l'après-développement et d'un autre monde possible. Mais faisons de nécessité vertu, et concevons la décroissance comme un objectif dont on peut tirer des avantages. La plupart des réductions de nos prélèvements sur la biosphère ne peuvent entraîner, en effet, qu'un mieux-être.

En première approximation, pour le Nord, on peut concevoir une politique de décroissance comme se donnant pour objectif de renverser le « ciseau » entre la production du bien-être et le PIB. Il s'agit de découpler ou de déconnecter l'amélioration de la situation des particuliers et l'élévation

---

1. Cela voudrait dire à la lettre : « avancer en reculant ».

statistique de la production matérielle, autrement dit de faire décroître le «bien-avoir» statistique pour améliorer le bien-être vécu. Cela pourrait se réaliser de façon simple par l'application intégrale du principe «pollueur-payeur». Toutefois, on arriverait probablement à un blocage du système. Car la croissance aujourd'hui n'est une affaire rentable qu'à la condition d'en faire porter le poids et le prix sur la nature, sur les générations futures, sur la santé des consommateurs et sur les conditions de travail des salariés. C'est pourquoi une rupture est nécessaire.

On peut synthétiser ce changement de cap dans un programme plus radical, plus systématique et plus ambitieux en 8 «R» : réévaluer, reconceptualiser, restructurer, redistribuer, relocaliser, réduire, réutiliser, recycler. Ces huit objectifs interdépendants sont susceptibles d'enclencher un cercle vertueux de décroissance sereine, conviviale et soutenable. On pourrait allonger encore la liste des «R» avec radicaliser, reconvertir, redéfinir, redimensionner, remodeler, repenser, etc., mais tous sont plus ou moins inclus dans les huit premiers. Certains ne manqueront pas de voir dans ce recours systématique au préfixe «re» la marque d'une pensée réactionnaire ou de la volonté romantique ou nostalgique d'un retour au passé. Nous avons déjà consacré le chapitre 3 à débattre de cette objection et à la réfuter. Disons simplement que, mis à part une légère coquetterie d'auteur dans cette façon de présenter les étapes sous le signe de la lettre «R», les actions en cause participent tout autant de la révolution que du retour en arrière, du changement radical de direction et de l'innovation que de la répétition. Si réaction il y a, c'est face à la démesure, à l'*hubris* du système, qui se traduit chez Jean-Paul Besset par autant de «sur» que je verrais de «re» : «suractivité, surdéveloppement, surproduction, surabondance, surpompage, surpêche, surpâturage, surconsommation, suremballages, surrendements, surcommunication, surcirculation, surmédicalisation, surendettement, suréquipement [1]... »

En ce qui concerne les sociétés du Sud, l'objectif de décroissance n'est pas vraiment à l'ordre du jour dans les mêmes termes puisque, si elles sont traversées par l'idéologie de la croissance, la plupart ne sont pas vraiment des « sociétés de croissance ». Oser la décroissance au Sud, c'est tenter un « désenveloppement », c'est-à-dire enlever les obstacles à l'épanouissement de sociétés autonomes et enclencher un mouvement en spirale pour se mettre sur l'orbite du cercle vertueux des 8 « R » de la décroissance sereine, conviviale et soutenable.

Ce schéma théorique commun dessine l'objectif souhaitable mais n'exclut donc pas, dans ses modalités de mise en œuvre, des étapes, des compromis et des transitions que nous évoquerons plus loin.

---

1. Jean-Paul Besset, *Comment ne plus être progressiste... sans devenir réactionnaire, op. cit.*, p. 182. Il ajoute : « La surdose s'opère au déficit du vivant. Le surfait brise l'individu » (*ibid.*).

Chapitre 6

Réévaluer, reconceptualiser.
Comment sortir de l'imaginaire
dominant?

«Nous ne sommes pas des objecteurs de croissance faute de mieux ou par dépit, parce qu'il ne serait plus possible de continuer comme avant. Même et surtout si une croissance infinie était possible, ce serait à nos yeux une raison de plus pour la refuser pour pouvoir rester simplement des humains. [...] Notre combat est avant tout un combat de valeurs. Nous refusons cette société de travail et de consommation dans la monstruosité de son ordinaire et pas seulement dans ses excès.»

Paul Ariès [1]

Dans son livre *La Culture de la réciprocité*, Paolo Coluccia raconte la fable suivante : dans une vieille église romane, une fresque médiévale représente le paradis et l'enfer de façon totalement identique. Dans les deux lieux règne une grande abondance de victuailles dont les élus et les damnés ne peuvent se procurer la jouissance qu'à l'aide de fourchettes d'une longueur démesurée. Mais tandis qu'en enfer les

---

1. Paul Ariès, *Décroissance ou barbarie, op. cit.*, p. 31.

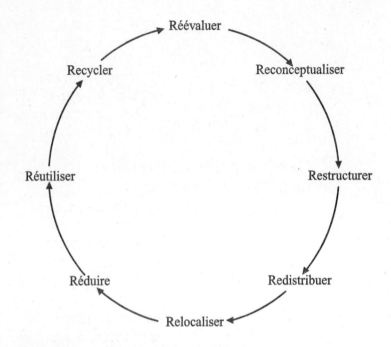

damnés faméliques tentent vainement de porter à leur bouche les mets désirables, au paradis les élus radieux se nourrissent les uns les autres [1]. En nos temps de longues fourchettes, le recours à la solidarité, autre nom de l'altruisme, est plus que jamais nécessaire. En modifiant légèrement la fresque, on a une illustration parfaite de la décroissance. On pourrait peindre l'enfer comme un lieu d'abondance inaccessible et le paradis comme un lieu de frugalité partagée. En enfer règne la plus invraisemblable « richesse », mais tout ou presque se perd faute de pouvoir être consommé ; au paradis, les victuailles sont beaucoup moins nombreuses, mais chacun en a finalement à sa suffisance et c'est l'ivresse joyeuse de l'austérité partagée.

---

1. Paolo Coluccia, *La cultura della reciprocita'. Il sistemi di scambio locale non monetari*, Arianna Editrice, Casalecchio di Reno, 2002.

Passer de l'enfer de la croissance insoutenable au paradis de la décroissance conviviale suppose un changement profond des valeurs auxquelles nous croyons et sur lesquelles nous organisons notre vie. « L'humanité tout entière communie dans la même croyance, note Jean-Paul Besset. Les riches la célèbrent, les pauvres y aspirent. Un seul dieu, le Progrès, un seul dogme, l'économie politique, un seul éden, l'opulence, un seul rite, la consommation, une seule prière : *Notre croissance qui êtes aux cieux*... Partout, la religion de l'excès révère les mêmes saints – développement, technologie, marchandise, vitesse, frénésie –, pourchasse les mêmes hérétiques – les hors-logique du rendement et du productivisme –, dispense une même morale – avoir, jamais assez, abuser, jamais trop, jeter, sans retenue, puis recommencer, encore et toujours. Un spectre hante ses nuits : la déprime de la consommation. Un cauchemar l'obsède : les soubresauts du produit intérieur brut [1]. » Ingmar Granstedt écrit quant à lui : « Sont maintenant devenus des valeurs positives et premières l'agressivité et le cynisme du "battant", la séduction manipulatrice, la capacité à oser donner des coups de plus en plus bas, l'indifférence à la souffrance des autres, proches et lointains, sans parler de la complaisance du consommateur irresponsable [2]... » À partir de là, on voit tout de suite quelles valeurs il faut mettre en avant, qui devraient prendre le dessus par rapport aux valeurs dominantes actuelles : l'altruisme devrait prendre le pas sur l'égoïsme, la coopération sur la compétition effrénée, le plaisir du loisir et l'ethos du ludisme sur l'obsession du travail, l'importance de la vie sociale sur la consommation illimitée, le local sur le global, l'autonomie sur l'hétéronomie, le goût de la belle ouvrage sur l'efficience productiviste, le raisonnable sur le rationnel, le relationnel sur le matériel, etc.

---

1. Jean-Paul Besset, *Comment ne plus être progressiste... sans devenir réactionnaire, op. cit.*, p. 134-135.
2. Ingmar Granstedt, *Peut-on sortir de la folle concurrence ? Petit manifeste à l'intention de ceux qui en ont assez*, La Ligne d'horizon, Paris, 2006, p. 96.

La difficulté de cette nécessaire réévaluation provient très largement du fait que l'imaginaire dominant est systémique. Cela signifie que les valeurs actuelles sont suscitées et stimulées par le système (en particulier économique) et qu'en retour elles contribuent à le renforcer. Il faut donc aller au-delà et remettre en cause ce qui se tient derrière ce système porteur de valeurs comme la conception du temps, de l'espace, de la vie, de la mort, etc. « Le discours de la croissance, note Paul Ariès, repose sur un élargissement de l'espace comme condition de sa banalisation marchande [1]. » Le discours de la décroissance suppose donc, selon la formule de Jacques Ellul, « un rétrécissement de l'espace prélude à son intensification humaine [2] ». Un décentrement cognitif est nécessaire. La déconstruction du progrès et du progressisme est indispensable. Il s'agit de valoriser le « regrès/regret » et la régression, autrement dit procéder à ce que Raimon Panikkar appelle une « metanoia » (retour/repentir/repentance, « dépassement du mental plus que changement de mentalité [3] », selon Robert Vachon), préalable à ce nécessaire « désarmement [4] » culturel de l'Occident qu'il préconise. « Pour juger du progrès, il ne suffit pas de connaître ce qu'il nous ajoute ; il faut encore tenir compte de ce dont il nous prive [5]. » Bref, réévaluer suppose recadrer et reconceptualiser en même temps que repenser l'éducation [6]. Reconceptualiser ou redéfinir/redimensionner s'impose par

---

1. Paul Ariès, « La décroissance est-elle soluble dans la modernité ? », *Silence*, n° 302, octobre 2003, p. 9.

2. Jacques Ellul, *Métamorphose du bourgeois*, *op. cit.*, p. 9.

3. Robert Vachon, « Le terrorisme de l'argent (II) », art. cité.

4. Raimon Panikkar, *Le Pluriversalisme*, Parangon, Paris, 2006.

5. Baudoin de Bodinat, *La Vie sur terre. Réflexions sur le peu d'avenir que contient le temps où nous sommes*, t. 1, Éditions de l'Encyclopédie des nuisances, Paris, 1996, p. 71.

6. « Recadrer, selon Paul Watzlawick, John H. Weakland et Richard Fisch, signifie modifier le contexte conceptuel et/ou émotionnel d'une situation ou le point de vue selon lequel elle est vécue, en la plaçant dans un autre cadre qui correspond aussi bien, ou même mieux, aux "faits" de cette situation concrète, dont le sens, par conséquent, change complètement » (*Changements. Paradoxes et psychothérapie*, Seuil, Paris, 1975, p. 116-117).

exemple pour les concepts de richesse et de pauvreté[1], mais aussi pour le couple infernal, fondateur de l'imaginaire économique, rareté/abondance, qu'il est urgent de déconstruire. Comme l'ont bien montré Ivan Illich et Jean-Pierre Dupuy, l'économie transforme l'abondance naturelle en rareté par la création artificielle du manque et du besoin à travers l'appropriation de la nature et sa marchandisation[2]. Les OGM sont la dernière illustration du phénomène de dépossession des paysans de la fécondité naturelle des plantes au profit des firmes agroalimentaires.

Une révolution culturelle au vrai sens du terme est donc requise. «Mais, comme le dit fort bien Castoriadis, pour qu'il y ait une telle révolution, il faut que des changements profonds aient lieu dans l'organisation psychosociale de l'homme occidental, dans son attitude à l'égard de la vie, bref dans son imaginaire. Il faut que l'idée que la seule finalité de la vie est de produire et de consommer davantage – idée à la fois absurde et dégradante – soit abandonnée; il faut que l'imaginaire capitaliste d'une pseudo-maîtrise pseudo-rationnelle, d'une expansion illimitée, soit abandonné. Cela, seuls les hommes et les femmes peuvent le faire. Un individu seul, ou une organisation, ne peut au mieux que préparer, critiquer, inciter, esquisser des orientations possibles[3].»

Pour tenter de penser une sortie de l'imaginaire dominant, il faut d'abord revenir sur la façon dont on y est entré. Autrement dit, si l'on veut savoir comment s'enlever le marteau de la tête, il faut savoir comment il y est venu et de quoi il est fait. De quoi il est fait? On s'en doute. Pour l'essentiel, aujourd'hui, le marteau est économique, économiste ou

1. Voir Patrick Viveret, *Reconsidérer la richesse, op. cit.*; Majid Rahnema, *Quand la misère chasse la pauvreté, op. cit.*; Arnaud Berthoud, «La richesse et ses deux types», art. cité.
2. Paul Dumochel et Jean-Pierre Dupuy, *L'Enfer des choses. René Girard et la logique de l'économie*, Seuil, Paris, 1979; Jean-Pierre Dupuy et Jean Robert, *La Trahison de l'opulence*, PUF, Paris, 1976.
3. Cornelius Castoriadis, *Une société à la dérive, op. cit.*, p. 244.

économiciste. C'est l'idéologie de la croissance, du développement, du consumérisme, de la pensée unique. Reste à comprendre comment on en est arrivé là et comment on pourrait s'en sortir...

COMMENT NOS ESPRITS ONT-ILS ÉTÉ COLONISÉS ?

Il me semble que la colonisation des esprits prend trois formes principales : l'éducation, la manipulation médiatique, la consommation du quotidien ou le mode de vie concret.

L'éducation

L'éducation (la *paideia*, comme disait Aristote) est ce qui permet à l'enfant de devenir un adulte, un citoyen, une personne. Ce qui nous donne les moyens de nous affirmer et de résister aux tentatives de colonisation mentale. Pour l'essentiel, dans les sociétés modernes, l'éducation passe par une institution, l'école. Cette dernière a fait l'objet d'une critique cinglante, celle d'Ivan Illich restant d'actualité. « La majorité, écrit-il, apprend par l'école non seulement l'acceptation de son sort, mais encore la servilité[1]. » Quant à l'échec scolaire, inscrit dans la logique de l'institution, il représente « l'apprentissage de l'insatisfaction[2] ». « Les écoles, note encore Illich, font partie d'une société où une minorité est en train de devenir si productive que l'on doit former la majorité à une consommation disciplinée[3]. » Pour Illich, la conclusion s'impose : il faut « déscolariser » la société. Mais comment en sortir si les éducateurs sont eux-mêmes mal éduqués ?

Hannah Arendt, dans ses essais sur l'éducation et la formation, montre l'énorme responsabilité des adultes dans

---

1. Ivan Illich, *Libérer l'avenir*, in *Œuvres complètes*, t. 1, *op. cit.*, p. 135.
2. *Ibid.*, p. 157.
3. *Ibid.*, p. 137.

l'éducation et la formation. Elle dit que nous devons être suffisamment traditionnels dans l'éducation pour permettre à nos enfants d'être révolutionnaires. Il est évident que si je veux empêcher autoritairement mon fils d'aller au McDo, il s'empressera de s'y précipiter et il aura raison ! Notre système éducatif humaniste était tout compte fait un mode de formation assez bon. Nous ne devrions pas en avoir honte. Sauf à constater une contradiction entre cette formation et l'exemple que nous donnons à nos enfants, à savoir la boulimie de consommation dans un monde complètement colonisé par la télé-poubelle. Il n'y a pas à s'étonner dans ces conditions qu'ils soient fortement imprégnés de l'idéologie de l'uniformisation et du consumérisme.

Le monde que nous léguons à nos enfants et par lequel ils sont « fabriqués » est déchiré par la violence, les guerres, une compétition économique sans pitié, bref, c'est un monde profondément « déglingué ». La plupart de nos contemporains sont eux-mêmes déglingués. Comment pourraient-ils « fabriquer » des enfants sains et « normaux » ? Comment l'éthique de la guerre économique à outrance peut-elle coexister avec l'éthique de la solidarité, de la gratuité et du don, qui devrait animer un monde fraternel ? Avec la rigueur citoyenne et l'égalité qu'implique l'État démocratique ? Comment, par exemple, allons-nous élever nos enfants et « fabriquer » les futurs agents de la société de demain ? Laquelle de ces deux morales – celle des valeurs dominantes et celle de l'alternative décroissante – verrons-nous, entendrons-nous et plébisciterons-nous par l'audimat à la télévision ou sur les ondes ? « À trois ans, note François Brune, on consomme le produit comme un monde, à trente ans on consomme le monde comme un produit[1]. »

Toutefois, nous devons aussi donner confiance à nos enfants. Je pense qu'il est impossible de coloniser totale-

---

1. François Brune, *De l'idéologie, aujourd'hui, op. cit.*, p. 1.

ment les esprits ; un peu de sens critique résiste toujours. On croit que les gens sont complètement aliénés et dominés (on parle même de lavage de cerveau ou de bourrage de crâne), mais en réalité ils ne le sont jamais totalement. On l'a vu avec l'expérience du socialisme en Russie. Même sous un régime totalitaire, il y a de la dissidence. Quand le moment est favorable, elle réussit finalement à triompher. Il n'existe pas un instrument particulier pour entrer dans l'univers mental des gens. Nous ne devons pas entrer dans la cervelle de nos enfants ; nous devons leur faire confiance pour trouver leur propre voie, en mettant nous-mêmes en pratique nos convictions.

Repenser la « fabrication » des citoyens dépasse le seul problème de l'éducation, surtout réduite à la scolarité. Ce qui est important, disait Sartre, ce n'est pas tant ce que l'on nous a fait, mais ce que nous faisons de ce que l'on nous a fait [1]. La fabrication citoyenne se fait aussi ou se refait dans la pratique. « Le syndicat et la coopérative socialiste, écrivait Marcel Mauss, sont les fondements de la société future. » Michéa commente : « Dans l'optique d'un socialisme décent (expression qui pour Mauss, comme plus tard pour Orwell, n'aurait pu être qu'un pléonasme), ces deux formes d'organisation constituent, en effet, deux des lieux privilégiés où les travailleurs, parce qu'ils y trouvent l'occasion de déployer à un niveau supérieur leurs qualités morales originelles, peuvent apprendre "dès maintenant" (autrement dit, sans avoir à attendre que l'Avenir radieux prenne en charge leur rééducation) à rompre méthodiquement avec l'imaginaire utilitariste du monde capitaliste, en mettant en œuvre des formes de lutte et de vie en commun, qui sont *déjà* entièrement compatibles avec les valeurs de désintéressement, de générosité et d'entraide qu'implique une société socialiste [2]. » La construction d'une société de décroissance se

---

1. Cité par Georges Didier, « Moins consommer demande un renoncement et un pont entre psychologie et écologie », art. cité, p. 11.
2. Jean-Claude Michéa, *Orwell éducateur, op. cit.*, p. 117.

trouve pour l'essentiel confrontée au même problème et partage avec le socialisme ces valeurs-là.

Le REPAS (Réseau d'échanges et de pratiques alternatives et solidaires, dont font partie Ambiance Bois et Ardelaine) mais aussi l'ensemble des expériences alternatives (AMAP, SEL, Jardins de Cocagne, etc.) sont actuellement, consciemment ou sans s'en douter, de telles écoles de la décroissance sereine.

La manipulation médiatique

Si, pour Aristote, les murs mêmes de la cité éduquent le citoyen, à quoi peuvent bien éduquer les murs de nos villes et de nos banlieues ? Peuvent-ils former autre chose que des consommateurs et des usagers frustrés, au mieux, des « sauvageons » rebelles, au pire ? Un urbanisme laid et sans âme, le plus souvent, et une publicité agressive et omniprésente ne contribueront pas à forger des personnalités fortes et indépendantes capables de résister à la manipulation médiatique et à la propagande politique qui en est devenue le sous-produit.

Suivant l'analyse de Jacques Ellul, l'information, par son excès même, la « surinformation », devient désinformation et se combine avec la publicité commerciale et politique pour se faire déformation, propagande et manipulation. C'est une véritable entreprise d'intoxication. Ivan Illich analysait la création de besoins par la publicité comme une « réification » aliénante. « Avoir soif, écrit-il, c'est avoir besoin de Coca-Cola ! Cette sorte de réification est le résultat de la manipulation des besoins humains par de vastes organisations qui sont parvenues à dominer l'imagination des consommateurs en puissance [1]. »

Il y a des manipulateurs manifestes, les firmes transnationales et les lobbies économiques (Monsanto, Novartis, Bayer,

---

1. Ivan Illich, *Libérer l'avenir*, in *Œuvres complètes*, t. 1, *op. cit.*, p. 180.

Dow Chemicals et Cie), les États et leurs services spécialisés (la CIA, le KGB et leurs avatars…). Les exemples de manipulations flagrantes et réussies sont légion : on se souvient de l'annonce des faux massacres de Timisoara en Roumanie, propagée par le KGB, ou encore des armes de destruction massive qui ont servi de prétexte au clan Bush pour déclarer la guerre à l'Irak. Dans les deux cas, même si la supercherie est dégonflée, c'est trop tard, la désinformation a rempli son objectif. La manipulation publicitaire, elle, est encore plus difficile à démasquer et les effets de sa dénonciation sont encore plus limités. Avec certains médias, la manipulation consciente et systématique atteint un degré de cynisme difficilement surpassable, comme en témoignent les tristement célèbres déclarations de Patrick Le Lay : « Il y a beaucoup de façons de parler de la télévision. Mais dans une perspective "business", soyons réalistes : à la base, le métier de TF1, c'est d'aider Coca-Cola, par exemple, à vendre son produit. Or pour qu'un message publicitaire soit perçu, il faut que le cerveau du téléspectateur soit disponible. Nos émissions ont pour vocation de le rendre disponible : c'est-à-dire de le divertir, de le détendre pour le préparer entre deux messages. Ce que nous vendons à Coca-Cola, c'est du temps de cerveau humain disponible [1]. »

Toutefois, à la limite, les manipulateurs sont eux-mêmes manipulés et, comme dans le roman de John Le Carré *Une amitié absolue*, on ne sait plus qui manipule qui [2]. D'autant qu'il y a une manipulation plus insidieuse et invisible engendrée par l'« air du temps ». Produite par personne et tout le monde à la fois, elle a partie liée avec notre façon de vivre.

---

1. Déclaration de Patrick Le Lay, patron de TF1, dans le livre collectif *Les Dirigeants face au changement*, Éditions du huitième jour, Paris, 2004, cité par Patrick Viveret, *Reconsidérer la richesse, op. cit.*, p. 32.
2. John Le Carré, *Une amitié absolue*, Seuil, Paris, 2004.

La consommation du quotidien

«Pour s'infiltrer dans les espaces vernaculaires, note Majid Rahnema, le premier *Homo œconomicus* avait adopté deux méthodes qui ne sont pas sans rappeler, l'une l'action du rétrovirus VIH et l'autre les moyens employés par les trafiquants de drogue[1].» Il s'agit de la destruction des défenses immunitaires et de la création de nouveaux besoins. La première est bien réalisée par l'école, la seconde par la publicité. Toutefois, c'est surtout l'accoutumance qui crée la toxico-dépendance. En effet, la croissance, avec le consumérisme, a été à la fois un virus pervers et une drogue.

Un ancien ministre de l'Environnement, bon connaisseur du système, nous en apporte une illustration saisissante que l'on nous excusera de citer dans son intégralité : «Monsanto vise en réalité ce qui, dans le jargon interne, s'appelle la *biotech acceptance,* l'acceptation des OGM par la société. La firme a confié à Wirthlin Worldwide, spécialiste mondial de la communication d'entreprise, le soin de "trouver les mécanismes et les outils qui aident Monsanto à persuader les consommateurs par la raison et à les motiver par l'émotion". Cette entreprise – opportunément baptisée Projet Vista – est fondée sur "la détection des systèmes de valeur des consommateurs". Il s'agit d'établir à partir de ces données "une cartographie des modes de pensée, avec quatre niveaux [...] : les idées toutes faites, les faits, les sentiments et les valeurs. Aux États-Unis, les résultats de cette étude ont conduit à établir les messages qui percutent auprès du grand public américain, à savoir l'importance de l'argument en faveur des biotech : moins de pesticides dans vos assiettes"[2].» «D'ores et déjà, les messages se concentrent sur trois thèmes principaux : les OGM permettraient de supprimer les pesticides et fourni-

---

1. Majid Rahnema, *Quand la misère chasse la pauvreté, op. cit.,* p. 214.
2. Yves Cochet et Agnès Sinaï, *Sauver la Terre, op. cit.,* p. 205-206.

raient des aliments sains. Les OGM préserveraient la qualité des sols et la biodiversité. Les OGM seraient conçus pour s'adapter aux zones salines ou arides : ils répondraient au problème de la sécheresse dans le tiers-monde et s'adapteraient aux changements climatiques. En France, ces slogans sont diffusés sous la forme de brochures dans les écoles et dans les salles d'attente de médecins par l'association Deba [1]. » Pour la campagne publicitaire de Monsanto en 2001, cela donne, dans le jargon inimitable des professionnels, ce slogan primesautier : «Pour plus d'écologie gie gie, la biotechnologie gie gie [2]. » Malheureusement, force est de constater que ça marche. Non seulement auprès des enfants, mais aussi auprès du grand public et même des juges. Les sondages récents nous apprennent que la résistance aux OGM faiblit dans l'opinion et un tribunal a condamné la Confédération paysanne à payer une forte indemnité à Monsanto.

Ivan Illich va plus loin ; pour lui, l'école en elle-même est une drogue. «Certes, écrit-il, la tromperie dont les vendeurs d'écoles se rendent coupables est moins évidente que celle du représentant de Coca-Cola, ou de Ford, mais elle est plus dangereuse. Ils poussent à la consommation d'une drogue plus pernicieuse. Suivre les classes de l'école primaire représente un luxe qui est loin d'être inoffensif : je songerais plutôt à ces Indiens des Andes mâchant leur coca et qui se retrouvent asservis à leurs maîtres. Et plus un être a goûté à cette drogue de la scolarité, plus il souffre lorsqu'il doit y renoncer. En effet, celui qui abandonne après sa septième année ressent plus cruellement son infériorité que celui qui abandonne après trois ans. L'opium des écoles a plus de force que celui des Églises en d'autres temps [3]. »

Le problème, note Robin Norwood, c'est qu'«un toxicomane ne recherche pas qui l'aide à se libérer de la dépendance

1. *Ibid.*, p. 207.
2. *Ibid.*
3. Ivan Illich, *Libérer l'avenir*, in *Œuvres complètes*, t. 1, *op. cit.*, p. 182.

et à guérir, mais qui lui garantit de pouvoir tranquillement continuer à se droguer [1]». La stratégie totalitaire du productivisme se dévoile dans le fait qu'elle est parvenue «à coloniser l'avenir par anticipation, au point qu'une société qui, dès aujourd'hui, déciderait d'en sortir aurait à gérer encore pendant des siècles des sarcophages de centrales nucléaires, des fûts de déchets radioactifs et des flux de gènes, dans des paysages chimériques [2]», sans parler de la gestion des dégâts psychiques.

COMMENT EN SORTIR ?

C'est une question très difficile à résoudre parce qu'on ne peut pas décider de changer son imaginaire, et encore moins celui des autres, surtout s'ils sont «accro» à la drogue de la croissance. On a fait à Cornelius Castoriadis une demande comparable : «Vous avez dit précédemment qu'il faut vouloir travailler sur son âme, qu'il faut vouloir penser : serait-ce alors la volonté qui est au départ de cette quête de liberté?» Nous pouvons faire nôtre sa réponse : «Bien sûr, mais cette volonté est aussi motivée par la réflexion, et par le désir. Il faut désirer d'être libre, si on ne désire pas être libre on ne peut pas l'être. Mais il ne suffit pas de le désirer, il faut le faire, c'est-à-dire mettre en avant une volonté, et mettre en œuvre une praxis ; une praxis réflexive et délibérée qui permet de réaliser cette liberté en tant que possibilité incarnée pour autant qu'on le désire [3].»

On a identifié les changements nécessaires. Toutefois, ceux-ci ne peuvent intervenir qu'à la suite d'une décision volontariste du genre : «Aujourd'hui nous pensons comme cela, demain nous devrons penser autrement.» «On ne transforme

---

1. Robin Norwood, *Women Who Love Too Much*, Simon & Schuster, New York, 1985.
2. Yves Cochet et Agnès Sinaï, *Sauver la Terre*, *op. cit.*, p. 211.
3. Cornelius Castoriadis, *Une société à la dérive*, *op. cit.*, p. 275.

pas, remarque encore Castoriadis, par des lois et des décrets, encore moins par la terreur, la famille, le langage, la religion des gens [1]. » Cela se fait par l'autotransformation. Toutes les tentatives pour changer radicalement façons de penser et modes de vie, toujours plus ou moins imposées par la force, ont eu des résultats terrifiants, comme l'a montré l'expérience des Khmers rouges au Cambodge. C'est pourquoi, d'ailleurs, nos adversaires, quand ils veulent nous délégitimer, caricaturent nos positions et nous traitent de «Khmers verts».

Comme notre imaginaire a été colonisé, l'ennemi se cache au plus profond de nous-mêmes. Toutefois, du fait du caractère systémique des valeurs dominantes, personne n'est responsable, puisque le processus est anonyme. L'adversaire, ce sont donc «les autres», et nous nous sentons largement impuissants à nous transformer nous-mêmes.

Même dans une société traversée par la lutte des classes comme la nôtre, les valeurs dominantes sont plus ou moins partagées par tous. «La culture du pauvre n'est pas différente de celle du riche, ils doivent partager le même monde, ce monde qui a été édifié pour le plus grand bénéfice de ceux qui ont de l'argent [2]. » Ainsi que le souligne Bauman, il existe bien un «monde commun» dans la société mondialisée, c'est la pensée unique. Dans ce contexte l'opinion commune peut devenir folle et s'accommoder de la banalité du mal. La démocratie elle-même peut voir des majorités manipulées par les lobbies se lancer avec enthousiasme dans des croisades défiant toute prudence. Achille Rossi parle d'un «mythe», entendu comme ce à quoi nous croyons sans en être conscients et qui définit pour nous les limites de la réalité [3]. La colonisation de l'imaginaire par l'économique, c'est aussi le fait que nous considérions l'économie comme une fonction

---

1. *Ibid.*, p. 178.
2. Comme l'indique Jeremy Seabrook, repris par Zygmunt Bauman, in *Le Coût humain de la mondialisation*, Hachette Littératures, Paris, 1999, p. 146.
3. Achille Rossi, *Le Mythe du marché*, Climats, Paris, 2005, p. 31.

fondamentale qui assure l'humanité de l'homme. Pour l'élite planétaire, la foi dans l'idéologie libérale constitue même une véritable religion. Au-delà de l'élite, la somme des valeurs et des croyances partagées est considérable.

Sans une remise en cause radicale du système, la réévaluation, on le sent, risque d'être limitée. Restent, pour faire avancer les choses dans le bon sens, le travail de délégitimation des valeurs et de l'idéologie dominantes, la contre-information ou la contre-manipulation pratique – toutes deux obéissant au « devoir d'iconoclastie [1] », pour reprendre une belle formule de François Brune – et l'éducation à la décroissance ou la cure de désintoxication.

Le travail de délégitimation des valeurs dominantes et de la manipulation

Sortir de l'impérialisme de l'économie et construire une société de décroissance comporte un versant théorique, qui consiste à sortir de l'économie politique comme discours dominant. Bien que partant d'une position essentialiste qui n'est pas la nôtre, Arnaud Berthoud, dans un travail remarquable, esquisse précisément une alternative théorique sous le nom de « philosophie de la consommation ». Il s'agit en fait d'une analyse subversive qui, en se rattachant à l'*œconomique* d'Aristote, délégitime radicalement la science économique. Celle-ci n'est qu'une « chrématistique » (science de l'accumulation de la richesse pour elle-même). La consommation « vraie » consiste dans l'usage économe d'un ensemble de richesses constituant la propriété du sujet en vue du bonheur dans l'amitié avec soi-même. Arnaud Berthoud remet ainsi explicitement en question la dictature de la production, de la valeur d'échange et donc implicitement de la croissance et réhabilite le don primordial et le relationnel non marchand

---

1. François Brune, *De l'idéologie, aujourd'hui, op. cit.*, p. 49.

au cœur d'un art de l'usage des choses et des personnes qui pourrait constituer un guide théorique pour la constitution d'une société de décroissance. «Avant toute production et acquisition faite par l'homme, note-t-il, il y a un don fait par la nature [1].»

Ce don, qui est don de son lieu et de son temps de vie, l'homme doit apprendre à l'accueillir. Cet accueil, c'est l'accueil de l'autre, plante, animal ou homme, d'abord. Suit la réintroduction des rapports personnels dans l'art de consommer. «Consommer ou entretenir sa vie en usant de ses semblables et de tous les biens matériels, écrit Arnaud Berthoud, c'est d'abord les recevoir dans une culture et dans un monde. Le don précède en cela la prise. L'acquiescement est antérieur à la prise de possession. L'accueil est le premier moment de l'appropriation [2].» «Dans l'économie d'Aristote, poursuit-il, l'usage du semblable a une préséance sur l'usage des choses et le souci relatif à "l'excellence des personnes" tient compte des fonctions, des statuts et des histoires [3].» L'économie politique et la science économique ultérieure vont recevoir d'Adam Smith et de sa théorie de la consommation une notion de bonheur étriquée et chagrine qui exclut précisément l'usage heureux du semblable. «Tout ce qui fait la joie de vivre ensemble et tous les plaisirs du spectacle social où chacun se montre aux autres dans tous les lieux du monde – marchés, ateliers, écoles, administrations, rues ou places publiques, vie domestique, lieux de loisir... – sont retirés de la sphère économique et placés dans les sphères de la morale, de la psychologie ou de la politique. Le seul bonheur encore attendu de la consommation se trouve séparé du bonheur des autres et de la joie commune [4].» Il n'y a ni jouissance première

---

1. Arnaud Berthoud, *Une philosophie de la consommation. Agent économique et sujet moral*, Presses universitaires du Septentrion, Villeneuve-d'Ascq, 2005, p. 35.
2. *Ibid.*, p. 54.
3. *Ibid.*, p. 37.
4. *Ibid.*, p. 38.

du don, ni plaisir de l'usage d'autrui, ni même de sa propre dépense d'énergie dans l'accomplissement des tâches. C'est le naufrage de Robinson, cette figure mythique de la *sinistre science* des classiques anglais. «Son travail est vécu comme un mal qui lui permet de fuir un mal plus grand encore. Le bonheur n'est rien d'autre qu'une distance toujours plus loin du malheur – une accumulation sans fin de produits qui font toujours davantage obstacle au retour possible du naufrage primitif[1].»

Berthoud fonde ainsi un nouveau concept de la richesse. La première richesse dans la vie d'un homme, c'est le sein maternel, et la dernière, la main de l'infirmière sur son lit de mort. «Être riche, dit-il, est d'abord le fait d'un individu qui dispose de ce qui lui est propre pour vivre et jouir de sa vie», tandis que «le bien-être produit n'est qu'un pouvoir pour produire à nouveau[2]». Le bon usage de la vie suppose de (re)trouver le sens des limites et la «juste» valeur des choses. Les biens «relationnels» ont un rôle central dans cette économie du bonheur. «Lorsque le consommateur trouve au contraire son bonheur dans l'usage de ses semblables autant que dans l'usage des choses, sa jouissance se réfracte comme un faisceau de lumière de miroir en miroir et le bonheur se multiplie en se partageant[3].» La «vraie» consommation, c'est d'abord l'usage de tous par chacun. «Lorsque l'individu devient un bon économe, sa propriété remplit alors parfaitement son office, qui est de lui permettre de jouir de sa vie propre à l'abri de l'existence publique ou dans l'enclos privé de sa vie. [...] Nous sommes pauvres ou riches selon la quantité, la qualité et la variété des services dont nous disposons dans notre vie conjugale, familiale et sociale[4].» Cette qualité s'exprime par les possessifs : «ma» femme, «mon»

---

1. *Ibid.*, p. 39.
2. *Ibid.*, p. 39 et 41.
3. *Ibid.*, p. 91.
4. *Ibid.*, p. 43.

mari, «mes» enfants, «mon» ami, «mon» médecin, «mon» plombier, etc. «L'usage d'autrui pour la conservation de son être trouve dans la consommation son moment principal et exemplaire. La collaboration dans le processus de production et la relation mutuelle dans l'échange marchand présupposent l'une et l'autre ce premier moment de la consommation du semblable par le semblable[1].» À l'inverse, dans la *chréma-tistique,* c'est-à-dire notre économie marchande, «l'homme riche est alors celui qui l'est toujours davantage ou qui possède le pouvoir de l'être bientôt plus encore. Richesse est pouvoir[2]». Partant de là, Berthoud nous montre pourquoi les services immatériels marchands sont pervertis par la logique du système et, sans le rechercher explicitement, nous indique en quoi ils ne peuvent convenir à une société de décroissance. «Les services consommés sont en quelque sorte prélevés sur la personne d'autrui et abstraits de tout ce qui constitue son affectivité et son individualité. L'usage du semblable par le semblable comme relation d'instrumentation est scindé en deux opérations qui se font face symétriquement de chaque côté de l'échange : d'une part, la dépense d'un revenu comme achat, d'autre part, l'exercice d'une force de travail comme vente. Le service immatériel lui-même est considéré, à l'image du bien matériel, comme une chose naturelle, silencieuse, délimitée et anonyme qui s'interpose entre les agents et les isole l'un de l'autre. L'entretien de la vie n'est plus d'abord une jouissance réfléchie d'autrui, mais il est seulement une appropriation et une ingestion de choses[3].»

Le système marchand transforme la jouissance sensuelle d'un soin personnel en un acte froid et mécanique. Il rend la chair triste. «Le service du semblable, précise Arnaud Berthoud, diffère profondément du service immatériel que la science économique range aujourd'hui à côté des biens maté-

---

1. *Ibid.,* p. 44.
2. *Ibid.,* p. 112.
3. *Ibid.,* p. 35.

riels agricoles et industriels. Ce service immatériel n'est ni
une chose dont le caractère symbolique et culturel rendrait
le contour relativement indistinct, ni un objet dont l'usage
dans la consommation évoquerait la commune servitude de la
condition humaine. [...] Le service immatériel, ce n'est pas
une forme sous laquelle s'offre au désir du consommateur
quelque chose de son semblable, c'est plutôt ce qui dans l'état
présent du consommateur est déjà par anticipation transformé
par l'activité spécifique d'un producteur. Le service immatériel, c'est l'effet de l'activité productive désignée comme
activité "tertiaire" [1]. » Dans le service marchand, « le prix du
service libère la relation mutuelle de toute servitude commune [...]. Ce n'est plus ce qui lie immédiatement un homme
à un autre dans une symbolique et une culture marquée par la
dépendance commune du besoin ; c'est au contraire ce qui les
délie l'un de l'autre en les intégrant ensemble dans une société
marchande où chacun est quitte de tous les autres [2] ». On est
au cœur du désert glacé de l'imaginaire de l'économique classique formulé par Hobbes et que Berthoud rappelle : « Que
personne ne se lie plus immédiatement aux autres et que
chacun ne fasse de sa vie de consommateur qu'une affaire
éminemment privée ou solitaire qui le rattache uniquement
aux choses de la nature [3] ! » La notion de richesse est ainsi
rabattue sur le modèle exclusif du bien matériel. Tout cela
confirme les doutes que nous avions émis sur l'écocompati-
bilité du capitalisme et d'une société de décroissance.

Toutefois, pour que l'usage d'autrui ne tombe pas non plus
dans le servage abusif, il convient d'introduire le garde-fou
kantien. « La consommation ignorant "les personnes" et ne
connaissant que le semblable se trouverait en ce sens en dehors
de la morale et de la liberté. » Tel est l'apport de Kant. « Le
consommateur use de ses semblables comme de moyens selon

1. *Ibid.*, p. 50.
2. *Ibid.*, p. 51.
3. *Ibid.*, p. 46.

son désir – et c'est ici sa servitude – mais il doit faire de son désir une volonté en se traitant soi-même comme sujet moral ou comme "personne" – la servitude devenant alors un état librement assumé dans l'horizon de la morale et de la politique[1].»

Il peut sembler étrange, de prime abord, que le rejet du consumérisme prenne la forme d'une réhabilitation de la consommation. C'est que l'adhésion de Berthoud à une conception substantielle l'amène à raisonner sur des essences : l'essence de la consommation, du travail, de l'économie. Il distingue en conséquence une «bonne» et une «mauvaise» économie, une «bonne» et une «mauvaise» consommation, là où nous parlons de la nécessité de sortir de l'économie et où nous aurions tendance à dénoncer le piège des mots et à chercher d'autres concepts. «L'économie dominée par l'argent n'est pas la seule économie concevable et ne constitue pas l'économie humaine véritable. L'économie véritable, qu'une théorie pure non constructiviste peut proposer sous l'inspiration d'Aristote, c'est l'économie de la consommation[2].» «La [bonne] science économique est en premier lieu une science du vivre et du bien-vivre dont le consommateur est le support. […] On ne confondra donc pas l'économie de la consommation, qui est un art et une éthique de l'usage des richesses, et l'économie de la production et de la reproduction, qui répond à la question de savoir comment s'enrichir ou rester au moins aussi riche qu'avant[3].» «En résumé, la notion de consommation est perdue lorsque l'usage des richesses n'est qu'usure de l'objet et habileté instrumentale; elle est au contraire conservée et comprise lorsqu'elle est fondée sur l'acquiescement d'un sujet à l'objet[4].»

«La consommation dans la science économique moderne n'est en réalité qu'une opération de production de bien-être

---

1. *Ibid.*, p. 48.
2. *Ibid.*, p. 192.
3. *Ibid.*, p. 78.
4. *Ibid.*, p. 61.

conduite rationnellement et menée sans intelligence pratique
ou sans vertu – ou sans autre vertu que l'habileté technique
du producteur[1]. » L'exclusion du raisonnable explique ce que
Berthoud appelle la «pathologie de l'économie» (là où nous
dénonçons l'économie comme pathologie du social, du politique et de l'éthique) et l'égarement du consommateur. «La
raison pratique de l'agent économique prend ainsi la forme
d'une critique de la mauvaise économie en vue de la bonne
économie. [...] La seule alternative véritable à une économie
mathématique est une économie éthique[2]. » Quoi qu'il en
soit, la corruption du *bon* usage en consommation obsessionnelle, base ou support de la dégénérescence mercantile, s'explique par l'égarement du désir. «Le consommateur désire
être heureux et il choisit donc les richesses qui conviennent
au mieux à son désir. Mais ce désir lui-même est fragile. Il
s'égare et prend pour marque du bonheur ce qui ne lui procure en fait que du malheur. Cela vient de ce que le consommateur n'a pas une connaissance innée de son bonheur[3]. »
D'où la nécessité d'avoir du temps libre, comme de retrouver
le sens de l'habiter et du local, toutes choses essentielles à
la société de décroissance, pour bien consommer... L'auteur
revient à plusieurs reprises sur cet «égarement». «Le désir,
dit-il, peut s'ignorer comme volonté et se prendre seulement
comme pulsion, faim ou besoin illimité de vie dont la satisfaction, le bien-être ou ce qu'il [le consommateur] appelle
encore le bonheur, ne peut venir que d'une accumulation de
richesses produites avec art. Cet art de l'accumulation trouve
son expression dans la chrématistique et le désir d'argent. [...]
Les richesses prêtent à erreur et confusion. Le désir s'égare»
du fait de la confusion entre besoin et volonté[4]. Berthoud ne
le dit pas mais cet «égarement», nous le savons, est produit

---

1. *Ibid.*, p. 131.
2. *Ibid.*, p. 163.
3. *Ibid.*, p. 127.
4. *Ibid.*, p. 286.

et entretenu par le système à travers les sollicitations de la publicité et du marketing.

Dans ces conditions, «comment le consommateur peut-il revenir de son égarement et devenir un consommateur heureux ? Comment peut-il s'écarter du désir d'argent et trouver l'accès de son propre désir ? Comment peut-il être tout à la fois rationnel ou raisonnable en soutenant en même temps le refus des mauvais moyens et une critique de la fin illusoire [1] » ? C'est toute la question de la décolonisation de l'imaginaire qui est ainsi posée. Berthoud n'y répond pas vraiment parce qu'il s'interdit de sortir du domaine strict de la consommation. Il ne s'interroge pas sur les causes de cet égarement, ce qui nécessiterait de questionner les rapports de production. Il esquisse tout de même des voies qui rejoignent nos propres pistes, comme la redécouverte du bon sens, qu'il appelle «sens commun», ou le «travail sur soi». «Le sens commun est plutôt le sens en chacun de son humanité ou de son appartenance à titre de membre quelconque de la même communauté des êtres vivants. Or cette idée de communauté est une idée morale et à ce titre une tâche et une règle pour la volonté. Le sens commun relève ainsi de la volonté ou de la raison pratique [2].» «Il faut un travail sur soi du consommateur pour poser devant lui sa propriété et ses richesses en les accueillant dans leur altérité [3].» «Il faut partir du monde donné aux hommes. La limite est alors donnée avec le ciel, la terre et le temps. La limite est dans le don. Il faut en particulier insister sur le temps. L'homme a du temps. Il reçoit le temps de sa vie ou le temps des jours de sa vie. Au temps correspond le travail. Le travail est sans doute productif, mais il est d'abord la passion ou la souffrance du temps, une forme plus primitive et plus profonde du désir, le point dans le corps et l'âme où les jours astronomiques deviennent pour chacun

---

1. *Ibid.*, p. 127.
2. *Ibid.*, p. 292.
3. *Ibid.*, p. 72.

les jours de sa vie [1]. » Si le remède n'est pas développé, au-delà de ce que laisse entrevoir la catharsis du sujet aliéné et l'exigence éthique, le diagnostic du mal a rarement été poussé aussi loin. Les bases d'une philosophie de la décroissance sont posées.

La contre-information ou la contre-manipulation et le devoir d'iconoclastie

Dénoncer l'agression publicitaire, véhicule de l'idéologie aujourd'hui, est le point de départ de la contre-offensive [2] pour sortir de ce que Cornelius Castoriadis appelle «l'onanisme consommationniste et télévisuel [3]». «Tout ce qui se passe, remarque-t-il, ne se passe pas par contumace dans la société : les gens veulent ce mode de consommation, ce type de vie, ils veulent passer tant d'heures par jour devant la télé et jouer sur les ordinateurs familiaux. Il y a là autre chose qu'une simple "manipulation" par le système et les industries qui en profitent. Il y a un énorme mouvement – glissement – où tout se tient : les gens se dépolitisent, se privatisent, se tournent vers leur petite sphère "privée" – et le système leur en fournit les moyens. Et ce qu'ils y trouvent, dans cette sphère "privée", les détourne encore plus de la responsabilité et de la partici-pation politique [4]. »

Selon certains publicistes, «l'homme normal aimant être manipulé, la manipulation est légitime parce qu'elle "répond à un besoin"»! Comme le viol, sans doute, qui répond au désir d'être violé(e) [5]», persifle François Brune. Il s'est même

---

1. *Ibid.*, p. 192.
2. C'est ce que nous faisons à différents niveaux, plus ou moins abstraits et plus ou moins théoriques, tant à La Ligne d'horizon qu'à Casseurs de pub, à *L'Écologiste*, ou à *Silence*; et c'est la raison d'être du Rocad (Réseau des objec-teurs de croissance pour un après-développement).
3. Cornelius Castoriadis, *Une société à la* dérive, *op. cit.*, p. 194.
4. *Ibid.*, p. 189.
5. François Brune, *De l'idéologie, aujourd'hui, op. cit.*

trouvé un philosophe, Robert Redeker, pour faire l'éloge de la pub dans *Le Monde*[1]. «Il s'ensuit, écrit François Brune, que l'un des aspects majeurs de la lutte contre la société de consommation consistera, pour le militant, à briser ce système d'images partout où il le voit sévir, à en démystifier les séductions et, pour commencer, à en cesser l'absorption.»

Sans doute, trop de manipulation tue la manipulation. Selon l'adage fameux attribué en général au président Lincoln, on peut mentir tout le temps à quelques-uns, on peut mentir un moment à tout le monde, mais on ne peut pas mentir à tout le monde tout le temps. Il est réconfortant, en effet, de voir certaines manipulations échouer. De récents oracles de la propagande médiatique, par exemple, ont été des bides : les élections espagnoles et les élections indiennes en 2004, et dans une certaine mesure le référendum français sur le projet de Constitution européenne en 2005. En dépit des lobbies, le rôle cancérigène de l'amiante, la nocivité du Gaucho sur les abeilles ou l'existence d'une menace sur le climat ont fini par être reconnus. Sans doute, la contre-manipulation comprend dans son programme la contre-expertise et la contre-recherche, dont Illich nous dit qu'elle est nécessaire «si nous voulons avoir quelque chance de trouver des solutions de rechange face à l'automobile, l'hôpital, l'école, et à tout cet équipement que l'on prétend indispensable à la vie moderne[2]». Dans tous les exemples précités d'échec de la propagande, la contre-expertise et la contre-manipulation ont joué un rôle important en même temps que la force des réalités («les faits sont têtus»), sans qu'il soit possible de distinguer la part des deux facteurs. Toutefois, il ne faut pas se leurrer, le processus a ses limites. Manipuler, manipuler, il en reste toujours quelque chose. On gagne des batailles, mais on risque de perdre la guerre.

---

1. *Le Monde*, 11-12 avril 2004.
2. Ivan Illich, *Libérer l'avenir*, in *Œuvres complètes*, t. 1, *op. cit.*, p. 186.

L'éducation à la décroissance ou la cure de désintoxication

« Il nous sera impossible de vivre dans un autre système, selon François Brune, [...] sans abandonner les conduites réflexes créées par le système actuel, c'est-à-dire les schémas mentaux et attitudes compulsives de la "bête à consommer" que la publicité a ancrés au plus profond de notre être [1]. » Toutefois, avec Jean-Marie Harribey, « on peut faire l'hypothèse que la baisse du temps de travail peut contribuer à débarrasser notre imaginaire du fantasme de l'avoir pour mieux être et que l'extension des services collectifs, de la protection sociale et de la culture soustraits à l'appétit du capital est source d'une richesse incommensurable avec celle qui provient de la marchandisation du monde ». Il est donc urgent de diminuer les horaires de travail...

Certes, même si le changement doit être systémique, le choix d'une éthique personnelle différente, comme la simplicité volontaire, peut infléchir la tendance et n'est pas à négliger. Il doit même être encouragé dans la mesure où il contribue à saper les bases imaginaires du système. « Le révolutionnaire de la culture, dit Ivan Illich, mise sur le futur en croyant à la possibilité d'éduquer la personne humaine [2]. » Le problème n'est pas tant de convaincre les gens que le « toujours plus » n'entraîne pas un bien-être supérieur, mais que ce même bien-être peut souvent être atteint avec moins, car, comme le remarque Maurizio Pallante, dans notre tradition, « moins n'a jamais été synonyme de mieux [3] ». Sur ce point, le travail des intellectuels peut et doit avoir une place importante. D'où le rôle irremplaçable de l'exemple et de la dissidence. Alain Gras suggère de « profiter de notre "avance" par

---

1. François Brune, *De l'idéologie, aujourd'hui*, *op. cit.*, p. 1.
2. Ivan Illich, *Libérer l'avenir*, in *Œuvres complètes*, t. 1, *op. cit.*, p. 193.
3. Maurizio Pallante, *Un futuro senza luce?*, Editori Riuniti, Rome, 2004, p. 100.

rapport au reste de la planète pour donner l'exemple d'une prise de conscience du dérèglement de notre mode de vie [1] ».

Il n'y a donc pas de recette miracle, et c'est peut-être tant mieux, mais des lignes de réflexion et d'action.

La société de la décroissance [2] décolonise l'imaginaire mais la décolonisation qu'elle engendre est requise au préalable pour la construire. La rupture des chaînes de la drogue sera d'autant plus difficile qu'il est de l'intérêt des trafiquants (en l'espèce la nébuleuse des firmes transnationales) de nous maintenir dans l'esclavage. Toutefois, il y a toutes les chances pour que nous y soyons incités par le choc salutaire de la nécessité. Le progrès, la croissance, la consommation n'étant plus un choix de la conscience, mais une drogue à laquelle nous sommes tous accoutumés et à laquelle il est impossible de renoncer volontairement, une catastrophe « pratique » peut aider à dessiller les yeux des adeptes fascinés. Seul un échec historique de la civilisation fondée sur l'utilité et le progrès peut probablement faire redécouvrir que le bonheur de l'homme n'est pas de vivre beaucoup, mais de vivre bien.

---

1. Alain Gras, *Fragilité de la puissance*, *op. cit.*, p. 289.
2. Qui n'est autre que la société de frugalité de notre ami François Brune. Voir *Casseurs de pub*, n° 18, novembre 2003.

Chapitre 7

Restructurer, redistribuer.
Décroissance et capitalisme

«Aux nouveaux signes de négation, incompris et falsifiés par l'aménagement spectaculaire, qui se multiplient dans les pays les plus avancés économiquement, on peut déjà tirer cette conclusion qu'une nouvelle époque s'est ouverte : après la première tentative de subversion ouvrière, *c'est mainte-nant l'abondance capitaliste qui a échoué.* [...] Ce sont les signes avant-coureurs du deuxième assaut prolétarien contre la société de classes. Quand les enfants perdus de cette armée encore immobile reparaissent sur ce terrain, devenu autre et resté le même, ils suivent un nouveau "général Ludd" qui cette fois les lance dans la destruction des *machines de la consommation permise.*»

Guy Debord [1]

La décolonisation de l'imaginaire produit un changement des valeurs, des croyances, des mentalités, des habitudes de vie, qui se traduit par d'autres ensembles de représentation pour appréhender le monde et le vivre, autrement dit pour affronter la vie pratique à travers d'autres concepts. Il en

---

1. Guy Debord, *La Société du spectacle*, Gallimard, Paris, 1996, p. 115.

résulte un bouleversement complet des rapports sociaux de production, de répartition et de distribution. Bien évidemment, il s'agit ici de passer en revue uniquement les étapes *logiques* du processus de transformation, non les phases concrètes. Dans la pratique, ces étapes se bousculent et interagissent continuellement. Et c'est heureux. Cela permet de réaliser le changement de façon progressive en ménageant des transitions dont le schéma théorique ne rend pas compte.

Restructurer/reconvertir

Restructurer signifie adapter l'appareil de production et les rapports sociaux en fonction du changement des valeurs. Cette restructuration sera d'autant plus radicale que le caractère systémique des valeurs dominantes aura été ébranlé. C'est l'orientation vers une société de décroissance qui est ici en question.

Restructurer les rapports sociaux de production

Une question revient dans pratiquement chaque débat public sur la décroissance : celle-ci est-elle possible sans sortir du capitalisme ? Certains, comme René Passet, s'appuyant sur des déclarations hasardeuses de notre ami Edward Goldsmith et pratiquant hâtivement l'amalgame, nous reprochent de vouloir revenir à la société primitive et aux bons sauvages (donc bien en deçà du capitalisme). Toutefois, la plupart des critiques (en particulier dans la mouvance d'Attac) nous accusent de nous accommoder de l'exploitation capitaliste, au prétexte que nous dénonçons la mondialisation et la croissance sans les qualifier explicitement, ni à chaque fois, d'ultralibérales et de capitalistes. « Jean-Marie Harribey, note justement Paul Ariès, nous reproche fondamentalement quatre choses : décroître sans sortir du capitalisme, décroître sans limites, ne pas voir qu'une autre économie que le capitalisme est possible et renoncer à la perspective du plein emploi[1].» En réalité, le reproche vise le fait qu'en même temps que l'eau sale du capitalisme et du libéralisme nous jetions le bébé du développement, de la croissance et de l'économie. Autrement dit, que nous refusions de «sauver» le fantasme d'une *autre* économie, d'une *autre* croissance, d'un *autre* développement (au choix keynésiens, publics, socialistes, humains, soutenables…).

Si je n'insiste pas sur la critique spécifique du capitalisme, c'est qu'il me paraît inutile d'enfoncer une porte ouverte. Cette critique a, pour l'essentiel, été faite et bien faite par Marx. Toutefois, il ne suffit pas de remettre en cause le capitalisme, il faut aussi le faire pour toute société de croissance. Et là, Marx est pris en défaut. «Même si l'économie de croissance est fille de la dynamique de marché, écrit justement Takis Fotopoulos, il ne faut pas confondre les deux concepts : on peut avoir une économie de croissance qui n'est pas une économie de marché, et c'est notamment le cas du "socialisme réel"[2].» Ainsi, remettre en cause la société de croissance implique de remettre en cause le capitalisme, tandis que l'inverse ne va pas de soi. «Le capitalisme et le socialisme, remarque Jean-Paul Besset, participaient de la même valeur productiviste, et […] si le second avait triomphé plutôt que le premier, nous serions probablement parvenus à un résultat identique. Les deux systèmes ne partagent-ils pas la même vision opérationnelle de la nature, corvéable à merci pour répondre à la demande? L'un comme l'autre se proposent de satisfaire l'exigence de bien-être social par l'augmentation indéfinie de la puissance productive : logique de développement des forces productives pour le marxisme, libérées de la propriété privée et mises au service du prolétariat; dynamique

---

1. Paul Ariès, *Décroissance ou barbarie*, *op. cit.*, p. 87.
2. Takis Fotopoulos, *Vers une démocratie générale*, *op. cit.*, p. 39.

des mécanismes du marché pour le capitalisme, en éliminant les obstacles à son fonctionnement [1]. »

Capitalisme plus ou moins libéral et socialisme productiviste sont deux variantes d'un même projet de société de croissance fondée sur le développement des forces productives censé favoriser la marche de l'humanité vers le progrès. « Le pétrole socialiste, ironise Paul Ariès, n'est pas plus *écolo* que le pétrole capitaliste, le nucléaire socialiste ne serait pas davantage autogérable. La sortie du capitalisme est donc nécessaire mais insuffisante. Il faut casser la société productiviste et de consommation. Bref il faut détruire la société industrielle. Le bilan humain et écologique du "socialisme réellement existant" est au moins aussi terrible que celui du capitalisme même ultralibéral [2]. » La croissance et le développement étant respectivement croissance de l'accumulation du capital et développement du capitalisme, donc exploitation de la force de travail et destruction sans limite de la nature, la décroissance ne peut être qu'une décroissance de l'accumulation, du capitalisme, de l'exploitation et de la prédation. Il s'agit non seulement de ralentir l'accumulation mais de remettre en cause le concept pour inverser le processus destructeur [3].

Il est regrettable, tragique peut-être, que la relation de Sergueï Podolinsky (1850-1891), cet aristocrate et scientifique ukrainien exilé en France, avec Karl Marx ait tourné court. Ce génial précurseur de l'économie écologique tentait, en effet, de concilier la pensée socialiste et la deuxième loi de la thermodynamique, et de faire la synthèse entre Marx, Darwin et Carnot. Débordé et peu au fait des questions scientifiques,

---

1. Jean-Paul Besset, *Comment ne plus être progressiste... sans devenir réactionnaire*, *op. cit.*, p. 169.
2. Paul Ariès, *Décroissance ou barbarie*, *op. cit.*, p. 27.
3. Pour Florence Aubenas et Miguel Benasayag, cela passe par des projets plutôt que par des programmes. Le « seul projet possible passe par la création et le développement de zones et de tendances non capitalistes, où il ne s'agira plus de trouver des plans macroéconomiques de libération, mais de nous libérer de l'économie » (cité par Camille Madelain, *in* Christian Comeliau, *Brouillons pour l'avenir : contributions au débat sur les alternatives*, *op. cit.*, p. 240).

Marx a eu le tort, sans doute, de confier à son ami Engels l'évaluation du dossier. Imbu de la conception positiviste et mécaniste de la science, ce dernier n'a tout simplement pas compris les enjeux de la recherche et a conclu à son absence d'intérêt. La timide poursuite de cette tendance après la révolution d'Octobre avec Vladimir Ivanovich Vernadsky a eu un destin encore plus dramatique et l'écologie russe a été proprement liquidée par Staline dans les camps sibériens. Les tentatives ultérieures pour fonder un «écomarxisme» seront le plus souvent des exercices subtils de réhabilitation et d'exégèse, peu convaincants et sans grand impact [1].

Il n'est pas absurde de penser que la rencontre aurait pu être féconde. Après tout, à la même époque, Victor Hugo, avec *Les Misérables*, prenait conscience à la fois du tragique de la condition ouvrière et de la menace que le capitalisme faisait peser sur les écosystèmes [2]. Il est probable en tout cas que, si le dialogue s'était instauré, bien des impasses du socialisme auraient été évitées et, accessoirement, quelques polémiques sur le caractère de droite ou de gauche de la décroissance...

Faute d'intégrer les contraintes écologiques, la critique marxiste de la modernité est restée frappée d'une terrible ambiguïté. L'économie capitaliste est critiquée et dénoncée, mais la croissance des forces qu'elle déchaîne est qualifiée de «productive» (alors même qu'elles sont au moins tout autant destructives). Au final, cette croissance, vue sous l'angle production/emploi/consommation, est créditée de tous les bienfaits ou presque, même si, vue sous l'angle de l'accumulation du capital, elle est jugée responsable de tous les fléaux : la prolétarisation des travailleurs, leur exploitation, leur paupérisation, sans parler de l'impérialisme, des guerres, des crises (y compris bien sûr écologiques), etc. Le changement des rapports de production (en quoi consiste la révolution nécessaire

---

1. James O'Connor, *L'ecomarxismo. Introduzione ad una teoria*, Data News, Rome, 1989.
2. Voir Cornelius Castoriadis, *Une société à la dérive, op. cit.*, p. 244-245.

et souhaitée) se trouve de ce fait réduit à un bouleversement plus ou moins violent du statut des ayants droit dans la répartition des fruits de la croissance. Dès lors, on peut certes ergoter sur son contenu, mais pas remettre en cause son principe.

Bien évidemment, ce n'est pas sur la gauche non marxiste, qui depuis belle lurette s'est accommodée du système, qu'il faut compter pour soulever le lièvre…

Il existe, il est vrai, une critique de droite de la modernité, comme il existe un anti-utilitarisme de droite et un anticapitalisme de droite. On ne s'étonnera pas qu'il y ait un antitravaillisme et un antiproductivisme de droite qui se nourrissent des mêmes arguments que nous. Il faut même reconnaître qu'en dépit du beau livre du gendre de Marx, Paul Lafargue, *Le Droit à la paresse* – qui reste une des plus fortes attaques contre le travaillisme et le productivisme –, en dépit aussi d'une tradition anarchiste au sein du marxisme réactualisée par l'école de Francfort – le conseillisme et le situationnisme –, la critique radicale de la modernité a été plus poussée à droite qu'à gauche. Si elle a connu de beaux développements avec Hannah Arendt ou Cornelius Castoriadis, qui se sont frottés aux arguments des penseurs contre-révolutionnaires comme Burke, De Bonnald ou De Maistre, cette critique est restée politiquement marginale. Les maoïsme, trotskisme et autres gauchismes sont tout aussi productivistes que les communismes orthodoxes.

Il n'y a pas lieu, pour autant, de confondre l'antiproductivisme de droite et l'antiproductivisme de gauche. Pas plus que dans le cas de l'anticapitalisme ou dans celui de l'anti-utilitarisme. Notre conception de la société de la décroissance n'est ni un impossible retour en arrière, ni un accommodement avec le capitalisme, mais un «dépassement» (si possible en bon ordre) de la modernité. La décroissance est forcément contre le capitalisme. Non pas tant parce qu'elle en dénonce les contradictions et les limites écologiques et sociales, mais avant tout parce qu'elle en remet en cause l'«esprit».

La limitation drastique des atteintes à l'environnement et donc de la production de valeurs d'échange incorporées dans des supports matériels physiques n'implique pas nécessairement une limitation de la production de valeurs d'usage à travers des produits immatériels. Ceux-ci, au moins pour partie, pourraient conserver une forme marchande. Par souci de ne pas effaroucher les âmes sensibles, Mauro Bonaiuti envisage la réforme possible et en douceur du système à partir d'un développement des biens relationnels [1]. Patrick Viveret, en proposant de «reconsidérer la richesse» et de comptabiliser autrement, va dans le même sens. Toutefois, ce compromis ne peut être que provisoire. Car si, dans l'abstrait, il est sans doute possible de concevoir une économie écocompatible avec persistance d'un capitalisme de l'immatériel, cette perspective est irréaliste en ce qui concerne les bases imaginaires de la société de marché, à savoir la démesure et la domination sans limite. Le capitalisme généralisé ne peut pas ne pas détruire la planète comme il détruit la société et tout ce qui est collectif.

En revanche, la question de la portée de l'abolition du capitalisme (rôle de la monnaie, du marché, du salariat, du profit) et celle de la révolution restent ouvertes. Si le marché et le profit ne peuvent plus être les fondements du système, ils peuvent persister comme incitateurs. «Donc, en déduisent nos critiques, le capitalisme serait toujours là [2].» Entendons-nous bien. Ne tombons pas dans le piège réaliste/essentialiste/substantialiste! Que désigne-t-on par ce mot, «capitalisme»? Le capitalisme comme système, comme «mode de production» (dans le sens d'Althusser), est une création de l'esprit, utile pour appréhender une réalité complexe, mais dangereuse si l'on

---

1. Voir sa contribution dans l'ouvrage collectif *Objectif décroissance. Vers une société harmonieuse*, Parangon, Paris, 2003, et dans la revue *Silence*.
2. En l'occurrence, Michel Bernard, «Sortir des pièges de l'effet rebond», art. cité, mais aussi différents courants anarchistes (voir par exemple Jean-Pierre Tertrais, *Du développement à la décroissance. De la nécessité de sortir de l'impasse suicidaire du capitalisme*, Éditions du Monde libertaire, Paris, 2004, et le site www.lariposte.com).

fétichise le concept. Actuellement, l'ensemble des entreprises, des administrations et des ménages participent de la logique capitaliste, parce que celle-ci est celle des acteurs dominants de la société moderne et qu'elle a colonisé les esprits. Les ONG, le tiers secteur, l'économie sociale et solidaire n'y échappent pas non plus totalement. C'est pourquoi une société de décroissance ne peut pas se concevoir sans sortir du capitalisme. Toutefois, la formule commode «sortir du capitalisme» désigne un processus historique qui est tout sauf simple... L'élimination des capitalistes, l'interdiction de la propriété privée des biens de production, l'abolition du rapport salarial ou de la monnaie plongeraient la société dans le chaos et ne seraient possibles qu'au prix d'un terrorisme massif. Cela ne suffirait pas, bien au contraire, à abolir l'imaginaire capitaliste.

Pourquoi parler encore de monnaie et de «marchés» pour construire une société de l'après-développement[1]? Parce que ces «institutions», identifiées un peu hâtivement par certains au capitalisme, ne sont pas en elles-mêmes des obstacles. Un grand nombre de sociétés humaines connaissent des marchés (en particulier l'Afrique), des monnaies et, bien sûr, le profit commercial, financier, voire dans une certaine mesure industriel (qu'il vaudrait mieux qualifier d'«industrieux» s'agissant de l'artisanat). Elles connaissent aussi la rémunération du travail au forfait que nous appelons salariat. Toutefois, ces rapports «économiques» ne sont dominants ni dans la production, ni dans la circulation des «biens et services». Surtout, ils ne sont pas articulés entre eux au point de «faire système». Ces sociétés ne sont ni des sociétés de marché, ni des sociétés salariales, ni des sociétés industrielles, et encore moins des sociétés capitalistes, même si l'on peut y trouver du *capital* et des *capitalistes*. L'imaginaire de ces sociétés est si peu colonisé par l'économie qu'elles vivent leur économie sans le

---

1. Je m'en suis assez longuement expliqué dans la dernière partie de mon dernier livre *Justice sans limites. Le défi de l'éthique dans une économie mondialisée*, Fayard, Paris, 2003.

savoir. Sortir du développement, de l'économie et de la croissance n'implique donc pas de renoncer à toutes les institutions
sociales que l'économie a annexées, comme la monnaie et les
marchés, mais de les réenchâsser dans une autre logique. Sur
ce point, nous partageons l'analyse de Cornelius Castoriadis.
«Il y a dans le marxisme, écrit-il, l'idée absurde que le marché
comme tel, la marchandise comme telle, "personnifient"
l'aliénation; absurde, car les rapports entre les hommes, dans
une société étendue, ne peuvent pas être "personnels", comme
dans une famille. Ils sont toujours, et seront toujours, socialement médiatisés. Dans le cadre d'une économie tant soit peu
développée, cette médiation s'appelle le *marché* (l'échange).
Si l'on crée certains présupposés […], le marché peut devenir
une sorte de référendum permanent, ratifiant ou infirmant les
décisions prises en matière de production. C'est ce que le discours libéral prétend que le marché fait actuellement – et c'est
ce qui ne se passe pas dans la réalité[1].»

«Pour moi, dit-il encore, c'est tout à fait évident : il ne
peut pas y avoir une société complexe sans, par exemple, des
moyens impersonnels d'échange. La monnaie remplit cette
fonction, et elle est très importante à cet égard. Que l'on retire
à la monnaie l'une de ses fonctions dans les économies capitaliste et précapitaliste : celle d'instrument d'accumulation
individuelle de richesses et d'acquisition de moyens de production, c'est autre chose. Mais en tant qu'unité de valeur et
de moyen d'échange, la monnaie est une grande invention,
une grande création de l'humanité. […] Mais il faut faire
très attention quand on parle de "marché", n'est-ce pas. […]
La société socialiste sera la première société où il y aura un
véritable marché, parce que le marché capitaliste n'est pas
un marché. Un marché capitaliste n'est pas un marché, non
seulement si vous le comparez au marché des manuels d'économie politique, où il est transparent et où le capital est une

---

1. Cornelius Castoriadis, *Une société à la dérive*, *op. cit.*, p. 190.

sorte de fluide qui passe immédiatement d'un secteur de production à un autre parce qu'on peut y faire de plus grands profits – ce qui est absurde –, mais aussi parce que les prix n'y ont pour ainsi dire rien à voir avec les coûts. Dans une société autonome, vous aurez un authentique marché en ce sens qu'il y aura aussi bien suppression de toutes les positions de monopole et d'oligopole que correspondance entre les prix des biens et les coûts sociaux réels [1].»

Je ne suis pas sûr de le suivre jusque-là. Il me semble qu'il tombe, lui aussi, dans le piège de l'économie pure. Je pense qu'il importe de distinguer le marché et les marchés. Les seconds n'obéissent jamais à une pure loi de la concurrence idéale et c'est tant mieux. Ils incorporent toujours quelque chose de l'esprit du don qu'une société de décroissance se devrait de retrouver. En revanche, j'adhère totalement à sa conception de la révolution. «Révolution ne signifie ni guerre civile ni effusion de sang. La révolution est un changement de certaines institutions centrales de la société par l'activité de la société elle-même : l'autotransformation explicite de la société condensée dans un temps bref. [...] La révolution signifie l'entrée de l'essentiel de la communauté dans une phase d'activité *politique,* c'est-à-dire *instituante.* L'imaginaire social se met au travail et s'attaque explicitement à la transformation des institutions existantes [2].» Le projet de la société de décroissance, en ce sens, est éminemment révolutionnaire.

La transition entre le système capitaliste et la société de décroissance posera certainement d'énormes problèmes de reconversion de l'appareil productif. Toutefois, la décroissance est aussi un pari sur l'ingéniosité humaine pour trouver, le moment venu, des solutions. Par exemple, on peut songer à transformer les usines automobiles en fabriques d'appareils de cogénération énergétique. Pour construire un microgénérateur,

---

1. *Ibid.,* p. 198.
2. *Ibid.,* p. 177.

en effet, il suffit d'un moteur de voiture couplé avec un alterna-
teur et installé dans un coffrage métallique. Les compétences,
les technologies et même les installations nécessaires sont pratiquement identiques. Or la cogénération diffuse, qui permet de
faire passer le rendement énergétique d'environ 40 % à 94 %,
économise à la fois la consommation d'énergie fossile et l'émission de CO_2[1]! Il y a peut-être dans les archives scientifiques
de l'humanité un gisement quasi inépuisable de solutions ingénieuses pour les innombrables problèmes techniques que l'on
rencontrerait; il suffirait de savoir y puiser à bon escient.

REDISTRIBUER

La restructuration des rapports sociaux est déjà *ipso facto*
une redistribution. Redistribuer s'entend de la répartition des
richesses et de l'accès au patrimoine naturel entre le Nord et
le Sud comme à l'intérieur de chaque société. La redistribution concerne l'ensemble des éléments du système : la terre,
les droits de tirage sur la nature, l'emploi, les revenus, les
retraites etc. En ce qui concerne les rapports de redistribution
Nord/Sud, qui posent d'énormes problèmes, il s'agira moins,
nous le verrons, de donner plus que de prélever moins.

Redistribuer la terre

«Le désert croît, écrivait Nietzsche à la fin du XIXe siècle.
Malheur à celui qui protège le désert[2]!» Depuis cette époque,
comme on le sait, le désert au sens propre comme au sens figuré
a été trop bien *protégé* et a progressé à vive allure. Plusieurs millions d'hectares de forêt partent chaque année en fumée. L'érosion, la latérisation des sols, la sécheresse et les inondations, la

---

1. Voir Maurizio Pallante, *Un futuro senza luce?, op. cit.*
2. Cité par Martin Heidegger, *Qu'appelle-t-on penser?*, PUF, Paris, 1973,
p. 36.

pulvérisation des terres épuisées par l'usage conjoint des pesticides et des engrais chimiques, l'empoisonnement durable des
surfaces abandonnées par l'industrie, la bétonisation, l'asphalti-
sation et la cimentation, tout concourt à l'avancée du désert.

En observant ce qui s'est passé sur les côtes, et en particulier
sur le pourtour méditerranéen, on a un bel exemple du double
mouvement créatif et destructif de l'action humaine sans même
faire intervenir directement le cancer industriel. La destruction
de la beauté et de l'écosystème vont souvent de pair. Par ses
murettes de retenue, ses sentiers cheminant sur les courbes de
niveau, son habitat se fondant dans le paysage, l'homme avait
transformé la friche en un jardin. Le mariage de la vigne et de
l'olivier ainsi que les pins parasols, les figuiers de barbarie, les
fusains, les cèdres, les orangers et les citronniers embaumaient
ces terres, souvent arides et encadrées de rochers sauvages. Et
puis, un jour, un touriste est venu construire une villa de plai-
sance, suivi de beaucoup d'autres. Les vignes et l'olivier ont
cédé la place au béton. La spéculation immobilière s'en est vite
mêlée. De grands ensembles ont bordé les plages, des autoroutes ont éventré les collines et la musique techno des boîtes
de nuit a remplacé le chant des cigales.

Reconsidérer l'usage de la terre, socle de toute culture
humaine, sera la conséquence de la révolution mentale et
structurelle. Le problème de la répartition du sol se pose au
Sud avec les paysans sans terre, mais il se pose aussi au Nord,
surtout sur le plan qualitatif. Il s'agit de soustraire toujours
plus de terre à l'agriculture productiviste, à la spéculation
foncière, à l'emprise polluante de l'asphalte et du ciment,
à la désertification, et d'en offrir davantage à l'agriculture
paysanne, biologique, respectueuse des écosystèmes. Cela
contribuera en outre à résoudre le problème du chômage en

stoppant l'exode rural (en particulier au Sud), voire en inversant la tendance dans certains cas (en particulier au Nord)[1].

Redistribuer le travail

Nous aborderons dans le chapitre 9 la nécessité d'une réduction forte du temps de travail pour, entre autres, résoudre le problème de l'emploi. Il s'agit ici d'indiquer l'impact des changements de structures sur les orientations productives. Cette redistribution des activités participe de la reconversion et de la suppression du chômage. Il y a déjà aujourd'hui 350 000 emplois *verts* en Italie et 4 millions dans toute l'Europe. Imaginons le nombre d'emplois créés si nous passions d'une économie de prédation à un système écosoutenable. Dans son livre *Écoéconomie*, Lester Brown recense neuf secteurs productifs qui devraient être développés dans une économie «solaire», c'est-à-dire fondée sur des énergies renouvelables : la construction des éoliennes, celle des turbines correspondantes, la production de cellules photovoltaïques, l'industrie de la bicyclette, la production d'hydrogène, celle des moteurs correspondants, la construction de métros légers, l'agriculture biologique et la reforestation. Toute une série de nouveaux métiers en amont et en aval pourraient se développer, depuis les experts forestiers jusqu'aux écoarchitectes. Sans reprendre nécessairement à notre compte les analyses et le programme de ce pionnier de l'économie écologique, nous avons là, dans un champ particulier, un exemple des possibilités offertes au déploiement de l'ingéniosité. À la différence des antilibéraux de la gauche traditionnelle, qui proposent pour créer des emplois de construire des hôpitaux et des écoles, les écologistes préconisent des mesures reposant sur une taxation des machines, une détaxation du travail, des réformes foncières

---

1. Guy Kastler, *Ensemble sauvons notre planète. Propos recueillis par Marie-France Beaulieu*, Guy Trédaniel Éditeur, Paris, 2005.

(récréer des paysans) et des travaux favorisant les économies d'énergie et de consommation des ressources naturelles [1].

Redistribuer les revenus entre les générations : comment régler le problème des retraites ?

Aujourd'hui, la croissance est une nécessité *politique* pour résoudre ce problème dans une société de croissance, même si l'on sait, comme l'a bien montré Jean-Marie Harribey [2], que le nœud de la question des retraites réside dans la répartition et non dans la production. Il est plus facile, en effet, de redistribuer des miettes du gâteau si la taille de celui-ci augmente. Toutefois, ne convient-il pas de se demander d'abord si le gâteau lui-même n'est pas empoisonné ? Auquel cas il serait fortement conseillé de diminuer la dose [3].

Il ne s'agit donc pas de faire fonctionner le système tel qu'il est, ce qui nous condamnerait, au mieux, à faire du social-libéralisme à la mode de Blair, Schröder, hier Jospin ou d'Alema et aujourd'hui Lula. À terme, la solution proposée est le changement de société et des formes de la richesse.

Bien évidemment, ces quelques notations sur la redistribution sont loin d'épuiser ce problème central de l'économie politique traditionnelle, qui depuis toujours s'intéresse presque exclusivement au seul partage du produit entre les salaires, les profits et les rentes. Même si la question de la répartition ne se limite pas à cela, ce problème est central à juste titre. La remise en cause de l'esprit du capitalisme par la décroissance n'est pas sans conséquences sur le niveau des

---

1. Fabrice Flipo, *Pour l'altermondialisme. Une réponse à Isaac Joshua*, document Internet, 2004.

2. Jean-Marie Harribey «Répartition ou capitalisation, on ne finance jamais sa propre retraite», *Le Monde*, 3 novembre 1998.

3. C'est aussi ce que dit Jean-Pierre Dupuy : «Mais s'il est beau de vouloir partager équitablement un gâteau aussi gros que possible, il conviendrait peut-être de se demander d'abord s'il n'est pas empoisonné» (*Pour un catastrophisme éclairé, op. cit.*, p. 80).

revenus. Elle permet de réintroduire la question de la justice dans la rétribution du travail [1]. Le retour à la « démarchandisation » du travail est un impératif. L'actuel jeu du « moins-disant social » est aussi inacceptable que celui du moins-disant écologique. La concurrence ne devrait pas porter sur le prix du travail, et donc de la vie des hommes. Il n'est pas acceptable de réduire les coûts en mettant les travailleurs en concurrence pour les contraindre à accepter des salaires toujours inférieurs à un niveau de vie décent. S'il est reconnu, même par les libéraux, que certains marchés de biens et services doivent être encadrés, il est encore plus important d'organiser cette non-mise en concurrence des hommes. La réduction drastique des horaires de travail, déjà envisagée, constitue une première protection contre la flexibilité et la précarité. La théorie des économistes du chômage volontaire étant une imposture, il faut aussi défendre les seuils minimaux de salaires décents. Un pas supplémentaire consisterait à faire évoluer le revenu minimum d'insertion ou ses équivalents vers un véritable revenu de citoyenneté, en déconnectant le revenu de l'obligation de travail. Utopique dans le contexte actuel, cette mesure serait une véritable révolution culturelle en même temps que sa conséquence, tant aux niveaux régional, national, européen que mondial.

Symétriquement, avec ce RMA (revenu minimum d'activité), il faudrait un autre RMA (revenu maximum autorisé) [2]. Cette mesure vise à afficher symboliquement et concrètement, dans une démocratie restaurée, les limites de l'*hubris* (la démesure). Étrangère à notre imaginaire économique, elle n'est pas sans rapport avec l'ostracisme dans la démocratie athénienne. Un particulier qui touche en une nuit 1 milliard de dollars, soit environ 10 millions d'années de salaire d'un

---

1. Sur ce point, nous renvoyons le lecteur aux développements que nous avons consacrés à ce sujet dans *Justice sans limites*, *op. cit.*, en particulier le chapitre 6.

2. Comme le propose François Plassard dans son programme *Horizon 2007, quel vrai débat ?* (à paraître).

smicard, qui en une année gagne plus que le PIB de 42 pays
et autant que le géant McDonald's avec ses 170 000 salariés
(c'est le cas extrême du financier «philanthrope» George
Soros, qui a reconnu l'obscénité de la chose…), peut-il être le
concitoyen de ces mêmes smicards et salariés ? Peut-il y avoir
démocratie sans un minimum d'égalité des conditions, y compris économiques [1] ? Si le très riche ne se sent aucune dette
envers le très pauvre, il n'y a plus de société. C'était d'ailleurs
la conclusion paradoxale de Margaret Thatcher…

En fin de compte, redistribuer les cartes et redéfinir les
règles du jeu économique et social participe de la restructuration et du changement d'imaginaire. Il s'agit de rien moins que
de casser la logique infernale qui rend nécessaire de dégager
toujours plus d'argent à travers une production/destruction/
prédation accrue pour payer les dividendes, les intérêts, les
rentes et les profits exigés par le capital (qu'il apparaisse sous
la forme de fonds de pension, de banques, de compagnies d'as-
surances, d'actionnaires ou de spéculateurs). Il importe de prononcer le divorce entre le processus matériel de reproduction
de la société et cette raison géométrique qui se trouve au cœur
de l'addiction à la croissance. L'euthanasie du rentier, réclamée
naguère par un Keynes pourtant très loin de la révolution de
la décroissance, serait une mesure de salubrité publique. Plus
fondamentalement, il faut travailler à une «réappropriation»
de l'argent [2]. La limitation de la dimension des banques et
du poids des intermédiaires financiers, comme d'ailleurs le
démantèlement des firmes géantes, accompagneront la nécessaire démondialisation et participeront à la relocalisation.

---

1. Dans son «Décalogue éthico-politique à l'usage des modernes» (*Revue
du MAUSS*, n° 20, 2ᵉ semestre 2002, p. 167), Alain Caillé reprend cette idée
d'égalité minimum, mais en plaçant la barre très haut : «Tu refuseras de gagner
plus de cent fois le revenu individuel moyen de ta communauté.» Nos responsables économiques ont cependant encore des efforts à faire ! Il faudrait aux smicards 554 années de labeur pour atteindre le revenu moyen de 2001 des patrons
des sociétés cotées au CAC 40 (*Le Monde*, 29 novembre 2002).

2. Voir sur ce point le dernier chapitre de notre livre *Justice sans limites*, *op.
cit.*

Chapitre 8

Relocaliser.
Pour une renaissance du local

« Si nous, par exemple, à Varanasi, nous cessions de
croire que nous sommes au centre du monde et que vous êtes
périphériques, cela représenterait pour nous le suicide. »

Raimon Panikkar [1]

Des 8 « R » formant le cercle vertueux de la construction
d'une société de décroissance sereine (réévaluer, reconceptualiser, restructurer, redistribuer, relocaliser, réduire, réutiliser,
recycler), la réévaluation constitue logiquement la première
action et la base du processus. Toutefois, la relocalisation
représente à la fois le moyen stratégique le plus important
et l'un des principaux objectifs de ce dernier. Cela traduit en
quelque sorte l'application du vieux principe de l'écologie
politique : penser globalement, agir localement.

La « relocalisation » est un thème récurrent dans les discours politiques et dans les médias. Il s'agit incontestablement
d'une aspiration assez largement partagée. Il y a d'abord ceux

---

1. Raimon Panikkar, « Alternative à la culture moderne », *Interculture* (Montréal), n° 77, octobre-décembre 1982, p. 15.

qui veulent «vivre et travailler au pays», et puis plus simplement tous ceux qui préféreraient ne pas voir leur entreprise
délocalisée dans le Sud-Est asiatique ou leur emploi supprimé
pour cause de privatisation des services publics, avec la fer-
meture programmée des bureaux de poste, des dispensaires,
des dessertes ferroviaires secondaires, etc. Si, économiquement parlant, le «local» est ambigu du fait de son extension
géographique à géométrie variable – de la localité à la région
transnationale, du micro au macro, en passant par le méso –, il
renvoie de façon non équivoque au territoire, voire au terroir,
et plus encore aux patrimoines installés (matériels, culturels,
relationnels), donc aux limites, aux frontières et à l'enracine-
ment. Cerner l'enjeu local, c'est d'abord dénoncer l'imposture du local lorsqu'il est accolé au développement, afin de
penser sa renaissance dans un «après-développement». La
reconstruction sociale du territoire n'est plus alors seulement
économique mais aussi politique et culturelle. Elle participe
pleinement de l'objectif d'une société de décroissance.

L'ENJEU LOCAL

Le retrait relatif au Nord du national et de ses tutelles,
engendré par la mondialisation, *réactive* le «régional» et le
«local». On a même forgé un vocable, «glocal», pour désigner cette nouvelle articulation entre le global et le local. En
desserrant les freins du dynamisme à la base, ce processus
impulse parfois un regain culturel qui peut provoquer des
synergies économiques. Les loisirs, la santé, l'éducation,
l'environnement, le logement, les services à la personne se
gèrent nécessairement, en effet, au niveau microterritorial
du bassin de vie. Cette gestion du quotidien entraîne, de la
part d'une fraction de la population, exclue, contestataire ou
solidaire, des initiatives citoyennes riches et méritoires pour
tenter de retrouver une emprise sur le vécu. En Europe, mais

aussi aux États-Unis, au Canada, en Australie, on assiste à un phénomène nouveau, la naissance de ceux que l'on a désignés comme les néoagriculteurs, néoruraux et néoartisans.

On a vu fleurir ces dernières années une myriade d'associations à but non lucratif (ou du moins non exclusivement lucratif) : entreprises coopératives en autogestion, communautés agricoles, AMAP (associations pour le maintien d'une agriculture paysanne), LETs (Local Exchange Trade System) et SEL (systèmes d'échange locaux), banques du temps, temps choisi, régies de quartier, crèches parentales, boutiques de gestion, guildes d'artisans, agriculture paysanne, banques éthiques ou mutuelles de crédit-risque, mouvements de commerce équitable et solidaire, associations de consommateurs, entreprises d'insertion, bref, toute la nébuleuse de l'économie sociale et solidaire. Les «retombées» économiques éventuelles de ce mouvement sont problématiques. Outre les autoemplois, il crée surtout des emplois de services (administratifs ou services aux entreprises), de sous-traitance ou de services de proximité pour les résidents, que ne sont évidemment pas le résultat d'une dynamique intégrée. S'articulant au développement économique et au marché mondial (avec les subsides de l'État ou de Bruxelles…), ces entreprises sont condamnées tôt ou tard à disparaître ou à se fondre dans le système dominant. Elles perdent alors littéralement leur âme et finissent par être «instrumentalisées» par les pouvoirs publics, par les usagers, par leurs permanents et même par leurs «militants» bénévoles (qui y cherchent une expérience ou une formation valorisante). À défaut d'une décolonisation en profondeur de l'imaginaire, au lieu d'inventer un art de l'usage et de la bonne consommation de l'autre, elles retombent dans les ornières du monde de la marchandise, même lorsqu'elles sont en marge du marché.

Si le «local» émerge aujourd'hui, il est ainsi le plus souvent accolé au concept de «développement». Il s'agit là d'une imposture désignant au mieux un «localisme hétérodirigé», au pire le cache-sexe d'un processus de désertification et de dégradation des territoires, car l'on peut dire que nous sommes face à des territoires sans pouvoir à la merci de pouvoirs sans territoire. Surtout si l'économie locale est dépendante de l'implantation d'un établissement rattaché à une grande firme. «En facilitant une gestion *à distance*, écrit Jean-Pierre Garnier, à la fois décentralisée et unifiée, d'unités dispersées dans l'espace, les nouvelles technologies de la communication permettent aux grandes firmes de superposer un espace organisationnel *hors sol* dont la structure et le fonctionnement obéissent à des stratégies d'entreprise de plus en plus autonomes à l'égard des activités et des politiques autocentrées sur des territoires déterminés[1].»

La vérité du prétendu «glocalisme» est alors une mise en concurrence des territoires qui sont invités à offrir des conditions toujours plus favorables aux entreprises transnationales : avantages fiscaux, flexibilité du travail et de la réglementation (ou plutôt de la déréglementation) environnementale. C'est le jeu du moins-disant fiscal, social et environnemental et du mieux-disant économique (en termes de subventions), un véritable encouragement à la prostitution[2] ! Les initiatives, la créativité locales évoquées ci-dessus sont dévoyées, récupérées, marginalisées dans la logique de l'économie et du développement. Les patrimoines subsistants sont mis en coupe réglée, par exemple par un «tourisme prédateur[3]». Le comble est sans doute atteint avec les zones franches urbaines (ZFU) créées en France en 1996 et qui concernent 84 périphéries de grandes villes à problèmes. Il s'agit de nouveaux paradis fiscaux dans lesquels les entreprises de moins de 50 salariés sont totalement exonérées de charges sociales, d'impôts sur

---

1. Jean-Pierre Garnier, *Le Capitalisme high tech*, Amis de Spartacus, Paris, 1988, p. 55.
2. Les compagnies aériennes *low cost*, par exemple, en tirent le plus grand profit.
3. Cité par Luisa Bonesio, «Paysages et sens du lieu», *Éléments*, n° 100, mars 2001 : «Une réponse à la mondialisation : le localisme».

les bénéfices, de taxes professionnelles et de taxes sur les propriétés bâties.

Accolé à «développement», le «local» est tout juste, en effet, comme le social et le durable, ce qui permet au développement de survivre à sa propre mort. Le concept de «développement local» n'échappe pas plus que celui de «développement durable» à la colonisation de l'imaginaire par l'économique. Le développement a détruit et détruit le local en concentrant toujours plus les pouvoirs industriels et financiers. Ce qui s'est passé avec les banques est révélateur. Au XIXᵉ siècle, il y avait une foule de petites banques locales et régionales, fortement enracinées dans l'économie de proximité. L'expansion des banques nationales les a fait disparaître pour les remplacer par des agences qui drainent l'épargne locale et financent la grande industrie nationale. Aujourd'hui, ce sont les banques transnationales qui à leur tour font disparaître les banques nationales au profit des firmes multinationales. Si l'argent est le nerf de l'économie, la disparition des banques locales a signifié la fin de l'économie locale. Comme l'écrivent les théoriciens de *Time Dollars* d'Ithaca, l'économie assure sa croissance «en se nourrissant de la chair et des muscles qui maintiennent soudée la société[1]».

Le marché a, de ce fait, progressivement marginalisé des aires importantes tant au Sud qu'au Nord. Dans de telles zones déprimées qui survivent grâce aux subsides, subventions, assistances, presque tout l'argent gagné sur place ou provenant de l'extérieur est accaparé par les supermarchés et drainé hors de la région. On débouche ainsi sur le cas limite des réserves indiennes nord-américaines où «il ne faut que 48 heures à 75 % des dollars alloués par le gouvernement fédéral pour s'écouler vers les villes limitrophes[2]». En France, le développement

1. E. Cane et J. Rawe, *Time Dollars*, Rodale Press, Emmaus (Pennsylvanie), 1992.
2. Perry Walker et Edward Goldsmith, «Une monnaie pour chaque communauté», *Silence*, n° 246-247, août 1999, p. 19.

local comme slogan de technocrates est né dans les régions rurales (et à leur propos), en particulier les zones d'agriculture de montagne, victimes du productivisme. Le discours du développement local faisait écran au « grand déménagement » du territoire et sa mise en œuvre visait à faire passer en douceur cette destruction, à mettre du baume sur les blessures et à réutiliser au mieux les décombres... en attendant l'apothéose de la mondialisation hors sol. Dans les années 70, ne disait-on pas déjà que les routes construites à grands frais, sur les crédits départementaux de l'agriculture destinés au bien-être des paysans, sous le prétexte de désenclaver les zones rurales, servaient au dernier agriculteur à procéder à son déménagement vers la ville et au premier Parisien à installer sa maison de campagne dans la ferme ainsi libérée ?

Supprimer une école de village, une gare ferroviaire secondaire, une antenne médicale de campagne ou un bureau de poste dans un bourg rural au nom du développement, de la modernisation ou de la rationalité, quelles que soient les critiques que l'on puisse – et que l'on doit – adresser par ailleurs au système scolaire, au système de santé ou aux services publics, c'est contribuer à la mort du local et saboter les efforts de ceux qui résistent et luttent pour redonner sens aux lieux. C'est aussi, bien sûr, faire obstacle à la construction d'une société de décroissance et se rendre complice de la banalité du mal.

LA RELOCALISATION *ÉCONOMIQUE* DANS LA DÉCROISSANCE

Utiliser la créativité populaire et locale et les ressources diverses du territoire pour tenter de le « redévelopper », comme le font certaines associations plus ou moins bien intentionnées, signifie d'une certaine façon aller contre l'histoire et se condamner à une impasse. C'est bien plutôt dans le cadre d'un « après-développement », ou d'un « au-delà du développement», et dans la construction d'une société de décroissance que le local peut prendre tout son sens, celui d'une véritable et nécessaire renaissance.

La mise en œuvre des alternatives concrètes pour sortir de l'impasse du développement se produit d'abord localement. Il est nécessaire de revitaliser le terreau local, au Nord comme au Sud, d'abord parce que, même dans une planète virtuelle, jusqu'à preuve du contraire, on vit localement, mais surtout pour sortir du développement, de l'économie et lutter contre la mondialisation. L'enjeu consiste à éviter que le «glocal», cette instrumentalisation du local par le global, ne serve d'alibi à la poursuite de la désertification du tissu social et ne soit qu'un sparadrap collé sur une plaie béante, autrement dit un discours d'illusion et de diversion.

Relocaliser, c'est bien sûr produire localement pour l'essentiel les produits servant à la satisfaction des besoins de la population à partir d'entreprises locales financées par l'épargne collectée localement. Mais cela va bien au-delà. Face à la «topophagie» de la «cosmopole», c'est-à-dire à la boulimie d'un modèle urbain centralisé dévoreur d'espace, il importe de travailler à une «renaissance des lieux» et à une reterritorialisation[1]. Il faut réagir à cette «lobotomie de l'esprit local[2]» qui marque la coupure avec l'environnement de vie.

Le «principe de subsidiarité du travail et de la production» formulé par Yvonne et Michel Lefebvre, c'est-à-dire le principe de la priorité à l'échelon décentralisé, devrait être adopté par toute société consciente de l'insoutenabilité de l'économie mondialisée actuelle. Toute production pouvant se faire à l'échelle locale pour des besoins locaux devrait être réalisée

---

1. Bien qu'il soit tombé dans le piège conceptuel du développement local en tentant de le désamorcer par une surcharge de qualification (autosoutenable), Alberto Magnaghi, dans son livre *Le Projet local* (Mardaga, Sprimont, 2003), aborde avec pertinence et compétence de vraies questions.
2. Dénoncée par Franco La Cecla, *Le Malentendu*, Balland, Paris, 2002.

localement. Un tel principe repose sur le bon sens et non sur la rationalité économique. « Qu'importe de gagner quelques francs sur un objet, précisent les auteurs, quand il faut contribuer de plusieurs milliers de francs, par des charges diverses, à la survie d'une fraction de la population qui ne peut plus, justement, participer à la production de l'objet [1]. » Si les idées doivent ignorer les frontières, les mouvements de marchandises et de capitaux doivent être réduits à l'indispensable. Aujourd'hui, « les activités productives locales concernent avant tout le processus d'autoproduction : entretien urbain, services de base et de secours réciproque, potagers urbains et marchés locaux, entretien du milieu, activités culturelles et ludiques, activités d'autoconstruction, artisanat local. Ces activités de proximité favorisent les échanges non mercantiles, des relations de réciprocité et de confiance : en d'autres termes, elles permettent la création d'un espace public fondé sur la reconnaissance et la valorisation d'un patrimoine commun, et l'émergence de nouvelles relations évitant la clôture sur soi-même [2] ». Mais pour éviter leur disparition et favoriser leur renaissance, il faut impulser une réalisation plus complète. C'est l'essentiel de l'activité économique et de la vie tout court qui doit être reterritorialisé.

Comment y parvenir ? En internalisant les coûts externes du transport (infrastructure, pollution, dont effet de serre et dérèglement climatique), on relocaliserait probablement un grand nombre d'activités. Avec un coût du kilomètre multiplié par dix, pour sûr, les entreprises productrices redécouvriraient les vertus des produits et des marchés de proximité.

La relocalisation, dans l'optique d'une renaissance, comprend certainement la démarche « réenclaver/recloisonner ». Dans la mesure du possible, il est même souhaitable, comme

---

1. Yvonne Mignot-Lefebvre et Michel Lefebvre, *Les Patrimoines du futur. Les sociétés aux prises avec la mondialisation*, L'Harmattan, Paris, 1995, p. 235.
2. Alberto Magnaghi, *Le Projet local, op. cit.*, p. 92.

on l'a vu, d'en revenir à l'*autoproduction*. L'autoproduction énergétique est aussi un argument fort de la relocalisation. Les énergies renouvelables comme le solaire ou les éoliennes sont adaptées à des implantations et à des usages locaux. On évite les déperditions dues au transport et la soustraction du sol aux usages agricoles. Avec la fin du pétrole, produire et consommer son énergie au plus près va devenir une nécessité. Il n'est pas inutile d'en faire une vertu...

Il existe, bien sûr, toute une série d'autres moyens pour susciter la relocalisation qui sont à leur tour des instruments et des objectifs et qui, tous, se renforcent réciproquement. On peut songer à la réappropriation de la monnaie à travers l'usage de monnaies locales, de monnaies fondantes ou de monnaies non convertibles (comme les Tickets-Restaurant, les bons vacances, etc.)[1].

Finalement, on ne peut qu'adhérer aux conclusions d'Alberto Magnaghi : «La reterritorialisation commence lorsque le territoire se voit restituer sa dimension de sujet vivant hautement complexe. Elle suppose une phase complexe et longue (50 ou 100 ans ?) d'"assainissement", au cours de laquelle il ne s'agira plus de créer de nouvelles zones cultivables et de construire de nouvelles voies de communication, en les arrachant aux friches et aux marécages, mais bien d'assainir et de reconstruire des systèmes environnementaux et territoriaux dévastés et contaminés par la présence humaine et, par là même, de créer une nouvelle géographie. Ce processus, qui ne saurait être promu par des instances technocratiques, nécessite de nouvelles formes de démocratie, qui favorisent l'autogouvernement des communautés établies. La possibilité de réhabiliter et de ré-habiter les lieux ne se réalisera que lorsque les individus qui vivent dans ces lieux pourront à nouveau en prendre soin quotidiennement, secondés par une

---

1. Voir sur ce point le dernier chapitre de notre livre *Justice sans limites, op. cit.*

nouvelle sagesse environnementale, technique et gouverne-
mentale [1]. »

Relocaliser s'entend donc aussi sur le plan politique. La
renaissance politique et culturelle du local est à la fois un
objectif en soi pour « réenchanter » la vie et un moyen pour
la réalisation d'une relocalisation de l'économie, moins comprise comme aménagement économique du territoire que
comme réenchâssement de l'économie dans la société locale.
Dans la situation actuelle, selon Zygmunt Bauman, « exister
localement dans un univers mondialisé est un signe de dégradation et de dépossession sociales. Aux désagréments de
l'existence locale s'ajoute le fait que les espaces publics se
situent maintenant en dehors de la sphère locale : de sorte
que les localités perdent peu à peu leur capacité à produire et
à traiter de la signification, elles dépendent de plus en plus
d'opérations qui leur échappent complètement, et qui sont au
cœur de la production et de l'interprétation du sens [2] ». C'est
bien ce qui se passe, en effet, avec le « glocalisme ». Pour
Raimon Panikkar, à l'inverse, la croyance que mon lieu de
résidence est le centre du monde est essentielle pour donner
du sens à ma vie. Il importe donc de renverser la vapeur. Et,
partant, avant tout, de relocaliser le politique, par exemple
d'inventer ou de réinventer une démocratie de proximité.
La démocratie écologique se réalisera dans le « localisme ».
Chez Takis Fotopoulos, qui a développé cette idée, le localisme se présente presque exclusivement sous cette dimension politique, tout en étant la solution des contradictions
économiques. La démocratie généralisée que préconise cet

---

1. Alberto Magnaghi, *Le Projet local, op. cit.*, p. 38.
2. Zygmunt Bauman, *Le Coût humain de la mondialisation, op. cit.*, p. 9.

auteur suppose une «confédération de *dèmoi*», c'est-à-dire de petites unités homogènes de 30 000 habitants environ. Ce chiffre permet, selon lui, de satisfaire localement la plupart des besoins essentiels. Contrairement aux idées reçues, la taille ne serait pas un «déterminant exclusif ni même décisif de la viabilité économique[1]». «Il faudra probablement, précise-t-il, morceler en plusieurs *dèmoi* de nombreuses villes modernes étant donné leur gigantisme[2].» On obtiendrait en quelque sorte de petites républiques de quartier, en attendant ce réaménagement du territoire souhaité par Magnaghi. «La nouvelle organisation politique pourrait être, par exemple, une confédération de groupes autonomes (aux niveaux régional, continental et mondial) œuvrant à la mutation démocratique de leurs communautés respectives[3].»

Cette utopie démocratique locale rejoint les idées de la plupart des penseurs d'une démocratie écologique, comme l'anarchiste Murray Bookchin. «Il n'est pas totalement absurde, écrit ce dernier, de penser qu'une société écologique puisse être constituée d'une municipalité de petites municipalités, chacune desquelles serait formée par une "commune de communes" plus petites [...] en parfaite harmonie avec leur écosystème[4].» Cela rejoint la voie tracée par le mouvement des «villes lentes» (*Slow City*), à la suite de celui des *Slow Food*. Il s'agit d'un réseau mondial de villes moyennes qui limitent volontairement leur croissance démographique à 60 000 habitants. Au-delà, il deviendrait impossible de parler de «local» et de «lenteur». On retrouve là encore l'idée du «village urbain» de l'urbaniste L. Lyon, visant à reterritorialiser la ville dans son espace environnant en repensant de fond en comble les logiques d'occupation des sols[5]. Le même souci

1. Takis Fotopoulos, *Vers une démocratie générale*, *op. cit.*, p. 115.
2. *Ibid.*, p. 215.
3. *Ibid.*, p. 243.
4. Cité par Alberto Magnaghi, *Le Projet local*, *op. cit.*, p. 100.
5. Clément Homs, «Le localisme et la ville : l'exemple du village urbain» (article à paraître).

anime le réseau des communes nouvelles (Rete del Nuovo Municipio) en Italie, association qui propose des idées alternatives d'épanouissement local et de bonnes pratiques participatives, à la base, comme les budgets participatifs. Le réseau comprend des chercheurs, des mouvements sociaux et beaucoup de responsables locaux provenant de petites communes, mais aussi des entités plus importantes comme la province (département) de Milan et la région de Toscane. Lors de la dernière réunion du réseau, à Bari, en octobre 2005, on comptait 500 participants – témoignage d'une réalité qui est en train de rassembler tous ceux qui, au niveau local, veulent résoudre d'une manière honnête les problèmes engendrés par la démesure de la société de croissance. L'originalité du réseau consiste dans le choix d'une stratégie reposant sur le territoire, c'est-à-dire dans le fait de concevoir le local comme un champ d'interactions entre acteurs sociaux, environnement physique et patrimoines territoriaux. Comme le dit la charte, il s'agit d'«un projet politique qui valorise les ressources et les spécificités locales, en encourageant des processus d'autonomie consciente et responsable et en refusant le pilotage extérieur (hétérodirection) de la main invisible du marché planétaire [1]». Dans la perspective offerte, le local n'est pas un microcosme fermé, mais un nœud dans un réseau de relations transversales vertueuses et solidaires, en vue d'expérimenter des pratiques de renforcement démocratique capables de résister à la domination libérale. Autrement dit, il s'agit de laboratoires d'analyse critique et d'autogouvernement pour la défense des biens communs.

Plusieurs auteurs venus d'horizons divers se retrouvent ainsi autour de l'idée de «biorégions» ou de pays. Pour Paul Ariès, «cette relocalisation passera probablement par la montée en puissance de la notion de "pays" entendus comme

---

1. Voir Carta del Nuovo Municipio à l'adresse : www.nuovomunicipio.org.

des unités humaines, sociales et économiquement relativement proches, homogènes et solidaires». Il ajoute : «Nous ne devons pas seulement préserver la variété des semences paysannes mais aussi celle des diverses façons d'être au monde [1].»

Ainsi comprise, la politique ne serait plus une technique pour détenir le pouvoir et l'exercer, mais redeviendrait l'autogestion de la société par ses membres [2]. L'agir local constitue même une voie de solution pour des impasses globales.

Utopie, dira-t-on? Certes. Pourtant, l'utopie locale est peut-être plus réaliste qu'on ne le pense, plus réaliste que, par exemple, la perspective d'une démocratie mondiale. Comme il est exclu de renverser frontalement la domination du capital et des puissances économiques, il ne reste que la possibilité d'entrer en dissidence. La reconquête ou la réinvention des *commons* (communaux, biens communs, espace communautaire) et l'auto-organisation de «biorégions» constituent une illustration possible de cette démarche [3]. C'est au niveau du vécu concret des citoyens, en effet, que se manifestent les attentes et les possibles. «Se présenter aux élections locales, affirme Takis Fotopoulos, donne la possibilité de commencer à changer la société par en bas, ce qui est la seule stratégie démocratique – contrairement aux méthodes étatistes (qui se proposent de changer la société par en haut en s'emparant du pouvoir d'État) et aux approches dites de la "société civile" (qui ne visent pas du tout à changer le système). C'est parce que le *dèmos* est l'unité sociale et économique de base de la future société démocratique que nous devons partir du niveau local pour changer la société [4].» «Dès aujourd'hui, conclut Yves Cochet, nous devons nous impliquer dans la vie muni-

1. Paul Ariès, *Décroissance ou barbarie, op. cit.*, p. 111.
2. Takis Fotopoulos, *Vers une démocratie générale, op. cit.*, p. 15.
3. Gustavo Esteva, *Celebration of Zapatismo. Multiversity and Citizens International*, Penang, 2004 ; Gustavo Esteva et Madhu Suri Prakash, *Grassroots Postmodernism. Remaking the Soil of Cultures*, Zed Books, Londres, 1998.
4. Takis Fotopoulos, *Vers une démocratie générale, op. cit.*, p. 241.

cipale en participant aux élections, en assistant aux réunions du conseil, en devenant membre d'une association de citoyens ayant pour objectif un aspect ou un autre de la sobriété : plus de place pour la marche à pied et les pistes cyclables, moins pour les voitures; plus de commerces de proximité variés, moins de grandes surfaces; plus de petits immeubles, moins de tours; plus de services proches, moins de zonage urbain, etc. [1].»

Dans ces conditions, selon Fotopoulos, «le grand problème d'une politique d'émancipation, c'est de trouver comment unir tous les groupes sociaux qui forment la base potentielle du nouveau sujet de la libération, comment les rassembler autour d'une vision du monde commune, d'un paradigme commun désignant clairement les structures actuelles qui ne cessent de concentrer le pouvoir à tous les niveaux, et les systèmes de valeur qui leur correspondent, comme la cause ultime de la crise multidimensionnelle en cours». Il faut que «les diverses catégories qui constituent le nouveau sujet de la libération puissent devenir, ensemble, le catalyseur d'une nouvelle organisation sociale, qui réintégrera la société dans la politique, dans l'économie et dans la nature [2]». La prise de conscience des contradictions globales suscite ainsi un agir local qui introduit le processus de changement.

Voir dans la démocratie radicale et locale ou dans la démocratie participative la solution à tous les problèmes est sans doute excessif, et chercher un «nouveau sujet de l'histoire» apparaît fort discutable, mais la revitalisation de la démocratie locale constitue sûrement une dimension de la décroissance sereine.

---

1. Yves Cochet, *Pétrole apocalypse, op. cit.*, p. 200.
2. Takis Fotopoulos, *Vers une démocratie générale, op. cit.*, p. 244. La formule n'est peut-être pas très heureuse. Il s'agit bien de retrouver l'unité du social, mais alors il conviendrait plutôt de réenchâsser l'économie, le politique et la nature dans la société.

La stratégie de la renaissance locale ne consiste donc pas à construire et à préserver une oasis dans le désert du marché mondial, mais à multiplier les expériences de reterritorialisation et à étendre progressivement le réseau des «organismes» *sains* pour faire reculer le désert ou le féconder. Il s'agit de coordonner la protestation sociale avec la protestation écologique, avec la solidarité envers les exclus du Nord et du Sud, avec toutes les initiatives associatives qui vont dans le sens d'une revitalisation du local, pour articuler résistance et dissidence et pour déboucher, à terme, sur une société autonome participant à la décroissance conviviale [1]. Et c'est ainsi qu'à l'inverse de Pénélope on retisse de nuit le tissu social que la mondialisation et le développement détricotent le jour.

---

1. Et pour commencer, suivant la suggestion d'Yves Cochet, remplacer l'OMC par l'OML (Organisation mondiale pour la localisation), avec le slogan : «Protéger le local globalement». Yves Cochet, *Pétrole apocalypse, op. cit.*, p. 225.

Chapitre 9

Réduire, réutiliser, recycler…

« Et repaître sans cesse les appétits d'une âme ingrate, la combler de biens sans parvenir jamais à la rassasier, comme font à notre égard dans leur retour annuel les saisons qui nous apportent leurs productions et tant d'agréments, sans que nous ayons jamais assez de ces fruits de la vie, c'est bien là, je pense, ce qu'on raconte de ces jeunes filles condamnées dans la fleur de leur âge à verser de l'eau dans un vase sans fond, un vase que nul effort jamais ne saurait remplir. »

Lucrèce [1]

La nécessaire réduction de l'empreinte écologique implique de « redimensionner » notre mode de vie, ce qui ne passe pas seulement par une cure d'amaigrissement du fait de notre obésité reconnue, mais aussi par un changement de nos besoins. Il est clair qu'aujourd'hui, pour nos concitoyens, le téléphone portable, l'automobile, la machine à laver, la télévision, voire le lecteur DVD et l'ordinateur sont des besoins indiscutables, alors même qu'il est impossible d'en assurer la jouissance à tous et qu'un siècle en arrière ces prothèses techniques

---

1. Lucrèce, *De la nature*, Flammarion, Paris, 1964, chant III, 997-1036, p. 112.

semblaient tout à fait superflues dans la conception du bien-être du peuple, ne serait-ce que parce que la plupart de ces objets n'existaient pas. Nous avons déjà fait référence, en passant, à ces notions de « nécessaire » et de « superflu », en invoquant le sens commun, c'est-à-dire un raisonnable partagé. Évidemment, cet argument est très fragile car les « besoins » sont construits culturellement et historiquement. Le bon sens d'aujourd'hui n'est plus celui d'hier. Il serait contraire au bon sens d'aujourd'hui d'aller laver son linge au lavoir municipal de nos grand-mères plutôt que d'utiliser sa machine à laver ou de se rendre dans une laverie automatique. Il est donc nécessaire de construire le bon sens de demain en s'orientant dans la *bonne* direction. C'est une nouvelle culture qu'il nous faut inventer, dont l'un des piliers sera la sobriété.

« Si on veut schématiser, note Francesco Gesualdi, on peut résumer l'objectif de sobriété en cinq mots d'ordre qui commencent tous par R : Réduire, Réutiliser, Réparer, Recycler, Ralentir[1]. » Cette approche rejoint parfaitement la nôtre (dont probablement elle s'inspire) et peut être mise au service de la construction d'une société de décroissance.

RÉDUIRE

On peut penser de la réduction qu'elle est l'essence même de la décroissance, les deux mots étant presque synonymes. Pour répondre à l'exigence d'une empreinte écologique « correcte », une réduction drastique – d'un facteur 3 à 9 suivant que l'on se place en Europe ou aux États-Unis – s'impose. Pourtant, Paul Ariès nous met en garde ; la décroissance, ce n'est sûrement pas « faire la même chose mais en moins[2] ». La réduction recherchée est aussi accroissement de santé, de

---

1. Francesco Gesualdi, *Sobrietà*, *op. cit.*, p. 54.
2. Paul Ariès, *Décroissance ou barbarie*, *op. cit.*, p. 99.

bien-être, de joie de vivre. Pour ces raisons, celle de la production et de la consommation de produits toxiques s'impose.
Bien sûr, la toxicité va du risque sanitaire à la pollution mentale. La notion est, elle aussi, toujours relative et les décisions
de restreindre ne sont légitimes que si elles résultent d'un débat
ouvert, éclairé par le maximum d'informations techniques et
«scientifiques» possible. Il en est ainsi du nucléaire, des
drogues (cocaïne, hachisch, opium, tabac, alcool, etc.), voire
de la publicité et des armements. Cela ne veut pas dire qu'il
faille, au nom d'une morale particulière ou d'un rigorisme
dogmatique, interdire totalement la production et la consommation des produits en cause, mais que la question d'une
stricte limitation doit être posée. Réduire sa consommation «pour travailler moins et consacrer plus de temps aux
exigences spirituelles, aux relations humaines, familiales,
sociales, érotiques, culturelles, religieuses» – voire à regarder
les nuages, «les merveilleux nuages», comme l'«étranger»
de Baudelaire [1].

Faut-il réduire ou même supprimer la «pub»? La réduction
«systémique» s'impose particulièrement dans ce cas puisque
la publicité a un budget incroyablement vorace : 500 milliards
d'euros de dépenses en 2003 dont 103 aux États-Unis et 15
en France, un montant colossal dont le rôle néfaste a déjà été
souligné. Au final, ce sont les consommateurs qui paient la
publicité : 500 euros par an et par personne. Le système publicitaire «s'empare de la rue, envahit l'espace collectif – en le
défigurant –, s'approprie tout ce qui a vocation publique, les
routes, les villes, les moyens de transport, les gares, les stades,
les plages, les fêtes. Il inonde la nuit comme il accapare le
jour, il cannibalise Internet, il colonise les journaux, imposant
leur dépendance financière et amenant certains d'entre eux
à se réduire à de pitoyables supports. Avec la télévision, il

---

1. Charles Baudelaire, *Le Spleen de Paris. Petits poèmes en prose*, cité par
Maurizio Pallante, *La decrescita felice*, *op. cit.*, p. 88.

possède son arme de destruction massive, instaurant la dictature de l'audimat sur le principal vecteur culturel de l'époque.
Ce n'est pas assez. La publicité prend aussi d'assaut l'univers
privé, les boîtes aux lettres, les messageries électroniques,
les téléphones, les jeux vidéo, les radios de salle de bains.
Et voilà maintenant qu'elle se saisit du téléphone arabe. [...]
L'agression se déroule tous azimuts, la traque est permanente.
Pollution mentale, pollution visuelle, pollution sonore [1] ». Y
a-t-il une bonne publicité ?

Les publicitaires, ça se comprend, défendent bec et ongles
leurs métiers. Certains se disent même « de gauche », voire
écologistes ou contestataires. Il ne faut pas nier que la publicité sait souvent faire preuve de créativité, et parfois de vertus
esthétiques. Elle égayerait même nos villes, nos métros, nos
banlieues, nos chantiers, et nous épargnerait la sinistrose.
Tout cela, qui n'est pas rien, suffit-il à en contrebalancer
les dégâts ? « La publicité applique ainsi ses mensonges à
elle-même, note Jean-Paul Besset, en s'affichant entreprise
"citoyenne", et elle parvient presque à le faire croire [2]. » Tant
et si bien qu'« au lieu d'apparaître pour ce qu'elle est, c'est-
à-dire un scandale intolérable, cette activité industrielle de
violation de l'imaginaire humain passe pour une enjolivure
de l'existence, une sorte d'accompagnement visuel et sonore
inévitable et, somme toute, divertissant [3] ». Toutefois, la frontière avec l'information légitime et nécessaire est ténue.
L'idéal sera d'éviter, là comme ailleurs, une réglementation
trop tatillonne et trop pesante, dont l'effet est souvent contre-
productif, au profit d'une taxation judicieuse, lourde pour les
marques, plus légère pour les produits.

La surconsommation, d'autre part, fonctionne comme une
drogue, en raison non de la qualité des produits consommés

---

1. Jean-Paul Besset, *Comment ne plus être progressiste... sans devenir réactionnaire*, *op. cit.*, p. 251.
2. *Ibid.*, p. 252.
3. *Ibid.*, p. 250.

mais de leur quantité. Envahis par les objets, nous en possédons en moyenne 10 000 contre 236 pour les Indiens Navajo ! En France, 15 000 articles sont disponibles sur les rayons des grandes surfaces. C'est ainsi que Wal-Mart, avec ses 8 000 magasins, ses 259 milliards de dollars de chiffre d'affaires (plus que le PIB de la Suède) et son 1,3 million de salariés (avec aux États-Unis des salaires moyens inférieurs au seuil de pauvreté), est devenu la première entreprise mondiale. Les 3 000 messages publicitaires quotidiens sont faits pour nous pousser à acheter tout et n'importe quoi. La réduction de la boulimie individuelle ne peut qu'entraîner celle de l'obésité collective et donc de l'empreinte écologique.

La lutte contre le gaspillage concerne aussi nos déchets. Les consommateurs du Nord jettent des quantités invraisemblables de produits à tous les stades du cycle, des rebuts de la grande distribution au gâchis domestique. En Italie, 15 % de la viande et 10 % du pain et des pâtes finissent à la poubelle, ce qui repésente pour le pain 1 400 tonnes par jour et 5 millions de tonnes par an, pour les pâtes, 1,5 million de tonnes. Il en va de même pour les vêtements et les équipements ménagers. Une enquête récente menée en Grande-Bretagne sur la totalité de la chaîne alimentaire, du producteur au consommateur en passant par la distribution, a conclu que le tiers du total de la nourriture produite, distribuée et achetée au Royaume-Uni finissait directement à la poubelle [1]. Aux États-Unis, 23 millions d'ordinateurs sont annuellement mis au rebut. On estime qu'entre 2001 et 2007 un milliard d'ordinateurs seront jetés à la casse dans le monde.

Même si nous jugeons que notre consommation n'a rien d'excessif (par exemple pour la viande ou les transports), la réduction est aussi un impératif éthique, tant pour des raisons de justice sociale que de justice écologique. Manger moins d'aliments carnés – sachant qu'il faut environ 8 à 10 calories

---

1. *The Guardian*, 15 avril 2005.

végétales pour produire une calorie animale – et se déplacer moins correspond à la règle de Gandhi : vivre plus simplement pour que les autres puissent tout simplement vivre.

Réduire est un impératif évidemment lié à la réévaluation et à la relocalisation. Le changement d'attitude dans la façon d'affronter la maladie, la vieillesse et la mort aura un impact énorme sur notre consommation médicale et pharmaceutique. L'acharnement thérapeutique est un symptôme de l'excès actuel. Nos préjugés en ce qui concerne le pur et l'impur, le propre et le sale, le sain et le malsain, renforcés par le conditionnement du système, déterminent notre comportement face aux déchets et s'opposent souvent à la réutilisation, à la récupération et au recyclage. La relocalisation, de son côté, joue un rôle essentiel, par exemple dans les transports. Il importe aussi de réduire la puissance mécanique pour remplacer l'hétéronomie des esclaves énergétiques par l'autonomie de la liberté. La réduction s'insère ainsi dans le processus de «désarmement» culturel par lequel l'Occident pourrait se réconcilier avec l'humanité, voire avec le reste de la création.

Réduire les transports et la consommation d'énergie

La réduction des transports, celle de la consommation d'énergie et celle des émissions de gaz à effet de serre et de particules pathogènes sont intercorrélées : la première induit naturellement les deux autres. Les transports, tout particulièrement internationaux, sont une illustration de l'aberration de notre logique actuelle de fonctionnement. Il s'agit d'une des activités les plus polluantes et les plus consommatrices d'énergie, notamment de cette énergie non renouvelable qu'est le pétrole. Ils constituent donc le terrain exemplaire de ce que pourrait être une autre politique.

Le problème est particulièrement crucial pour l'énergie, base du transport bon marché et source des émissions de CO_2.

D'ores et déjà, un Américain moyen consomme chaque année 9 tonnes d'équivalent pétrole et un Français 4 tonnes, c'est-à-dire respectivement 430 et 200 fois plus qu'un Malien, qui n'en utilise que 21 kilos. Cette surconsommation est responsable d'un déstockage massif du carbone accumulé dans les archives de la planète et source d'un accroissement de l'effet de serre. Dès 1957, les études de Charles King signalaient le danger des émissions excessives de CO_2. Une tonne de carbone représente 3,66 tonnes de CO_2. Actuellement le monde émet environ 6 GT (gigatonnes) de carbone par an, soit 22 de CO_2. La quantité absorbable par la biosphère étant de 11 GT de CO_2 (ou 3 GT de carbone), nos droits d'émission par habitant ne devraient pas dépasser 1,8 tonne de CO_2 (ou 0,5 de carbone). À l'horizon 2050, si l'on admet les prévisions des démographes qui tablent sur une stabilisation de la population à 9 milliards d'habitants, il faudrait s'orienter vers un quota individuel de 1,2 tonne par an (ou 0,33 tonne de carbone)[1]. «La Terre, nous dit Paul Ariès, ne peut absorber que trois milliards de tonnes d'équivalent carbone alors que nous en émettions déjà six vers 1990. Si nous prenons au sérieux nos propres valeurs comme l'égalité, sachant que nous serons neuf milliards d'humains vers 2050, cela nous donne un quota d'équivalent carbone par personne de cinq cents kilos par an soit moins de 10 % des émissions américaines. Il faudrait donc diviser par douze la consommation d'un Américain, par six celle d'un Européen, etc. Ce souci égalitaire permettrait, en revanche, à un Hindou de consommer 120 % de ce qu'il consomme actuellement. Un Pakistanais pourrait multiplier par deux sa consommation. Un Népalais pourrait quant à lui consommer vingt fois plus[2].» Les climatologues ont fixé à 2 milliards de tonnes au lieu des 6 actuels la dose de carbone raisonnable à émettre, ce qui donne 500 kilos par personne

---

1. Denis Bayon, «Décroissance économique», art. cité.
2. Paul Ariès, *Décroissance ou barbarie, op. cit.*, p. 39.

et par an au lieu d'une tonne en moyenne par Terrien, 4 par
Européen et 8 par Américain. Ce quota correspond à un aller-
retour Paris-New York en avion, à un trajet de 5 000 kilomètres
en voiture, au tiers de la fabrication d'une petite automobile,
à 180 kilos de bœuf avec os, à 2000 litres de lait, etc.[1]. Tout
cela nous renvoie au premier R : passer du « chacun pour soi »
au « chacun pour tous ».

Cette réduction est tout à fait possible sans revenir nécessairement, comme le prétendent nos adversaires, à l'âge
des cavernes et à la bougie (la lampe à pétrole risquant de
s'éteindre rapidement faute de carburant). Notre capacité à
diviser par quatre notre consommation d'énergie-matière tout
en préservant notre qualité de vie[2] a été démontrée dans le
domaine des transports par plusieurs études scientifiques.
Cette diminution, que les experts attendent avant tout d'un
accroissement de l'écoefficience, c'est-à-dire d'une utilisation plus efficace du carburant, ne sera effective et durable
que si elle s'accompagne d'une réduction des déplacements.
« L'alternative radicale aux transports actuels, note avec
raison Jean-Pierre Dupuy, ce ne sont pas des transports moins
polluants, moins producteurs de gaz à effet de serre, moins
bruyants et plus rapides ; c'est une réduction drastique de leur
emprise sur notre vie quotidienne[3]. »

En épousant la raison géométrique, l'économie illustre
tragiquement l'absurdité de l'évangile du productivisme, qui
pourrait se résumer à : « Pourrissez-vous la vie les uns les
autres le plus possible et le plus vite possible jusqu'à extinction de l'espèce. » Toutes les douze secondes, un camion

---

1. « Si l'on estime que chaque habitant de la planète a le même "droit au
CO_2", en déduit Jean Aubin, il faut que nous, Français, nous divisions nos émissions par quatre ou cinq, et les Américains par dix » (*Croissance : l'impossible
nécessaire, op. cit.*, p. 42). Il ajoute : « C'est dire si ce pauvre protocole de Kyoto
est loin du compte. »
2. Proposition de l'association négaWatt, qui rassemble une vingtaine d'experts et de praticiens impliqués dans la maîtrise de la demande d'énergie et le
développement des énergies renouvelables. Voir www.negawatt.org/index.htm.
3. Jean-Pierre Dupuy, *Pour un catastrophisme éclairé, op. cit.*, p. 59.

passe de la France à l'Espagne en traversant les Pyrénées, et dans vingt ans, selon les prévisions, ce sera toutes les six secondes! Le cas des vallées alpestres, dont les habitants subissent les flux de camions transportant de l'Italie à la France des bouteilles de San Pellegrino tandis que des flux non moins importants convoient de la France à l'Italie des bouteilles de Badoit ou d'Evian, est caricatural. Faut-il rappeler que, lors de l'accident qui s'est produit sous le tunnel du mont Blanc, l'un des poids lourds en cause ramenait vers l'Europe du Nord des pommes de terre qui avaient été transformées en chips en Italie, tandis qu'on transportait du papier hygiénique dans les deux sens! Soit ces camions baladent la même chose et c'est fondamentalement absurde, soit ils trimbalent des produits différents pouvant être fabriqués localement à des coûts directs légèrement supérieurs, et ils sont nuisibles pour les régions délaissées, victimes de délocalisations sauvages.

La mondialisation a poussé au paroxysme cette logique du jeu de massacre. Voilà déjà quelques années, nos biens de consommation incorporaient, en moyenne, pas moins de 5 000 km de transport. « En moyenne, selon Bill McKibben, les bouchées d'un dîner ont voyagé 2 400 km avant d'être portées à nos lèvres [1]. » Étant donné que les yoghourts incorporent aujourd'hui 3 000 km, le chiffre doit être dépassé. On a même calculé qu'un pot de yoghourt à la fraise de 125 grammes vendu à Stuttgart en 1992 a parcouru 9 115 km si l'on cumule le parcours du lait, celui des fraises cultivées en Pologne, celui de l'aluminium pour l'étiquette, la distance à la distribution, etc. [2].

1. Bill McKibben, « Small world. Why on small town stays unplugged », Harper's, 2003, p. 47, cité par L'Écologiste, nº 17, janvier 2006, p. 40.

2. Selon la thèse de Stéphanie Böge publiée en 1993 par le Wuppertal Institut (voir Silence, nº 167, juillet 1993). On trouvera le détail du calcul dans Ingmar Granstedt, Peut-on sortir de la folle concurrence?, op. cit., également disponible gratuitement sur le site www.lalignedhorizon.org.

Les exemples cocasses de telles absurdités sont légion. Les Américains, riches en bois, importent des allumettes du Japon, lequel doit se procurer du bois en pillant les forêts indonésiennes mais importe ses baguettes des États-Unis. Les Britanniques importaient 61 400 tonnes de poulet en provenance des Pays-Bas en 1998 et la même année exportaient 33 100 tonnes de poulet… vers les Pays-Bas [1]. En 1996, le Royaume-Uni a importé 434 000 tonnes de pommes, dont presque la moitié de l'extérieur de l'Europe, tandis qu'on a laissé se perdre plus de 60 % des pommiers britanniques depuis 1960. Le calcul en termes de kilomètres-aliment, mesure qui encapsule les distances de la fourche à la fourchette, donne des résultats sidérants. L'agneau surgelé néo-zélandais fait 18 835 km par avion-cargo réfrigéré pour arriver en Grande-Bretagne. «La tête de laitue de la vallée de Salinas (Californie), note encore Yves Cochet, arrive sur les marchés de Washington après 5 000 km de route et, pour ce seul transport, consomme 36 fois plus d'énergie (pétrole) qu'elle ne contient de calories. Lorsque la laitue parvient finalement à Londres par avion, elle a consommé 127 fois l'énergie (pétrole) qu'elle contient», et le volume de ces «périssables» qui traversent les mers et les airs croît de 4 % par an! Le ketchup qui finit sur les tables suédoises parcourt une odyssée de 52 étapes de transformations et de transports [2]! Tout cela prêterait à sourire si nos poumons, notre santé, l'existence des générations futures et la survie de la planète n'en payaient pas la facture. Non seulement ces transports épuisent une précieuse ressource non renouvelable, mais ils émettent des gaz toxiques comme le monoxyde de carbone, des gaz à effet de serre comme le CO_2, qui provoquent le dérèglement climatique, et des métaux lourds cancérigènes comme le plomb et le cadmium.

---

1. Caroline Lucas, *Stopping the Great Food Swap. Relocalising Europe's Food Supply*, rapport publié par The Greens/European Free Alliance, Parlement européen, mars 2001, cité par Yves Cochet, *Pétrole apocalypse, op. cit.*, p. 66.
2. Voir Yves Cochet, *Pétrole apocalypse, op. cit.*, p. 69-70.

Une réduction des transports et une déconnexion du grand marché s'imposent donc, et le manger local devient impératif. Hélas, c'est exactement le contraire qui est programmé. On prévoit un accroissement considérable des trafics transfrontaliers dans les années qui viennent. Tous les plans de relance au niveau européen tablent sur le développement des infrastructures de transport. Les travaux de creusement de tunnels – Lötschberg (horizon 2007), Gothard (horizon 2015), Brenner (horizon 2017), Lyon-Turin (horizon 2020) – sont parmi les chantiers européens les plus titanesques du XXIᵉ siècle. En outre, les voies rapides et les couloirs express transeuropéens ravagent les paysages, détruisent les territoires, ruinent les économies locales et les équilibres humains. Ce n'est pas sans raison que toute la population du Val de Susa – maires de droite comme de gauche en tête – s'est mobilisée pendant l'hiver 2005-2006 contre le projet d'un nouveau tunnel pour le TGV Lyon-Turin avec comme slogan « No TAV no TIR » (Ni TGV ni poids lourds).

Un moyen assez simple, en théorie, d'inverser cette tendance désastreuse serait de faire payer le transport à son prix de revient *réel* en internalisant ses coûts externes. Cela ne serait que l'application du principe pollueur-payeur. Il s'agirait de répercuter sur les transporteurs l'addition des frais directs et indirects engendrés par leur activité, frais qu'ils font supporter aux contribuables et aux générations futures : infrastructures, pollution (dont effet de serre et dérèglement climatique), etc. « Même si les taxes actuelles sur le carburant multiplient par quatre ou cinq le prix d'extraction et de raffinage, même si l'on ne se prive pas de grogner contre le prix de l'essence à chaque hausse, on est encore très loin de payer le pétrole au prix correspondant à sa valeur irremplaçable pour demain et aux coûts induits par le gaspillage, en termes de pollutions et de nuisances de toutes sortes[1]. »

---

1. Jean Aubin, *Croissance : l'impossible nécessaire*, op. cit., p. 57.

À combien reviendrait le kilomètre de poids lourd en France si on lui imputait le prix des victimes de la canicule 2003, par exemple au tarif des Américains morts dans l'attentat de Lockerbie ? Avec un coût de transport multiplié par dix, ce qui semble raisonnable, il y a fort à parier que Danone et les autres producteurs de yoghourts redécouvriraient les vertus du lait, du carton et du parfum de proximité ! Ainsi serait à peu près complètement réalisé le programme d'une relocalisation des activités en vue de la construction d'une société soutenable.

La solution à terme consiste donc à relocaliser la vie. Mais en attendant, dira-t-on, comment régler le problème de transport des banlieusards pauvres, qui doivent prendre leur voiture pour se rendre à leur travail ? Il conviendrait d'aménager la transition vers la réorganisation et, avant de pénaliser lourdement les voitures privées, de créer des transports en commun satisfaisants ou de prévoir des dispositifs *ad hoc* (déduction fiscale sélective des charges de déplacement, par exemple).

Anticipant le contenu d'une politique de la décroissance, on peut faire nôtre le programme de maîtrise des déplacements des personnes et des biens de Jean-Paul Besset : «réorientation des transports de la route vers le rail et vers le cabotage, priorité aux sites propres pour les transports collectifs en ville, tissage des agglomérations autour de petits centres-villes offrant l'essentiel des services de proximité, limitation de l'extension du périurbain, diminution de la taille des centres commerciaux, programmes de réhabilitation énergétique de l'habitat[1]...» «Il faut briser pour cela, ajoute Jean-Pierre Dupuy, le cercle vicieux par lequel une industrie contribue à renforcer les conditions qui la rendent nécessaire ; par lequel les transports créent des distances et des obstacles à la communication qu'eux seuls peuvent franchir[2].» «Les

---

1. Jean-Paul Besset, *Comment ne plus être progressiste... sans devenir réactionnaire*, op. cit., p. 236-237.
2. Jean-Pierre Dupuy, *Pour un catastrophisme éclairé*, op. cit., p. 59.

gens, écrivait déjà Ivan Illich, [...] rompront leurs liens avec le transport sureffcace dès qu'ils sauront apprécier l'horizon de leurs îlots de circulation et redouteront d'avoir à s'éloigner de chez eux [1]. » Ainsi disparaîtrait le besoin obsessionnel d'aller toujours plus loin, toujours plus vite et toujours plus souvent.

Et pourtant, selon l'Agence internationale de l'énergie (AIE), la consommation d'énergie finale devrait augmenter de 60 % en 2030 par rapport à 2000. Les pays du Nord maintiendraient une croissance énergétique soutenue : + 42 % pour les États-Unis, + 39 % pour l'Union européenne. Celle du Sud exploserait : + 119 % pour la Chine, + 188 % pour l'Inde. On est en plein délire ! La réduction de la consommation d'énergie est non seulement indispensable, elle est aussi inéluctable, car le pétrole, qui est la source principale de carburant du moteur consumériste, va bientôt se raréfier. De plus, elle est souhaitable pour limiter les émissions de gaz à effet de serre et donc le dérèglement climatique, mais aussi d'autres pollutions comme les pollutions atmosphériques dues à la combustion du pétrole, du gaz et du charbon et nuisibles à nos poumons. Les dangers propres à l'uranium ne plaident pas non plus en faveur de son développement. « Seules deux solutions pourraient à terme être "réalistes", estime Ariès : l'exploitation des hydrates de méthane bloqués au fond des océans (US Geology Survey estime les stocks au double des réserves initiales de gaz, pétrole et charbon) et la création d'énergie inépuisable grâce aux nanotechnologies. Les risques seraient cependant dans les deux cas pires que les gains : accélération du réchauffement planétaire et menace technologique pour l'existence même de l'humanité [2]. »

La remise en question du volume considérable des déplacements d'hommes et de marchandises sur la planète, avec

---

1. Ivan Illich, *Énergie et Équité*, in *Œuvres complètes*, t. 1, *op. cit.*, p. 431.
2. Paul Ariès, *Décroissance ou barbarie*, *op. cit.*, p. 81.

l'impact négatif correspondant, doit être organisée. Ce qui implique une relocalisation des activités et de la vie, elle-même évidemment liée à un changement progressif de culture. En attendant, sachant qu'il est de toute façon impossible d'avoir le beurre et l'argent du beurre – c'est-à-dire un air respirable et une voiture qui pollue –, pour construire une société soutenable il faut décourager les transports nocifs à l'environnement (dérèglement climatique), nuisibles au lien social (délocalisation), destructeurs de la diversité culturelle (uniformisation planétaire) et contraires à la dignité des hommes (invasion touristique). Heureusement, la fin du pétrole bon marché devrait nous y inciter. «Le slogan qui résume la philosophie des transports actuels est : "Plus vite, plus loin, plus souvent, et moins cher". Dans moins de quinze ans, il sera nécessairement : "Moins vite, moins loin, moins souvent, et plus cher"[1].»

L'énergie la moins chère et la moins polluante étant celle que l'on évite de produire et de consommer, le scénario négaWatt, proposé par des associations écologiques, tente de mettre en œuvre cette réduction de façon progressive et indolore[2]. Le rapport *Facteur 4*, publié par Ernst Ulrich von Weizsäcker, Amory B. Lovins et L. Hunter Lovins, du Wuppertal Institut, propose de même une division par quatre pour l'énergie mais aussi pour les matières premières[3]. Il conviendrait d'agir immédiatement en empruntant la voie du «non-regret», celle qui, comme l'explique le philosophe Jean-Pierre Dupuy, nous évitera de nous mettre dans la situation où nous aurions à dire : «Nous aurions dû choisir un autre chemin.»

Le premier pas dans cette voie est de changer notre regard sur l'énergie : «plus sobres dans nos comportements, plus

1. Yves Cochet, *Pétrole apocalypse*, *op. cit.*, p. 59.
2. Jean-Paul Besset, *Comment ne plus être progressiste... sans devenir réactionnaire*, *op. cit.*, p. 234.
3. Ernst Ulrich von Weizsächer, Amory B. Lovins et L. Hurter Lovins, *Facteur 4*, Terre Vivante, Mens, 1997.

efficaces dans nos usages, plus renouvelables dans notre production [1] ». Tel est le mot d'ordre. Cette approche donne la priorité à la réduction à la source de nos besoins d'énergie, à qualité de vie inchangée : mieux consommer au lieu de produire plus. La sobriété dans ce cas n'est ni l'austérité ni même le rationnement : elle répond à l'impératif de fonder notre avenir sur des besoins énergétiques moins boulimiques, mieux maîtrisés, plus équitables. Le scénario s'appuie sur la responsabilisation de tous les acteurs, du décideur au consommateur-citoyen. Au niveau de la production, il faut accroître l'efficience. Seul un tiers du pétrole qui entre dans les centrales thermoélectriques devient de l'électricité. Deux tiers se perdent dans l'environnement sous forme de chaleur inutilisée. Mais la condition impérative de la réalisation du scénario est d'appliquer dès maintenant une forte réduction de la demande ; sans cela, les effets positifs d'une forte production d'énergies renouvelables (+ 266 TWh) seraient totalement effacés et au-delà par l'accroissement de la demande (+ 438 TWh) [2]. La réhabilitation des bâtiments peut permettre de diviser la consommation résidentielle par trois. « Le scénario négaWatt permet de stabiliser puis de réduire notre consommation primaire d'énergie en 2050 à 54 % de sa valeur actuelle. Il limite nos émissions de gaz à effet de serre dues à la production et à la consommation d'énergie à 2 tonnes d'équivalent CO_2 par personne, contre 6,7 actuellement, soit une réduction de 67 % [3]. »

Ce n'est donc ni le retour à la bougie ni celui au poêle à charbon. Simplement, avec une consommation ramenée au niveau de 1994, le service rendu serait le double d'aujourd'hui. Toutefois, jusqu'à maintenant, toutes les propositions faites pour tenter de s'orienter vers cette sobriété raisonnable en France ont été rejetées sous la pression des lobbies. Les

1. *Silence*, n° 309, avril 2004.
2. *Ibid.*, p. 7.
3. *Ibid.*, p. 9.

entreprises qui produisent, distribuent et vendent l'énergie n'ont aucun intérêt à un accroissement de l'efficience dans l'utilisation ni à une réduction du gaspillage, puisque cela signifierait une baisse de la demande et donc de leurs profits [1]. Changer les règles du jeu et réduire la consommation d'énergie implique un bouleversement des attitudes dont les dimensions individuelle et collective sont très largement liées. La sobriété des citoyens est à la fois un exemple et une incitation pour la collectivité. Mais le changement de logique du système est indispensable. Alors, le choix individuel entre en cohérence avec le choix collectif. La sobriété énergétique participe du choix d'accroître l'autonomie.

Réduire les déchets et les gaspillages : l'exemple de l'agriculture

S'il est une chose que la société de croissance a permis d'accroître, c'est bien le volume des déchets, plus sûrement que celui du bien-être. On a accru la production de détritus de façon exponentielle. En France, dans les années 70, on en produisait 10 millions de tonnes par an ; en 2000, 28 millions ! En 2004, les Français ont rempli leurs poubelles avec 550 kg d'ordures ménagères par habitant, dont 40 kg de publicités et 100 milliards d'emballages divers, contre 217 kg en 1975 [2]. La croissance des rejets est supérieure à celle de l'économie. Entre 2000 et 2003, la production de déchets en Italie a augmenté de 3,8 % alors que le PIB ne progressait que de 2,4 % [3]. Le tri du gaspillage, souvent présenté comme une panacée, est une solution très limitée, quand ce n'est pas une supercherie [4]. Tant qu'on ne s'orientera pas vers une décroissance de la pro-

---

1. Voir Maurizio Pallante, *La decrescita felice, op. cit.*, p. 62.
2. Source : Éco-Emballages.
3. Source : Rapport Eurispes 2005, cité par *La Repubblica*, 29 janvier 2005.
4. Voir Pierre-Emmanuel Neurohr (directeur du Centre national d'information indépendante sur les déchets), « Sortir du tout-jetable », *Libération*, 10-11 janvier 2004.

duction de déchets, on ne s'en sortira pas. Sans limitation, le problème est insoluble, et revoilà le tonneau des Danaïdes. « Quand votre salle de bains est inondée, vous contentez-vous d'éponger par terre ? demande Miklos Persanyi, ministre hongrois de l'Environnement. Personnellement, je commence par fermer le robinet [1]. » L'élimination et le recyclage ont un coût considérable et la pollution résiduelle reste insupportable. L'exportation en est scandaleuse. Il y a quelques années, le California Waste Management Board, bureau californien chargé de la gestion des déchets, a versé un million de dollars à une société de conseil de Los Angeles, Cerrel Associates, pour repérer la population de la planète qui, moyennant quelques dédommagements financiers, « s'opposerait le moins à l'utilisation indésirable de la terre », formule « politiquement correcte » pour désigner le dépôt des déchets toxiques [2]. Il s'agit d'une forme sauvage de marché de droits à polluer. La réduction de la consommation, au contraire, ne peut qu'avoir un impact positif, renforcé par le retour à une agriculture paysanne soucieuse de recyclage. La relocalisation, de son côté, réduira la production d'emballages. La réduction de l'obsolescence aura aussi un effet bénéfique.

On le voit, tout se tient, et le cercle vertueux de la décroissance fonctionne aussi à ce niveau. Comme le remarque Silvia Pérez-Vitoria, « c'est sans doute dans le secteur agricole que [la décroissance] peut se faire le plus facilement [3] ». L'agriculture productiviste est une source incroyable de gaspillage des ressources naturelles en même temps qu'un facteur de pollution. Intensive, elle est souvent cause de la perte de matières organiques par les sols et de la réduction de leur capacité de rétention de l'eau. Celles-ci sont compensées par

---

1. Cité par Jean-Paul Besset, *Comment ne plus être progressiste... sans devenir réactionnaire*, op. cit., p. 200.
2. Rapporté par Alain de Benoist, *Comunità e Decrescita. Critica della Ragion Mercantile*, Arianna Editrice, Casalecchio di Reno, 2006, p. 156, note 18.
3. Silvia Pérez-Vitoria, *Les paysans sont de retour*, op. cit., p. 230.

un recours plus fort à l'irrigation, aux engrais chimiques, dont une part importante est drainée vers les cours d'eau et les nappes phréatiques, ce qui va, à son tour, entraîner des phénomènes d'eutrophisation – dont la prolifération d'algues vertes – et aggraver la pénurie d'eau utile. Dans le même temps, les substances organiques contenues dans les produits de l'agriculture consommés en ville deviennent des déchets encombrants qui ne retournent plus dans les sols qui les ont produites, alors qu'ils en auraient bien besoin. « Il suffirait, note Andrea Masullo, de fermer cette boucle importante du cycle du carbone, grâce à une récolte sélective des déchets de haute qualité, de transformer ceux-ci en compost et de les rendre aux champs, pour obtenir de multiples bénéfices : réduction d'environ un quart de la quantité des déchets urbains à digérer, réduction drastique de la nécessité d'irriguer et d'ajouter des engrais nécessaires aux cultures, et, en conséquence, épargne de l'énergie dépensée pour ces opérations [1]. » On estime que, chaque année, 25 milliards de tonnes de terre sont perdus, que 100 000 km² de terres sont rendus impropres pour la culture du fait de la salinisation (au total 9 millions de km², soit 6,5 % des terres du globe, sont désormais salinisés) [2]. Toutefois, contrairement à l'ouvrier ou à l'employé, l'agriculteur a encore une certaine maîtrise du processus de production. Il peut décider de « désinvestir », en réduisant ses achats de matériel agricole par exemple. C'est la politique pratiquée au Brésil par le Mouvement des sans-terre dans certaines de ses coopératives ; elle peut conduire à employer davantage de main-d'œuvre ou à augmenter la part de travail manuel. « L'agriculteur peut aussi s'engager dans des productions moins consommatrices d'intrants en adoptant d'autres techniques. » En bref, « il peut décider de devenir "moins exploitant agricole" et "plus paysan". Pour les autres,

---

1. Andrea Masullo, *Dal mito della crescita al nuovo umanesimo*, op. cit., p. 23.
2. Silvia Pérez-Vitoria, *Les paysans sont de retour*, op. cit., p. 40 et 122.

la très grande majorité de la population qui travaille dans l'agriculture sur notre planète, il suffit de ne pas les empêcher de rester paysan ou de le devenir[1]». Il s'agit moins d'un retour en arrière que d'un retour à la raison. La correction des erreurs du productivisme entraîne, certes, un recul de la productivité apparente, mais au profit d'une organisation plus saine et plus durable.

Réduction de la durée du travail

Une réduction féroce du temps de travail imposé est une condition nécessaire pour assurer à tous un emploi satisfaisant. En 1981 déjà, Jacques Ellul, l'un des premiers penseurs de la société de décroissance, fixait un objectif de deux heures de travail maximum par jour. La réduction drastique du temps de travail. Les 35 heures ? Non, c'est «complètement désuet». Le but à atteindre : deux heures par jour. Ellul s'inspire ici de deux ouvrages, le fameux *Travailler deux heures par jour*, signé Adret, et *La Révolution du temps choisi*[2]. Certes, reconnaît-il, cela n'est en rien facile ni sans risques : «Je sais très bien ce que l'on peut objecter : l'ennui, le vide, le développement de l'individualisme, l'éclatement des communautés naturelles, l'affaiblissement, la régression économique ou enfin la récupération du temps libre par la société marchande et l'industrie des loisirs qui fera du temps une nouvelle marchandise[3].» Mais s'il imagine facilement «ceux qui vivront collés à leur écran TV, ceux qui passeront leur vie au bistrot», etc., il se dit convaincu qu'ainsi «nous serons obligés de poser des questions fondamentales : celles du sens de la vie et d'une nouvelle culture, celle d'une organisation qui ne soit

---

1. *Ibid.*, p. 230.
2. Adret (coll.), *Travailler deux heures par jour*, Seuil, Paris, 1977 ; Club Échanges et Projets, *La Révolution du temps choisi*, Albin Michel, Paris, 1980.
3. Jacques Ellul, *Changer de révolution. L'inéluctable prolétariat*, Seuil, Paris, 1982, cité par Jean-Luc Porquet, *Jacques Ellul. L'homme qui avait presque tout prévu*, Le Cherche Midi Éditeur, Paris, 2003, p. 251.

ni contraignante ni anarchique, l'ouverture d'un champ d'une nouvelle créativité... Je ne rêve pas. Cela est possible. [...] L'homme a besoin de s'intéresser à quelque chose et c'est de manque d'intérêt que nous crevons aujourd'hui». Avec du temps libre et des possibilités d'expression multiples, «je sais que cet homme "en général" trouvera sa forme d'expression et la concrétisation de ses désirs. Ce ne sera peut-être pas beau, ce ne sera peut-être pas élevé ni efficace; ce sera Lui. Ce que nous avons perdu[1]».

Ellul rejoint ainsi la vision d'utopies plus anciennes. «Les travailleurs volontaires qui existaient encore, écrivait Tarde, passaient trois heures à peine aux ateliers internationaux, grandioses phalanstères où la puissance de production du travail humain, décuplée, centuplée, outrepassait toutes les espérances de leurs fondateurs[2].» Cette utopie des premiers socialistes rappelle de vieilles aspirations ouvrières, comme celles des luddistes, ou plus simplement des «sublimes» parisiens, qui étaient des objecteurs de croissance avant l'heure. Ce qui était dénoncé par le patronat de l'époque comme immoral – ces prolétaires préférant la fête au travail et incapables de se soumettre à la discipline de l'atelier – n'était rien de moins que le point de vue populaire sur la vie[3]. Toutefois, chez les socialistes (et encore chez Ellul), cette réduction du travail est liée au progrès technique et au machinisme. Les réductions inévitables et souhaitables de la consommation d'énergie, sans effacer l'efficience mécanique, risquent de la diminuer fortement. Le plein emploi peut de ce fait être garanti plus aisément avec un niveau de production matérielle réduit.

Il faut saluer l'effort d'André Gorz pour construire des scénarios «réalistes» de décroissance de la production avec réduc-

1. *Ibid.*, p. 253 et p. 212-213.
2. Gabriel Tarde, *Fragment d'histoire future*, Slatkine, Genève, 1980, p. 15, cité par François Vatin, *Trois Essais sur la genèse de la pensée sociologique, op. cit.*, p. 222.
3. Denis Poulot, *Le Sublime ou le travailleur comme il est en 1870, et ce qu'il peut être*, La Découverte, Paris, 1980.

tion du temps de travail et plein emploi[1]. «La RDT, écrit-il, est à la fois souhaitable et nécessaire. Elle est souhaitable dans la mesure où elle permet à chaque personne une organisation moins contraignante de son temps, des occupations plus variées et donc une vie plus riche. Elle est nécessaire dans la mesure où les progrès de productivité permettent de produire plus avec moins de travail. Si tout le monde doit pouvoir trouver du travail, la quantité de travail fournie par chacun doit progressivement diminuer, sur ce point l'accord est à peu près général[2].» Il l'était peut-être en 1991, il ne l'est plus aujourd'hui. Quoi qu'il en soit, le souci de cet auteur est de trouver un scénario gagnant-gagnant, ou au moins une transition indolore, dans l'optique de la politique contemporaine. «Si on veut, poursuit-il, que la RDT réponde à l'intérêt et aux aspirations aussi bien des élites du travail que des chômeurs et des précaires, alors il vaut mieux, dans un premier temps, que l'économie continue de croître légèrement, comme elle n'a cessé de le faire, de manière à pouvoir tout à la fois résorber le chômage et augmenter les salaires tout en réduisant la durée du travail. Tout deviendra plus facile ensuite, dans la deuxième période de quatre ans : le passage aux 32 heures hebdomadaires, la résorption de la majeure partie du chômage résiduel, l'accélération d'une restructuration écologique permettant de vivre mieux en consommant, produisant et travaillant moins mais mieux[3]...» On peut effectivement songer à une transition plus ou moins longue, pendant laquelle les gains de productivité sont transformés en réduction du temps de travail et en création d'emplois, sans porter atteinte au niveau des salaires ni à celui de la production, sinon pour en transformer déjà le contenu.

À l'inverse, certains objecteurs de croissance, se référant à «nos ancêtres qui pour survivre travaillaient ardemment et

---

1. André Gorz, *Capitalisme, socialisme, écologie. Désorientations, orientations*, Galilée, Paris, 1991, en particulier p. 188-197.
2. *Ibid.*
3. *Ibid.*, p. 197.

surtout péniblement», pensent que la décroissance créerait du suremploi [1]. L'abandon du productivisme et de l'exploitation des travailleurs du Sud nécessiterait plus de travail pour satisfaire un *même* niveau de consommation. Toutefois, la référence pose problème. Tout dépend de quels ancêtres il s'agit. Ceux de l'âge de pierre, tels que les décrit Marshall Sahlins dans son livre *Âge de pierre, âge d'abondance* [2], n'effectuent que 3 ou 4 heures de «travail» par jour pour assurer la vie du groupe (comme le font encore les derniers chasseurs-cueilleurs du désert du Kalahari, dont il est question dans le film *Les dieux sont tombés sur la tête* [3]).

Nous sommes donc en présence de quatre facteurs qui jouent dans des sens divers : 1) la baisse de productivité incontestable due à l'abandon du modèle thermo-industriel, 2) la relocalisation des activités et l'arrêt de l'exploitation du Sud, 3) la création d'emplois pour tous ceux qui le désirent, 4) un changement de mode de vie et la suppression des *besoins* inutiles. Les deux premiers favorisent un accroissement de la quantité de travail, les deux derniers le défavorisent. Mon sentiment est que la satisfaction des besoins qu'implique un mode de vie convivial pour tous peut être obtenue en s'orientant vers une diminution sensible des horaires du travail obligatoire tant sont importantes les «réserves», si l'on songe que les gains de productivité, des siècles durant, ont été systématiquement transformés en croissance du produit plutôt qu'en décroissance de l'effort. N'oublions pas non plus que l'on surestime systématiquement les gains de productivité des innovations techniques en omettant d'en déduire les coûts induits moins visibles. Symétriquement, on sous-estime le potentiel de gains de productivité des outils conviviaux [4].

---

1. Vincent et Denis Cheynet, «La décroissance pour l'emploi», *La Décroissance*, n° 3, juillet 2004.
2. Marshall Sahlins, *Âge de pierre, âge d'abondance*, *op. cit.*
3. Film de Jamie Uys, 1981.
4. Ainsi, «en ajustant convenablement un roulement à billes entre deux meules néolithiques, un Indien peut moudre à présent autant de grain en une

Mais on peut en débattre et on pourrait faire des modèles de simulation divers.

Toutefois, la question fondamentale n'est pas le nombre exact d'heures nécessaires mais la place du travail comme « valeur » dans la société. La sortie du système productiviste et travailliste actuel suppose une tout autre organisation dans laquelle le loisir et le jeu seraient valorisés à côté du travail, les relations sociales primeraient la production et la consommation de produits jetables inutiles voire nuisibles. « Fondamentalement, écrit François Brune, c'est à une reconquête du temps personnel que nous sommes confrontés. Un temps qualitatif. Un temps qui cultive la lenteur et la contemplation, en étant libéré de la pensée du produit. » Pour le dire dans les termes d'Hannah Arendt, non seulement les deux composants refoulés de la *vita activa*, l'œuvre de l'artisan et de l'artiste et l'action proprement politique, retrouveraient droit de cité à côté du labeur, mais la *vita contemplativa* elle-même serait réhabilitée. Cette reconquête du temps « libre » est une condition nécessaire de la décolonisation de l'imaginaire.

Cependant, la réduction du temps de travail est avant toute chose un choix de société. Elle est la conséquence de la révolution culturelle appelée par la décroissance. Il s'agit de manière évidente d'une diminution positive : accroître le temps non contraint pour permettre l'épanouissement des citoyens dans la vie politique, privée, artistique, mais aussi dans le jeu ou la contemplation, est la condition d'une nouvelle richesse. En 1962, le sociologue Joffre Dumazedier publiait une étude pionnière, *Vers une civilisation de loisir ?* [1], dans laquelle il examinait en détail les trois fonctions du loisir : le délassement, le divertissement et le développement (personnel). Seulement, toute la construction reposait sur l'hypothèse d'un « sujet autonome ». Or, à la même époque, Henri

---

journée que ses ancêtres en une semaine » (Ivan Illich, *Énergie et Équité*, in *Œuvres complètes*, t. 1, *op. cit.*, p. 419).

1. Joffre Dumazedier, *Vers une civilisation du loisir ?*, Seuil, Paris, 1972.

Lefebvre montrait bien que, si « ce n'est plus par, dans et avec le travail que l'on se construit » dans la « société bureaucratique de consommation dirigée », « le sens de la vie, c'est la vie dépourvue de sens [1] ».

Comme le montre Daniel Mothé, dans les conditions actuelles, le temps libéré du travail n'est pas pour autant libéré de l'économie. La plus grande partie du temps libre ne mène pas à une réappropriation de l'existence et ne permet pas d'échapper au modèle marchand dominant. Il est souvent employé pour des activités elles aussi marchandes. Au lieu de prendre le chemin de l'autoproduction, le consommateur est aiguillé sur une voie parallèle. Il se produit une professionnalisation et une industrialisation toujours plus poussées du temps libre [2].

On retrouve la préoccupation d'Ellul. Sans un « réenchantement » de la vie, la décroissance serait là aussi vouée à l'échec.

RÉUTILISER, RECYCLER ET AUTRES « R » : RÉHABILITER, RÉINVENTER, RALENTIR, RESTITUER, RENDRE, RACHETER, REMBOURSER, RENONCER...

Le respect de la biosphère et des autres peut et doit nous inciter à modifier notre attitude à l'égard des choses. À l'inverse de la société de consommation, qui nous a habitués à *bazarder* des produits encore parfaitement utilisables sous prétexte qu'ils sont « dépassés », il faut consommer avec respect, en traitant bien les objets pour les faire durer plus longtemps – renoncer par exemple à la course au dernier cri technologique qui contribue à la mise en obsolescence accé-

---

1. Henri Lefebvre, *La Vie quotidienne dans le monde moderne*, Gallimard, Paris, 1968, cité par Thierry Paquot, *Éloge du luxe*, *op. cit.*, p. 29.
2. Daniel Mothé, *L'Utopie du temps libre*, Esprit, Paris, 1977, d'après l'édition italienne *L'utopia del tempo libro*, Bollati Bolinghieri, Turin, 1998.

lérée des appareils. Ainsi, l'équipementier Nike a conçu son dernier modèle de basket, la Mayfly, pour que la semelle soit usée au bout de cent kilomètres de marche. Il faudra, à l'inverse, mettre au point des règles pour garantir la durée des produits mis en vente et offrir des possibilités de réparation. Apprendre à réparer, à acquérir des produits d'occasion, sans en éprouver un sentiment de dévalorisation de soi, parce que ce comportement ne sera plus le résultat de la nécessité mais d'un choix de sobriété valorisante, d'un nouvel art de consommer.

La culture de la réutilisation doit surtout se répercuter sur les entreprises, qui devront renoncer à fabriquer systématiquement du jetable, source de gaspillage et d'inflation de déchets. Les suggestions ingénieuses ne manquent pas, depuis les appareils construits avec des pièces standardisées indéfiniment recyclables jusqu'au simple retour aux emballages consignés. Jusqu'à présent, ce sont les incitations qui font défaut, en l'absence d'une volonté politique courageuse que le système semble incapable de susciter et que les citoyens, rendus indifférents par les habitudes consuméristes, n'ont pas assez exigée. Par certains côtés, cette culture de la réutilisation évoque les pratiques de nos parents et grands-parents et des civilisations agraires, abandonnées pendant les Trente Glorieuses, consistant à rafistoler les objets jusqu'à usure complète. Aujourd'hui, le voudrait-on qu'il serait bien difficile de réparer la plupart des biens dit «durables» mais conçus pour ne pas durer, qu'il s'agisse de chaussures ou de réfrigérateurs. Qui ne s'est jamais trouvé devant l'impossibilité de faire remettre en état des produits – machines à laver, calculatrices, appareils de radio, téléviseurs, jusqu'aux lunettes qui sont désormais programmées pour une durée de vie de deux ans ! – rendus inutilisables par la seule défaillance d'un élément souvent secondaire ? Il y aurait dans ce domaine un formidable gisement de métiers à inventer ou à réinventer. Donc une source d'emplois qualifiés pouvant être exercés sous une forme artisanale, ou, si nous portons nos choix sur notre propre apprentissage, une source d'accroissement de notre autonomie et d'occupation manuelle pour nos loisirs de plus en plus longs.

Le recyclage se distingue de la réutilisation en ce sens que, l'usure ne permettant plus l'usage normal de l'objet, au lieu de transformer celui-ci en déchet encombrant, voire polluant, on procède à la récupération de ses composants. Il devient ainsi une véritable source de matières premières disponibles pour un nouveau cycle de production. À l'heure actuelle, en dépit d'efforts réels, le recyclage reste assez limité. Souvent, il fait l'objet d'effets d'annonce plus symboliques que sérieux, comme dans le cas de la collecte sélective des ordures en France, et les solutions adoptées sont minimales. Ainsi pour le verre : sous la pression des producteurs (BSN/Saint-Gobain), le retour plus écologique à la consigne a été rejeté au profit de la récupération du calcin (verre broyé) comme matière première.

Et pourtant, les avantages du recyclage systématique sont évidents. Dans l'agriculture, avec le compostage des déchets biodégradables, on pourrait s'éviter le recours désastreux aux engrais chimiques. Le phosphore et les autres éléments nutritifs exportés dans les produits alimentaires devraient être récupérés et recyclés en tant qu'engrais. On pourrait économiser des milliers d'hectares de forêt, éviter les conflits pour l'accaparement des métaux en voie d'épuisement. Le recyclage permettrait d'économiser 95 % de l'énergie dans le cas de l'aluminium, 75 % dans celui du cuivre et 60 % dans celui de l'acier par rapport à la production nouvelle. Pour illustrer l'importance du gâchis dû au non-recyclage, Francesco Gesualdi cite le cas des 7 millions de tonnes de canettes jetées entre 1990 et 2000 aux États-Unis. Elles représentent une quantité d'aluminium suffisante pour la construction de 316 000 Boeing 737, soit plus de 25 fois la flotte aérienne commerciale mondiale[1]! Encore qu'il y ait mieux à faire. Ainsi, on peut estimer à plus de 10 000 arbres par an le gaspillage évité en France par les compagnons d'Emmaüs qui prennent la peine de récolter, de trier et de conditionner les papiers et cartons qui, sans eux, pourriraient ou brûleraient en polluant[2].

Il suffit souvent de quelques incitations judicieuses pour obtenir d'étonnants résultats. Exemple de recyclage intéressant dans l'industrie : celui de certaines aciéries américaines où l'eau est épurée et réutilisée jusqu'à 16 fois! De cette façon, le besoin quotidien de 200 millions de litres est couvert avec seulement 13 millions[3].

Recycler les déchets de notre activité est aussi une forme de rachat de notre dette à l'égard de la nature. C'est pourquoi les coûts du recyclage devraient être à la charge de leur responsable. Cette éthique du retour est une condition de la soutenabilité. Nous verrons qu'il y a une dette écologique du Nord à l'égard du Sud, et plus fondamentalement une dette de l'humanité à l'égard de la nature. Sans aller jusqu'à personnifier l'écosphère sous le nom mythique de Gaia, on peut considérer que cette dernière dette est celle des hommes du système thermo-industriel à l'égard de l'humanité, avec ses morts et ses enfants à naître, comme on disait naguère pour la nation. Au risque de flirter avec un soupçon d'animisme, on peut dire qu'il s'agit tout simplement de ce que l'homme se doit à lui-même, y compris en termes de respect des plantes, des animaux, des rivières, des forêts et des montagnes dont il est solidaire et qui ont contribué à faire de lui ce qu'il est. Rembourser cette dette, c'est avant tout restituer à la nature ce qu'on lui a prélevé.

---

1. Rapport du World Watch Institute, *State of the World 2004*, cité par Francesco Gesualdi, *Sobrietà, op. cit.*, p. 59.
2. Fabrice Liegard, *Travail et économie dans les communautés d'Emmaüs*, rapport au ministère de la Culture, 2003.
3. Francesco Gesualdi, *Sobrietà, op. cit.*, p. 87.

Tout cela requiert une certaine forme de renoncement. Renoncer, c'est un début de «désarmement unilatéral[1]», selon l'heureuse formule de Jean-Paul Besset. Ne pas faire tout ce qu'il est possible de faire, «consentir à s'abstenir si un risque d'altération des conditions de la vie ou de la condition humaine se présente[2]». Réhabiliter des usages anciens ou plus simplement, comme le propose Majid Rahnema, réinventer les grandes traditions de simplicité et de convivialité en les adaptant aux exigences de la vie moderne[3]. Réduire la vitesse et donc ralentir est incontestablement aussi un élément d'une éthique de la décroissance. On sait que la marchandisation du temps a entraîné une accélération folle qui comprime nos vies. La vitesse est destructrice des villes, des paysages, des sociétés. Les analyses de Paul Virilio sur ce sujet sont particulièrement percutantes[4]. Nous devons apprendre à «réhabiter» le temps. «Nous devons démanteler les prothèses de la vitesse, écrit Paul Ariès, et au besoin imposer des prothèses (techniques et sociales) de la lenteur[5].» Il faut encourager l'invention de machines à ralentir le temps.

---

1. Jean-Paul Besset, *Comment ne plus être progressiste... sans devenir réactionnaire*, *op. cit.*, p. 322.
2. *Ibid.*, p. 326.
3. Majid Rahnema, *Quand la misère chasse la pauvreté*, *op. cit.*
4. Voir par exemple Paul Virilio, *L'Espace critique. Essai sur l'urbanisme et les nouvelles technologies*, Christian Bourgois, Paris, 1984.
5. Paul Ariès, *Décroissance ou barbarie*, *op. cit.*, p. 135.

Chapitre 10

Le Sud aura-t-il droit à la décroissance?

«Nous avons commencé à souffrir du désir de gigantisme. Nous croyions que faire de grandes choses était un bien. C'est une maladie. Nous devons penser à des petits projets, à des petites choses.»

Jawaharlal Nehru [1]

Qu'entendent proposer pour le Sud les «partisans de la décroissance»? Sur ce volet important de la question, le plus souvent mis de côté, il convient de lever l'hypothèque. Comme l'écologie dont elle est fille, la décroissance est souvent accusée d'être un luxe à l'usage des «riches», obèses de surconsommation. Comment généraliser aux pays sous-développés une telle proposition alors même qu'ils ignorent encore les bienfaits, sinon les méfaits, de la croissance? Les objecteurs de croissance, en répétant que leur projet ne concernait que le Nord, ont, à leur insu, nourri le malentendu. «La décroissance équitable, écrit ainsi Paul Ariès, n'est pas la décroissance de tout pour tous : elle s'applique aux sur-

---

1. Dans un discours de novembre 1958, cité par Jean-Paul Besset, *Comment ne plus être progressiste... sans devenir réactionnaire, op. cit.*, p. 137.

développés, à l'excroissance, à des sociétés et à des classes
sociales dont la boulimie est responsable de cette captation
des richesses qui conduit à la destruction de la planète et de
l'humain dans l'homme [1]. » Il importe donc de revenir sur
l'ethnocentrisme de la croissance et de voir comment faire
démarrer au Sud le cercle vertueux de la décroissance à partir
d'un mouvement « en spirale ».

RETOUR SUR L'ETHNOCENTRISME DU DÉVELOPPEMENT

Nous attribuer le projet d'une « décroissance aveugle »,
c'est-à-dire d'une croissance négative sans remise en question du système, et nous soupçonner, comme le font certains
« alteréconomistes » (économistes partisans d'une *autre* mondialisation, d'une *autre* croissance, d'un *autre* développement
ou d'une *autre* économie…), de vouloir empêcher les pays du
Sud de résoudre leurs problèmes, participe de la surdité, sinon
de la mauvaise foi. Notre projet de construction de sociétés
conviviales autonomes et économes, au Nord comme au Sud,
implique certes de parler d'une « a-croissance », comme on
parle d'a-théisme, plutôt que d'une dé-croissance. Toutefois,
il s'agit bien, dans tous les cas, de sortir de la croissance et
donc du développement. En affirmant que le Sud devrait
avoir droit à un « temps » de cette *maudite* croissance, faute
d'avoir connu le développement, nos adversaires se retrouvent
coincés dans l'impasse d'un « ni croissance, ni décroissance ».
Ils se résignent alors à une problématique de « décélération
de la croissance » qui devrait, selon la pratique éprouvée des
conciles, mettre tout le monde d'accord sur un malentendu.
Seulement, une croissance décélérée condamne à s'interdire
de jouir des bienfaits d'une société conviviale autonome et
économe, hors croissance, sans pour autant préserver le seul

---

1. Paul Ariès, *Décroissance ou barbarie, op. cit.*, p. 163.

avantage que présente une croissance vigoureuse injuste et destructrice de l'environnement, à savoir l'emploi.

Mettons les pieds dans le plat. Si remettre en cause la société de croissance désespère Billancourt, comme certains responsables d'Attac le soutiennent, ce n'est pas la requalification d'un développement vidé de sa substance économique («un développement sans croissance») qui redonnera espoir et joie de vivre aux drogués de la croissance mortifère. N'est-ce pas faire preuve, en outre, d'un singulier mépris pour les travailleurs que de les croire immatures au point de ne pas s'apercevoir ni comprendre que le gâteau de la société de consommation est toxique, même si, pour eux comme pour tout un chacun, il ne sera pas facile d'y renoncer ?

Certes, au Sud, la décroissance de l'empreinte écologique (voire du PIB) n'est ni nécessaire ni souhaitable, mais il ne faudrait pas en conclure pour autant à la nécessité de construire une société de croissance ou de n'en pas sortir si on y est déjà entré. Pour comprendre pourquoi la construction d'une société hors croissance est aussi nécessaire et souhaitable au Sud qu'au Nord, il faut revenir sur l'itinéraire des «objecteurs de croissance».

Le projet d'une société autonome et économe n'est pas né d'hier, il s'est formé dans le droit fil de la critique du développement. Depuis plus de quarante ans, nous analysons et dénonçons les méfaits du développement, et précisément au Sud[1]. Et ce développement-là, de l'Algérie de Boumediene à la Tanzanie de Nyerere, n'était pas seulement capitaliste ou ultralibéral, mais officiellement «socialiste», «participatif», «endogène», «*self-reliant*/autocentré», «populaire et solidaire», souvent mis en œuvre ou appuyé par des ONG humanistes. En dépit de quelques microréalisations remarquables, sa faillite a été massive et l'entreprise de ce qui devait aboutir

---

1. Ce «nous» renvoie à la petite «Internationale» anti ou post-développementiste qui a publié *The Development Dictionary* (*op. cit.*). Voir introduction, note 39.

à «l'épanouissement de tout l'homme et de tous les hommes»
(selon les termes de l'encyclique *Populorum progressio*) a
sombré dans la corruption, l'incohérence et les plans d'ajus-
tement structurel qui ont transformé la pauvreté en misère.
Ces échecs nous ont aussi amenés à comprendre la «vraie»
nature du développement économique et de l'industrialisation
occidentale. Comme le dit fort bien Yves Cochet : «La révolution industrielle fut moins un arrachement prométhéen aux
contraintes naturelles qu'une capacité locale d'exporter ces
contraintes vers les périphéries de la planète. [...] Les secteurs développés de nos sociétés industrielles le sont moins
par le génie technologique et l'esprit d'entreprise que par
l'esclavage et la dévastation environnementale [1].»

À l'inverse, maintenir ou, pire encore, introduire la logique
de la croissance au Sud sous prétexte de le sortir de la misère
créée par cette même croissance ne peut que l'occidentaliser
un peu plus. Cette proposition des altermondialistes d'Attac,
qui part d'un bon sentiment, de «construire des écoles, des
centres de soins, des réseaux d'eau potable et [de] retrouver
une autonomie alimentaire [2]» révèle un ethnocentrisme ordinaire qui est précisément celui du développement. De deux
choses l'une. Ou bien on demande aux pays intéressés ce
qu'ils veulent, à travers leurs gouvernements ou en enquêtant
auprès d'une opinion manipulée par les médias, et la réponse
ne fait pas de doute; avant ces «besoins fondamentaux» que
le paternalisme occidental leur attribue, les populations récla-
meront des climatiseurs, des téléphones portables, des réfrigérateurs et surtout des «bagnoles» (Volkswagen et General
Motors prévoient de fabriquer 3 millions de véhicules par an
en Chine dans les années qui viennent, et Peugeot, pour ne
pas être en reste, procède à des investissements géants...),
sans oublier bien sûr, pour la joie des responsables, des cen-

1. Yves Cochet, *Pétrole apocalypse, op. cit.*, p. 161-162.
2. Jean-Marie Harribey, «Développement durable : le grand écart», *L'Humanité*, 15 juin 2004.

trales nucléaires, des Rafale et des chars AMX... Ou bien on écoute le cri du cœur du leader paysan guatémaltèque : «"Laissez les pauvres tranquilles" et ne leur parlez plus de développement[1].» Tous les animateurs des mouvements populaires, de Vandana Shiva en Inde à Emmanuel Ndione au Sénégal, le disent à leur façon. Car, enfin, s'il importe incontestablement aux pays du Sud de «retrouver l'autonomie alimentaire», c'est donc que celle-ci a été perdue. En Afrique, jusque dans les années 60, avant la grande offensive du développement, elle existait encore. N'est-ce pas l'impérialisme de la colonisation, du développement et de la mondialisation qui a détruit cette autosuffisance et qui aggrave chaque jour un peu plus la dépendance? Sur ce même continent, avant d'être massivement polluée par les rejets industriels, l'eau, avec ou sans robinet, était potable. Quant aux écoles et aux centres de soins, sont-ils les bonnes institutions pour introduire et défendre la culture et la santé? Ivan Illich a émis de sérieux doutes quant à leur pertinence pour le Nord[2]. Ces réserves doivent être infiniment renforcées en ce qui concerne le Sud. Et certains intellectuels de ces pays (trop peu probablement...) s'y emploient. La sollicitude du Blanc, qui s'inquiète de la décroissance au Sud dans le louable dessein de lui venir en aide, est suspecte. «Ce qu'on continue d'appeler *aide,* souligne justement Majid Rahnema, n'est qu'une dépense destinée à renforcer les structures génératrices de la misère. Par contre, les victimes spoliées de leurs vrais biens ne sont jamais aidées dès lors qu'elles cherchent à se démarquer du système productif mondialisé pour trouver des alternatives conformes à leurs propres aspirations[3].»

---

1. Alain Gras, *Fragilité de la puissance, op. cit.*, p. 249.
2. La publication de ses *Œuvres complètes* en deux volumes chez Fayard (*op. cit.*) est l'occasion de relire en particulier *Une société sans école* et *Némésis médicale*, qui restent pleinement d'actualité.
3. Majid Rahnema, *Quand la misère chasse la pauvreté, op. cit.*, p 267-268.

La décroissance concerne les sociétés du Sud qui, engagées dans la construction d'économies de croissance, souhaitent éviter de s'enfoncer plus avant dans l'impasse à laquelle cette aventure les condamne. Et aspirent, s'il en est temps encore, à se «désenvelopper», c'est-à-dire à lever les obstacles qui les empêchent de s'épanouir autrement. La problématique de la décroissance offre la possibilité de ne pas passer par l'âge industriel et d'accéder directement à un «équilibre postindustriel» dans un après-capitalisme [1].

Dès 1986, dans notre livre *Faut-il refuser le développement ?*, était esquissé le projet de construction d'une société alternative autonome. Si, dans *L'Autre Afrique* [2], nous nous sommes intéressé au mode d'auto-organisation des naufragés du développement comme forme embryonnaire d'une telle société, prétendre que nous y faisions un «éloge sans nuance de l'économie informelle» participe de la désinformation. L'étude de l'auto-organisation des exclus du banquet de la surconsommation au Sud est intéressante pour comprendre que l'on peut survivre au développement et hors du développement, dans une grande précarité mais grâce à la richesse des liens sociaux. Il est clair cependant que la décroissance au Nord est une condition de l'épanouissement de toute forme d'alternative au Sud. Tant que l'Éthiopie et la Somalie seront condamnées, au plus fort de la disette, à exporter des aliments pour nos animaux domestiques, tant que nous engraisserons notre bétail de boucherie avec les tourteaux du soja semé sur les brûlis de la forêt amazonienne, nous asphyxierons toute tentative de véritable autonomie pour le Sud. Sans compter que ces «déménagements» planétaires contribuent à déréguler un peu plus le climat, que ces cultures spéculatives latifundiaires privent les pauvres du Brésil de haricots et qu'en

---

1. C'est la voie préconisée dès 1991 par André Gorz, qui parlait de «décroissance de l'économie» pour une «société de subsistance moderne» (*Capitalisme, socialisme, écologie, op. cit.*).

2. *L'Autre Afrique. Entre don et marché*, Albin Michel, Paris, 1998.

prime on risque d'avoir des catastrophes biogénétiques du genre vache folle...

LA SPIRALE VERTUEUSE

Il convient de préciser les contours de ce que pourrait être une société de «non-croissance». Oser la décroissance au Sud, c'est tenter d'enclencher un mouvement en spirale pour se placer sur l'orbite du cercle vertueux des 8 «R»[1]. Cette spirale introductive de la décroissance au Sud pourrait s'organiser avec d'autres «R», à la fois alternatifs et complémentaires, comme rompre, renouer, retrouver, réintroduire, récupérer, etc. (voir graphique page suivante).

La première étape consiste à rompre avec la dépendance économique et culturelle vis-à-vis du Nord. La rupture de la dépendance est fondamentalement plus culturelle qu'économique. Certes, une politique économique autonome est indispensable. La rupture avec l'exportation systématique de cultures spéculatives au détriment de l'autosuffisance alimentaire est d'autant plus nécessaire que c'est aussi l'autosuffisance en eau qui est en question. «En même temps que les produits agricoles comme le cacao, le café, le coton, le soja, l'arachide, etc., note Andrea Masullo, voyage de ces pays affamés et assoiffés, vers le nord du monde, un flux caché d'eau : il s'agit de l'eau qui a servi à produire ces récoltes[2].» Pour beaucoup de pays d'Afrique noire, la seule «déconnexion» suffirait à éliminer rapidement la misère et à engendrer le bien-être à l'abri du consumérisme. Nous avons vu en Centrafrique le spectacle désolant de paysans attendant en

---

1. Rappelons ces huit objectifs interdépendants susceptibles d'enclencher un cercle vertueux de décroissance sereine, conviviale et soutenable : réévaluer, reconceptualiser, restructurer, redistribuer, relocaliser, réduire, réutiliser, recycler.
2. Andrea Masullo, *Dal mito della crescita al nuovo umanesimo, op. cit.*, p. 25.

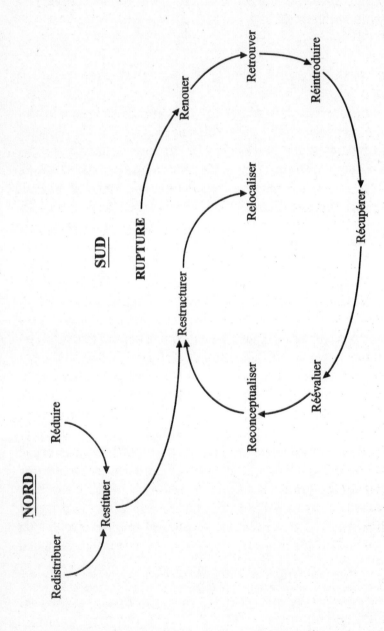

vain des journées entières, au bord des routes, un acheteur éventuel pour leur surplus agricole. L'impossibilité pour les paysans de se procurer les quelques francs CFA nécessaires à l'achat de savon, de sel, de pétrole lampant – éléments dérisoires et néanmoins constitutifs de l'aisance frugale à laquelle ils aspirent – résulte de la pénurie d'un argent venu d'ailleurs qui ne suffit pas à payer les fonctionnaires et nourrit un circuit pervers d'importations et de corruption. Dans ces conditions, les objecteurs de croissance n'ont aucune raison de ne pas faire leurs les programmes de *delinking* (déconnexion) préconisés naguère par les tiers-mondistes, comme Samir Amin. Toutefois, celle-ci ne suffit pas et ne peut d'ailleurs réussir sans être accompagnée d'une perspective plus ambitieuse.

Si la décolonisation politique s'est accomplie, celle de l'imaginaire reste à faire. Dénoncer l'imposture de la croissance pour le Sud est essentiel. Car elle est synonyme non seulement, comme au Nord, d'une guerre économique (avec ses vainqueurs et plus encore ses vaincus), mais aussi d'un pillage sans retenue de la nature, de l'occidentalisation du monde et de l'uniformisation planétaire, enfin du génocide ou tout au moins de l'ethnocide pour toutes les minorités indigènes. Sans entrer dans le débat, pourtant essentiel, de la déculturation, on peut dire qu'il s'agit d'une «machine» à affamer les peuples. Avant les années 70, en Afrique, les populations étaient «pauvres» au regard des critères occidentaux, en ce sens qu'elles disposaient de peu de biens manufacturés, mais personne, en temps normal, ne mourait de faim. Après cinquante années de développement, c'est chose faite. Mieux, en Argentine, pays traditionnel d'élevage bovin, avant l'offensive développementiste des années 80, on gaspillait inconsidérément la viande de bœuf, abandonnant les bas morceaux. Aujourd'hui, les gens pillent les supermarchés pour survivre, et les fonds marins, exploités sans vergogne par les flottes étrangères entre 1985 et 1995 dans le but d'accroître des exportations génératrices de maigres profits pour

la population, ne peuvent plus constituer un recours[1]. Comme
le dit Vandana Shiva : « Sous le masque de la croissance se
dissimule, en fait, la création de la pénurie[2]. »

Renouer avec le fil d'une histoire interrompue par la colonisation, le développement et la mondialisation est important pour retrouver et se réapproprier une identité culturelle
propre. Pour devenir l'acteur de son destin, il faut d'abord
être soi-même et non le reflet captif de l'autre. Les racines
ne sont pas à cultiver pour elles-mêmes dans une rumination
passéiste de la grandeur perdue, mais sont indispensables dans
la perspective d'un nouveau départ. Réintroduire les produits
spécifiques oubliés ou abandonnés et les valeurs « antiécono-
miques » liées à leur histoire participe de ce programme, ainsi
que récupérer les techniques et savoir-faire traditionnels. Si
l'on veut vraiment, au Nord, manifester un souci de justice
plus poussé que la seule et nécessaire réduction de l'« empreinte écologique », peut-être faut-il faire droit à une autre
« dette » dont le « remboursement » est parfois réclamé par les
peuples indigènes : restituer. La restitution de l'honneur perdu
(celle du patrimoine pillé est beaucoup plus problématique)
pourrait consister à entrer dans un partenariat de décroissance
avec le Sud.

Pour autant, au Sud comme au Nord, l'alternative au
développement ne saurait résider dans un impossible retour
en arrière, ni dans l'imposition d'un modèle uniforme d'« a-
croissance ». Pour les exclus, les naufragés du développement,
il ne peut s'agir que d'une sorte de synthèse entre la tradition
perdue et la modernité inaccessible – formule paradoxale qui
résume bien le double défi. On peut parier sur toute la richesse
de l'invention sociale pour le relever, une fois la créativité et

---

1. Hervé Kempf, « La pêche argentine victime, elle aussi, d'une politique
trop libérale », *Le Monde*, 5 janvier 2002.
2. Vandana Shiva, *Le Terrorisme alimentaire*, *op. cit.*, p. 8.

l'ingéniosité libérées du carcan économiste et développementiste. L'après-développement, par ailleurs, est nécessairement
pluriel. Dans cette recherche de modes d'épanouissement
collectif ne serait pas privilégié un bien-être matériel destructeur de l'environnement et du lien social. L'objectif de la
bonne vie se décline de multiples façons selon les contextes.
En d'autres termes, il s'agit de reconstruire/retrouver de nouvelles cultures. S'il faut absolument lui donner un nom, cet
objectif peut s'appeler *umran* (épanouissement) comme chez
Ibn Khaldoun, *swadeshi-sarvodaya* (amélioration des conditions sociales de tous) comme chez Gandhi, *bamtaare* (être
bien ensemble) comme chez les Toucouleurs, ou *fidnaa/gab-
bina* (rayonnement d'une personne bien nourrie et libérée de
tout souci) comme chez les Borana d'Éthiopie[1]. L'important est de signifier la rupture avec l'entreprise de destruction qui se perpétue sous la bannière du développement ou,
aujourd'hui, de la mondialisation. Ces créations originales,
dont on peut trouver ici ou là des commencements de réalisation, ouvrent l'espoir d'un après-développement.

Sans nul doute, pour mettre en œuvre ces politiques de
« décroissance », il faudra au préalable, au Sud comme au
Nord, une véritable cure de désintoxication collective ; car la
croissance a été à la fois un virus pervers et une drogue.

---

1. Gudrun Dahl et Gemtchu Megerssa, « The spiral of the Ram's Horn :
Boran concepts of development », *in* Majid Rahnema et Victoria Bawtree, *The
Post-Development Reader*, Zed Books, Londres, 1997, p. 52 *sq.*

Chapitre 11

Écofascisme ou écodémocratie. Esquisse d'un programme «politique» pour la construction d'une société de décroissance

«Dans les deux derniers siècles, le jacobinisme a été le modèle dominant pour tous les révolutionnaires ou réformistes sociaux. Leur bonne volonté ne peut être mise en doute. Mais en jouant les maîtres d'école, en sachant, *a priori* et de science infuse, ce qui était bon pour tous, outre les aberrations dont l'Histoire n'est pas avare, ils ont permis que peu à peu la masse ne se sente plus concernée par la vie de la cité. Voilà une idée bien simpliste, diront certains, et pourtant elle explique que pour le plus grand nombre le mot démocratie signifie, par antiphrase, le pouvoir de quelques-uns!»

Michel Maffesoli [1]

«L'élection, la "démocratie" sont à nouveau célébrées, ritualisées parce que devenues sans objet. La gauche peut bien parvenir au pouvoir; nul putsch ne la menace puisque elle-même ne menace rien ni personne.»

Serge Halimi [2]

---

1. Michel Maffesoli, *La Transfiguration du politique. La tribalisation du monde postmoderne*, La Table ronde, Paris, 2002, p. 73-74.
2. Serge Halimi, *Le Grand Bond en arrière. Comment l'ordre libéral s'est imposé au monde*, Fayard, Paris, 2006, p. 246-247.

Le projet de construction d'une société autonome et économe remporte une large adhésion, même si ses partisans se retrouvent sous des bannières différentes : décroissance, antiproductivisme, développement *requalifié,* voire développement durable. Par exemple, le slogan d'antiproductivisme des Verts correspond exactement à ce que les objecteurs de croissance entendent par décroissance. Cela semble vérifié, en particulier, pour l'agriculture non productiviste. Ainsi, le programme de l'agriculture paysanne de la Confédération paysanne (et plus largement celui de Via Campesina) s'inscrit parfaitement dans notre conception d'une société de décroissance [1]. La même convergence se retrouve avec la position d'Attac qui, dans une de ses brochures, plaide pour « l'évolution vers une décélération progressive et raisonnée de la croissance matérielle, sous conditions sociales précises, comme première étape vers la décroissance de toutes les formes de production dévastatrices et prédatrices [2] ». Sans doute y aurait-il beaucoup à dire sur cette formulation ; toujours est-il qu'un nombre croissant de militants de la mouvance « altermondialiste » concèdent, peut-être en partie grâce à nous, que la croissance que nous avons connue n'est ni soutenable, ni souhaitable, ni durable, tant socialement qu'écologiquement. Et, de fait, l'accord sur les valeurs, c'est-à-dire celles rendues

1. José Bové et François de Ravignan se rejoignent entièrement sur ce point (ce que confirment la préface de José et ma postface au livre de François Partant, *Que la crise s'aggrave!,* réédité à l'occasion du colloque *Défaire le développement, refaire le monde,* Parangon, Paris, 2002). Voir aussi *Campagnes solidaires* (mensuel de la Confédération paysanne), n° 182, février 2004, et Guy Kastler, *Ensemble sauvons notre planète, op. cit.*
2. Attac, *Le développement a-t-il un avenir ?, op. cit.,* p. 205-206. Le passage complet relativise cependant cette convergence : « L'orientation adoptée ici est donc celle du refus du développement actuel totalement disqualifié et d'un choix en faveur d'un développement radicalement requalifié autour de : 1) la priorité donnée aux besoins essentiels et au respect des droits universels indivisibles ; 2) l'évolution vers une décélération progressive et raisonnée de la croissance matérielle, sous conditions sociales précises, comme première étape vers la décroissance de toutes les formes de production dévastatrices et prédatrices ; 3) une nouvelle conception de la richesse. »

souhaitables par la nécessaire « réévaluation », va bien au-delà des partisans de la décroissance, puisque l'on trouve à peu près les mêmes propositions chez certains tenants du développement durable ou du développement alternatif, comme Christian Comeliau. Pour ce dernier, l'opposition à la pensée unique et à la mondialisation libérale se traduit par un « choix de valeurs qui peuvent être évoquées ici sous forme d'alternatives simplifiées, du type individualisme/communautarisme, rivalité/solidarité, compétition/égalitarisme, consumérisme/frugalité, recherche/rejet du pouvoir, et ainsi de suite[1] ». Il ajoute un choix alternatif en ce qui concerne les « attitudes vis-à-vis de la nature, de ses ressources et du processus d'entropie qui les affecte : choix qui se traduit très pratiquement dans les attitudes envers la forêt, l'eau, la terre, les minerais, etc.[2] ». De la même façon, on trouve déjà dans les propositions de la Fondation Dag Hammarskjöld de 1975 de « développement endogène et *self-reliant* » des recommandations d'autolimitation, celles-là mêmes préconisées par les tenants de la décroissance, en particulier, version simplicité volontaire : « Limiter la consommation de viande, plafonner la consommation de pétrole, utiliser les bâtiments de façon plus économe, produire des biens de consommation plus durable, supprimer les voitures particulières, etc.[3] »

Cette convergence est explicitement revendiquée, à quelques nuances près, par Alain Caillé, Jean-Marie Harribey, René Passet, Alain Lipietz et bien d'autres. Nous sommes d'accord avec votre programme concret, disent-ils en substance, seuls les mots nous séparent. Ce que vous appelez

---

1. Christian Comeliau (dir.), *Brouillons pour l'avenir : contributions au débat sur les alternatives, op. cit.*, p. 33.

2. *Ibid.*, p. 35. Il ne précise pas s'il s'agit de revenir à l'animisme et à la position du chef indien Seattle, pour qui l'homme appartient à la terre et non la terre à l'homme... Il importe de ne plus considérer, en effet, la nature et le monde comme des objets mais bien comme des sujets, des partenaires sans nécessairement en faire des totems ou des fétiches.

3. Cité par Camille Madelain *in* Christian Comeliau (dir.), *Brouillons pour l'avenir : contributions au débat sur les alternatives, op. cit.*, p. 215.

décroissance conduit dans les faits exactement aux mesures que nous préconisons pour réaliser un développement durable ou requalifié. « Je constate, note René Passet, que lorsque l'on en vient aux questions concrètes, nous nous retrouvons plus facilement ! Oui, la délocalisation provoquée par les systèmes de transport actuels est un vrai problème [1]. » Finalement, tous sont d'accord avec la nécessité d'une réduction conséquente de l'empreinte écologique et, pour le reste, ils souscriraient volontiers à ce qu'écrivaient les auteurs du fameux rapport du Club de Rome, faisant eux-mêmes écho à la pensée de John Stuart Mill au milieu du XIXe siècle : « Toutes les activités humaines qui n'entraînent pas une consommation déraisonnable de matériaux irremplaçables ou qui ne dégradent pas d'une manière irréversible l'environnement, pourraient se développer indéfiniment. En particulier, ces activités que beaucoup considèrent comme les plus souhaitables et les plus satisfaisantes : éducation, art, religion, recherche fondamentale, sports et relations humaines, pourraient devenir florissantes [2]. » À la différence des biens économiques frappés par la rareté, tous ces « biens relationnels », lorsqu'ils ne sont pas marchandisés, ont la propriété de s'accroître par le partage comme le savoir et l'amitié. Ils ne s'épuisent pas du fait que l'on en fait profiter les autres.

Allons plus loin. Au fond, qui s'élève contre la sauvegarde de la planète, la préservation de l'environnement, la conservation de la faune et de la flore ? Qui préconise le dérèglement climatique et la destruction de la couche d'ozone ? En tout cas, aucun responsable politique. Il se trouve même des chefs d'entreprise, des cadres supérieurs et des décideurs économiques favorables à un changement radical d'orientation pour sauver notre espèce des crises écologique et sociale.

---

1. *Politis*, 11 décembre 2003, dossier sur la décroissance.
2. D.L. Meadows, J. Randers et W. Behrens, *The Limits to Growth, op. cit.* Voir aussi John Stuart Mill, *Principes d'économie politique, op. cit.*, p. 297.

Dans son bel article «Surmonter l'insurmontable», Hubert Védrine évoque un sondage IPSOS réalisé en août 2004 pour National Geographic France, «donc *sans* campagne préalable de sensibilisation», précise-t-il, selon lequel «58 % des Français estiment que chacun doit agir dans sa vie quotidienne; 75 % sont prêts à ne pas laisser en veille leurs appareils électriques; 62 % à conduire sur autoroute à 120 km/heure; 47 % à ne pas utiliser de climatisation; 44 % à recourir exclusivement aux transports en commun; 45 % à acheter une voiture non polluante, électrique ou hybride; 43 % à s'équiper en chauffage solaire[1]».

Et pourtant, au moment précis où l'unanimité se manifeste pour sauver la planète, une quasi-unanimité s'exprime aussi en faveur d'une reprise de la croissance. «La crise environnementale, note un ancien ministre de l'Environnement, suscite une appréhension diffuse, cognitivement peu prégnante, politiquement marginale, électoralement insignifiante[2].» Et il ajoute: «Nulle part et jamais dans le monde on n'a vu de cortèges massifs contre l'augmentation des gaz à effet de serre, contre la perte de la biodiversité, contre l'accumulation de molécules de synthèse dans l'environnement[3].» Hubert Védrine, lui, évoque «la résistance farouche de la majorité des populations à la remise en cause de leur mode de vie, considéré comme un acquis dans le cadre d'un progrès à sens unique, perçu comme un droit[4]». De fait, la mégamachine à délocaliser, déterritorialiser, déculturer et détruire l'écosystème continue inexorablement son travail, aidée par les institutions internationales (FMI, Banque mondiale, OMC) comme par Bruxelles et par les États qui démantèlent les

---

1. Hubert Védrine, «Surmonter l'insurmontable», *Le Débat*, nº 133, janvier-février 2005, p. 175.
2. Yves Cochet et Agnès Sinaï, *Sauver la Terre, op. cit.*, p. 31.
3. *Ibid.*, p. 42.
4. Hubert Védrine, «Surmonter l'insurmontable», art. cité, p. 173.

services publics, privatisent les biens communs et dérégulent à tour de bras tout ce qui peut encore l'être.

Il faut donc identifier plus précisément les adversaires d'un programme politique de décroissance, les obstacles à sa mise en œuvre et, finalement, la forme politique que prendrait une société *écocompatible*.

Qui sont les ennemis du peuple ?

La question était déjà embarrassante s'agissant des totalitarismes nazi et soviétique, qui instrumentalisaient les procédures démocratiques (plébiscites, élections, etc.), reposaient sur des assises populaires incontestables et se revendiquaient explicitement, pour les ex-pays de l'Est, de la démocratie [1]. Toutefois, on pouvait encore identifier les détenteurs du pouvoir : le parti, le chef qui l'avait confisqué, la nomenklatura. Avec la mégamachine actuelle, c'est beaucoup plus difficile. Il importe de savoir qui détient vraiment le pouvoir de faire et de ne pas faire dans la société mondialisée. Les lois de la science et de la technique, unanimement considérées comme incontestables, sont largement appelées en renfort d'une «gouvernance» qui a presque réussi à remplacer le «gouvernement des hommes par l'administration des choses». Les politologues sont démunis et désarmés et leurs analyses, même les plus sophistiquées, laissent insatisfaits. L'impuissance de la contestation est proportionnelle à cette dépossession.

Mettre un visage sur l'adversaire est aujourd'hui problématique car les entités économiques comme les firmes trans-

---

1. «Le totalitarisme prétendait justement incarner la réalisation enfin trouvée de la démocratie, le dépassement de l'instabilité à la fois créatrice et désenchantée des rapports sociaux nés de la modernité» (Dick Howard, «La démocratie n'est pas une politique», *in* «Malaise dans la démocratie», *Revue du MAUSS*, n° 25, 1er semestre 2005, p. 244).

nationales, qui détiennent la réalité du pouvoir, sont, par leur nature même, incapables de l'exercer directement. Comme le note Susan Strange, «quelques-unes des principales responsabilités de l'État dans une économie de marché […] ne sont plus aujourd'hui assumées par personne[1]». D'une part, le Big Brother reste anonyme, d'autre part, la servitude des sujets est plus *volontaire* que jamais, la manipulation de la publicité commerciale étant infiniment plus insidieuse que celle de la propagande politique… Comment, dans ces conditions, affronter «politiquement» la mégamachine?

La réponse traditionnelle d'une certaine extrême gauche consiste à faire d'une entité, «le capitalisme», la source de tous les blocages, de toutes nos impuissances, et par là même à définir le lieu de la toute-puissance à abattre. Cela nous ramène à un débat déjà soulevé[2]. À la question : «Quelles forces sociales portent actuellement une alternative? Ou bien est-ce l'idée même d'un lien entre une alternative et des forces sociales précises qui est fausse?», Cornelius Castoriadis répond : «Cette idée est effectivement fausse, en tout cas pour les sociétés modernes. Il n'est plus question de dire que le "prolétariat" est historiquement chargé de la transformation de la société. […] La transformation de la société exige aujourd'hui la participation de toute la population, et toute la population peut être rendue sensible à cette exigence – à part peut-être 3 à 5 % d'individus inconvertibles[3].»

Cela veut-il dire qu'il n'y a rien à faire? Que l'auto-transformation de la société s'accomplira sans douleur et au

---

1. Susan Strange, *The Retreat of the State. The Diffusion of Power in the World Economy*, Cambridge University Press, Cambridge, 1996.
2. Voir *La Décroissance*, nº 4, septembre 2004, et le chapitre 7 du présent ouvrage.
3. Cornelius Castoriadis, *Une société à la dérive*, *op. cit.*, p. 187. Il ajoute : «Il faut insister sur une autre idée fausse, profondément ancrée dans le mouvement "de gauche" : l'idée d'un privilège politico-historique des pauvres. C'est un héritage chrétien. La logique et l'expérience historique montrent que l'idée d'un tel privilège est absurde, que les vrais "pauvres" seraient plutôt enclins à courber l'échine devant les dominants.»

bénéfice de tous ? À lire certains écologistes, comme Lester Brown, on peut se le demander. Ainsi, le Wuppertal Institut s'ingénie à proposer nombre de jeux « gagnant-gagnant » entre la nature et le capital, comme le scénario négaWatt, déjà évoqué, visant à réduire la consommation d'énergie d'un facteur 4 avec la même satisfaction. Taxes, normes, bonus, incitations, subventions judicieuses pourraient rendre attractifs des comportements vertueux et éviter d'importants gaspillages. Par exemple, des systèmes de rémunération pour les rénovations des bâtiments, fondés moins sur le montant des travaux effectués que sur l'efficacité énergétique des constructions, ont été expérimentés avec succès en Allemagne. Pour toute une série de biens (photocopieuses, réfrigérateurs, voitures, etc.), la location pourrait remplacer la propriété et éviter ainsi la course effrénée à la production nouvelle en favorisant un recyclage permanent. Éviterait-on pour autant l'effet rebond ou le paradoxe de Jevons, c'est-à-dire un accroissement final de la consommation-matière ? Rien n'est moins sûr.

Le système d'économie de marché généralisée, dominé par des firmes transnationales géantes, ne s'orientera pas spontanément dans la voie « vertueuse » de l'écocapitalisme. La décroissance, nous l'avons vu, est forcément contre le capitalisme. Un écocapitalisme implique, en effet, une forte régulation, ne serait-ce que pour imposer la réduction de l'empreinte écologique. Les machines à dividendes, anonymes et fonctionnelles, ne renonceront pas à la prédation en l'absence de contraintes fortes. Même si les responsables de certaines de ces firmes sont partisans d'une autorégulation, ils n'ont pas les moyens de l'imposer aux *free riders* (passagers clandestins), c'est-à-dire à la grande majorité obsédée par la maximisation de la valeur pour l'actionnaire à court terme. S'il existait une instance ayant ce pouvoir de régulation (État, peuple, syndicat, ONG, ONU, peu importe…), elle aurait le pouvoir tout court. Elle serait le lieu du politique et pourrait redéfinir les règles du jeu social. En d'autres termes, réinstituer la société.

Le nœud du problème est bien la question du pouvoir. Certes, on peut concevoir et souhaiter une certaine limitation du pouvoir par le pouvoir, comme cela s'est produit pendant l'ère des régulations keynéso-fordistes et sociales-démocrates. Le problème, c'est que la lutte des classes est terminée, et que le capital en est sorti vainqueur, raflant pratiquement toute la mise. Et nous avons assisté impuissants, voire indifférents, aux derniers jours de la classe ouvrière occidentale. Nous vivons l'acmé de l'*omnimarchandisation* du monde. Non seulement l'économie s'est émancipée du politique et de la morale, mais elle les a littéralement phagocytés. Elle occupe toute la place. Il en va de même dans la sphère de la représentation. Une pensée unique monopolise l'espace de la créativité et colonise les esprits. La rationalité triomphe partout et le calcul coût-bénéfice s'insinue dans les recoins les plus cachés de l'imaginaire, tandis que les rapports marchands s'emparent de la vie privée et de l'intimité.

QUE FAIRE ?

Des mesures très simples et presque anodines en apparence sont susceptibles d'enclencher les cercles vertueux de la décroissance [1]. Le programme de transition peut tenir en quelques points tirant les conséquences « de bon sens » du diagnostic formulé. Par exemple :

1) Retrouver une empreinte écologique égale ou inférieure à une planète, c'est-à-dire une production matérielle équivalente à celle des années 60-70.

---

1. Sans préjudice, par ailleurs, pour d'autres mesures de salubrité publique comme la taxation des transactions financières, proposée par Attac, l'imposition d'un revenu maximum, proposée par le MAUSS, ou l'abolition pure et simple de tous les brevets, proposée par Jean-Pierre Berlan.

2) Internaliser les coûts de transport.

3) Relocaliser les activités.

4) Restaurer l'agriculture paysanne.

5) Transformer les gains de productivité en réduction du temps de travail et en création d'emplois, tant qu'il y a du chômage.

6) Impulser la «production» de biens relationnels.

7) Réduire le gaspillage d'énergie d'un facteur 4.

8) Pénaliser fortement les dépenses de publicité.

9) Décréter un moratoire sur l'innovation technologique, faire un bilan sérieux et réorienter la recherche scientifique et technique en fonction des aspirations nouvelles.

Ce dernier point rejoint une préoccupation de Cornelius Castoriadis : «Comment tracer la limite? Pour la première fois, dans une société non religieuse, nous avons à affronter la question : faut-il contrôler l'expansion du savoir lui-même? Et comment le faire sans aboutir à une dictature sur les esprits? Je pense qu'on peut poser quelques principes simples : 1) Nous ne voulons pas d'une expansion illimitée et irréfléchie de la production, nous voulons une économie qui soit un moyen et non pas la fin de la vie humaine; 2) Nous voulons une expansion libre du savoir mais [...] [avec de la] *phronésis*[1].»

Au cœur de ce programme, l'internalisation des déséconomies externes (dommages engendrés par l'activité d'un agent qui en rejette le coût sur la collectivité). Cette mesure, en principe conforme à la théorie économique orthodoxe, permettrait, si elle était poussée dans ses ultimes conséquences, de réaliser à peu près complètement le programme d'une société de décroissance[2]. Tous les dysfonctionnements écologiques et

---

1. Cornelius Castoriadis, *Une société à la dérive, op. cit.*, p. 238.

2. «Théoriquement, en économie de marché, les "externalités" doivent être internalisées soit par le biais d'une taxe, soit par la création de droits de propriété, les mécanismes de marché conduisant alors à une situation socialement préférable» (Catherine Aubertin et Franck-Dominique Vivien [dir.], *Le Dévelop-*

sociaux pourraient et devraient être mis à la charge des agents qui en sont responsables. Qu'on imagine l'impact de l'internalisation des coûts de transport sur l'environnement, sur la santé ! Celui de la prise en charge par les entreprises de l'éducation, de la sécurité, du chômage, etc., sur le fonctionnement de nos sociétés ! Ces mesures «réformistes» – dont l'économiste libéral Arthur Cecil Pigou a formulé le principe dès le début du XXe siècle – provoqueraient une véritable révolution.

Car les entreprises obéissant à la logique capitaliste seraient largement découragées. Dans un premier temps, un grand nombre d'activités ne seraient plus «rentables» et le système serait bloqué. Le carburant coûtait environ un dollar le gallon (3,78 litres) aux États-Unis en 2002. Selon l'International Center for Technology Assessment, «si y étaient inclus les coûts invisibles [...] – les accidents de voiture, la pollution de l'air, les bases militaires (pour empêcher les peuples des pays producteurs d'avoir le contrôle sur leur propre pétrole), les subventions aux compagnies pétrolières – si donc y était inclus tout cela, le prix du carburant flamberait à 14 dollars le gallon[1]». À ce niveau, il n'y a probablement plus d'aviation civile et sans doute beaucoup moins de voitures sur les routes.

L'internalisation des coûts du nucléaire, de son côté, aboutirait à son évidente non-rentabilité. Avec le modèle de la CIPR (Commission internationale de protection radiologique) et les chiffres de doses fournis par les Nations unies, on estime à 1 173 600 le nombre de morts par cancers dus à la radioactivité. Si l'on utilise le modèle du CERI (Comité européen sur le risque d'irradiation), on obtient 61 millions de morts[2] ! Yves Cochet commente : «Changement climatique, nucléaire, OGM... Nous rencontrons ici l'une des contradictions du

pement durable. Enjeux politiques, économiques et sociaux, La Documentation française, Paris, 2006. p. 64).

1. *Sierra Magazine*, avril 2002, cité par Derek Rasmussen, «Valeurs monétisées et valeurs non monétisables», art. cité, p. 19.

2. Yves Cochet et Agnès Sinaï, *Sauver la Terre, op. cit.*, p. 226.

libéral-productivisme : les entreprises, qui ne cessent de proclamer leur amour de la stabilité politique et de la prévisibilité économique, c'est-à-dire d'un environnement sans risque, ont elles-mêmes créé une incertitude politique et économique dans le monde en générant de nouveaux risques [1]. » Une autre façon de procéder à l'internalisation des externalités négatives engendrées par le système serait tout simplement d'obliger les firmes à s'assurer totalement pour les risques et les dégâts qu'elles font supporter à la société. On sait déjà qu'aucune compagnie d'assurance n'accepte de prendre en charge le risque nucléaire, le risque climatique et le risque OGM. On peut imaginer la paralysie qu'entraînerait l'obligation de couverture du risque sanitaire, du risque social (chômage), voire du risque esthétique.

Reconnaissant la chose, d'une certaine façon, les économistes auraient tendance à conclure, au contraire, qu'il est urgent de ne rien faire. « Quant à faire payer des taxes ? s'interroge Alain Caillé. Oui, bien sûr. Mais elles sont souvent d'un montant dérisoire par rapport aux dégâts occasionnés. Et de toute façon, si une entreprise n'est pas rentable à moins de polluer ou de mettre en danger le voisinage, rien ne sert de prétendre lui faire payer le montant des dommages occasionnés ou probables puisque, par hypothèse, elle n'en a pas les moyens. Sans compter que les contrôleurs sont rares, que les contrôles coûtent cher et que l'information objective fait d'autant plus défaut que, bien souvent, elle ne pourrait être fournie que par l'entreprise incriminée [2]. » Les économistes Philippe Bontems et Gilles Rotillon concluent : « Dans le monde réel, où l'information est inégalement partagée et où chacune des solutions d'internalisation implique ses propres coûts de fonctionnement, il est tout à fait possible que chacune des solutions présentées soit plus coûteuse qu'une poli-

---

1. *Ibid.*, p. 255.
2. Alain Caillé, *Dé-penser l'économique, op. cit.*, p. 242.

tique de "laisser-faire" consistant à ne pas chercher à éliminer l'externalité [1]. » Autrement dit, le système n'est pas vraiment réformable. On ne peut l'améliorer qu'en le changeant.

Le programme d'une politique de décroissance est donc paradoxal. La perspective de mise en œuvre de propositions réalistes et raisonnables a peu de chances d'être adoptée et moins encore d'aboutir sans une subversion totale. Celle-ci passe par la réalisation d'une utopie : la construction d'une société alternative. On peut transposer, pour réaliser la société de décroissance, ce que Roger Guesnerie disait naguère de l'esprit de la planification française : viser « à obtenir par la concertation et l'étude une image de l'avenir suffisamment optimiste pour être souhaitable et suffisamment crédible pour déclencher les actions qui engendreraient sa propre réalisation [2] ». Cette dernière, à son tour, implique des mesures de détail infinies, soit précisément ce que Marx se refusait à faire : la cuisine dans les gargotes de l'avenir. Prenons le nécessaire démantèlement des firmes géantes. Immédiatement surgissent quantité de questions : jusqu'à quelle taille ? Mesurée en chiffre d'affaires, en nombre d'employés ? Comment assumer les macrosystèmes techniques avec des unités de petites dimensions ? Faut-il d'emblée exclure certains types d'activités, certaines modalités ? Pour Ivan Illich, certains outils étaient conviviaux, d'autres ne le seraient jamais. Ceux-là « sont toujours destructeurs, écrivait-il, quelles que soient les mains qui les détiennent, que ce soient la Mafia, les capitalistes, une firme multinationale, l'État ou même un collectif de travailleurs. Il en est ainsi par exemple pour les réseaux d'autoroutes à voies multiples, les systèmes de communication à grande distance qui utilisent une large bande de fréquence, et aussi l'exploitation minière à ciel ouvert, ou encore l'école. L'outil destructeur accroît l'uni-

---

1. Philippe Bontems et Gilles Rotillon, *L'Économie de l'environnement*, La Découverte, Paris, 1998, p. 67, cité in *ibid.*, p. 242.
2. Cité par Jean-Pierre Dupuy, *Pour un catastrophisme éclairé, op. cit.*, p. 197.

formisation, la dépendance, l'exploitation et l'impuissance ; il dérobe au pauvre sa part de convivialité pour mieux frustrer le riche de la sienne [1] ».

Peut-être, en ce qui concerne la taille, faut-il appliquer aux firmes capitalistes ce que la logique libérale elle-même considérait comme la condition d'une véritable concurrence : que la production de chaque firme ne soit qu'une goutte d'eau dans l'océan de l'offre ! Prenons un critère plus humain concernant le nombre d'employés : ne conviendrait-il pas que le collectif de travail, pour conserver encore une certaine maîtrise sur la gestion de l'œuvre commune, ne dépasse pas la taille de l'interconnaissance de ses membres, soit entre 300 et 500, c'est-à-dire la dimension des sociétés de chasseurs-cueilleurs ? Dans tous les cas, des problèmes délicats de transition se poseraient. Une expertise alternative serait sans doute requise pour un gigantesque programme de reconversion.

Ce ne sont donc ni les perspectives ni les solutions qui font défaut, mais les conditions de leur mise en œuvre. Quelle stratégie et quelle tactique pour passer à l'acte ?

DICTATURE GLOBALE OU DÉMOCRATIE LOCALE ?
L'UTOPIE OU LA MORT

La croissance est nécessaire aux démocraties consuméristes modernes pour une raison plus profonde encore que les nécessités économiques déjà rencontrées. Sans la perspective de la consommation de masse, les inégalités seraient insupportables, ce qu'elles sont d'ailleurs en train de devenir du fait de la crise de l'économie de croissance. Tocqueville était aveugle quand il voyait dans les États-Unis de 1830 une société où

---

1. Ivan Illich, *La Convivialité*, in *Œuvres complètes*, t. 1, *op. cit.*, p. 489-490.

serait réalisée «l'égalité presque complète des conditions[1]».
En revanche, il faisait preuve de lucidité en observant, dans la
tendance au nivellement des conditions, le fondement imaginaire des sociétés modernes. Les inégalités ne sont acceptées
que provisoirement, parce que l'accès aux biens des privilégiés d'hier devient général aujourd'hui et que ce qui constitue
encore le luxe des uns sera accessible à tous demain[2]. Les
démocraties antiques, moins rongées par l'économie, igno-
raient largement cette forme ravageuse d'envie. Face à une
telle prégnance, beaucoup doutent des capacités des sociétés
dites «démocratiques» de mettre en œuvre les mesures qui
s'imposent. Ceux-là ne voient d'issue aux contraintes que
sous une forme ou une autre d'écocratie autoritaire : écofascisme ou écototalitarisme[3]. Hans Jonas évoque l'hypothèse de
la nécessité d'une «dictature bienveillante». «On ne peut pas
écarter cette interrogation d'un revers de manche, écrit Jean-
Paul Besset. Des conflits majeurs ont déjà imposé contraintes,
restriction des libertés, économies de guerre. L'humanité
a recouru à des tyrannies de salut public. Ce fut souvent
pour son bien. L'enjeu du temps présent ne vaudrait-il pas
qu'on se résigne à des méthodes de ce type pour provoquer

---

1. L'historien Howard Zinn remet les pendules à l'heure en rappelant que
l'on comptait à Philadelphie à cette époque-là en moyenne «cinquante-cinq
familles ouvrières par immeuble et le plus souvent une seule pièce par famille,
sans collecte des ordures, sans toilettes, sans aération et sans point d'eau» (*Une
histoire populaire des États-Unis, de 1492 à nos jours*, Agone, Marseille, 2002,
p. 253, cité par Serge Halimi, *Le Grand Bond en arrière, op. cit.*, p. 71).
2. Alain Caillé fait la même analyse mais il décontextualise le phénomène
et s'y résigne : «Il faut pourtant prendre conscience du fait que la dynamique
de la croissance économique n'est pas animée seulement par l'esprit de lucre
de vilains mercantis ni même par la seule logique de la satisfaction des besoins.
Bien plus profondément, elle est inspirée par la dynamique de la démocratie
elle-même, qui refuse par principe que les plus démunis n'aient pas le droit d'obtenir ce que possèdent les plus riches» («La question du développement durable
comme question politique», in *Dé-penser l'économique, op. cit.*, p. 249).
3. C'est plus ou moins le cas d'Hubert Védrine dans son article «Surmonter
l'insurmontable» (art. cité), qui fonde une partie de ses espoirs sur le «des-
potisme technocratique éclairé» de la Commission européenne. Cet espoir-là
pourrait en faire désespérer plus d'un!

le changement [1] ?» Si des raisons de principe et d'efficacité l'amènent à exclure cette perspective, certains penseurs des plus hautes sphères de l'Empire y songent de plus en plus pour sauver le système [2]. Confrontées à la menace d'une remise en cause de leur niveau de vie, les masses seraient prêtes à s'abandonner à un démagogue leur promettant sa préservation en échange de leur liberté, fût-ce au prix de l'aggravation des injustices planétaires et, bien sûr, à terme, de la liquidation de l'espèce [3]. De toute façon, seul un pouvoir totalitaire serait en mesure d'imposer les réductions drastiques de consommation pour assurer la survie. Le film *Soleil vert*, de Richard Fleicher (1973), d'après le roman de science-fiction de Harry Harrison, illustre assez bien ce scénario.

Le pari de la décroissance est tout autre. Il consiste à penser que l'attrait de l'utopie conviviale combiné au poids des contraintes au changement est susceptible de favoriser une «décolonisation de l'imaginaire» et de susciter suffisamment de comportements «vertueux» en faveur d'une solution raisonnable : la démocratie écologique. C'était aussi l'analyse de Cornelius Castoriadis : «Et, s'il n'y a pas un nouveau mouvement, un réveil du projet démocratique, l'"écologie" peut très bien être intégrée dans une idéologie néofasciste. Face à une catastrophe écologique mondiale, par exemple, on voit très bien des régimes autoritaires imposant des restrictions draconiennes à une population affolée et apathique. L'insertion de la composante écologique dans un projet politique démocratique radical est indispensable. Et elle est d'autant plus impérative que la remise en cause des valeurs et des orientations de la société actuelle, impliquée par un tel projet, est indissociable

---

1. Jean-Paul Besset, *Comment ne plus être progressiste... sans devenir réactionnaire*, *op. cit.*, p. 330-331.
2. On en discute le plus sérieusement du monde au sein de l'organisation Bilderberger, cette société semi-secrète de l'élite planétaire.
3. Voir William Stanton, *The Rapid Growth of Human Population*, *op. cit.*

de la critique de l'imaginaire du "développement" sur lequel nous vivons[1].»

«L'installation du fascisme technobureaucratique, annonçait de son côté Ivan Illich, n'est pas inscrite dans les astres. Il y a une autre possibilité : un processus politique qui permette à la population de déterminer le maximum que chacun peut exiger dans un monde aux ressources manifestement limitées ; un processus d'agrément portant sur la fixation et le maintien de limites à la croissance de l'outillage ; un processus d'encouragement de la recherche radicale de sorte qu'un nombre croissant de gens puisse *faire toujours plus avec toujours moins.*» Il ajoutait : «Un tel programme peut encore paraître utopique à l'heure qu'il est [1973 ! la même année que le film *Soleil vert*] : si on laisse la crise s'aggraver, on le trouvera bientôt d'un extrême réalisme[2].»

Réfléchir sur la démocratie aujourd'hui sans remettre radicalement en cause au préalable le fonctionnement d'un système dans lequel le pouvoir (donc le politique) est détenu par les «nouveaux maîtres du monde» est au mieux un vain bavardage, au pire une forme de complicité avec le totalitarisme rampant de la mondialisation économique. Qui ne voit pas que, derrière les décors de la scène politicienne et la farce électorale, ce sont très largement les lobbies qui font les lois[3] ? Cela ne veut pas dire que les enjeux électoraux n'existent plus ; mais, dans le meilleur des cas, s'ils veulent aller à contre-courant, les gouvernements ne peuvent que freiner, ralentir, adoucir des processus sur lesquels ils n'ont plus de prise. «Et pendant ce temps, remarque Cornelius Castoriadis, la marche autonomisée de la techno-science continue à détruire l'environnement terrestre et à créer des risques immenses pour un

1. Cornelius Castoriadis, *Une société à la dérive, op. cit.*, p. 246.
2. Ivan Illich, *La Convivialité*, in *Œuvres complètes*, t. 1, *op. cit.*, p. 570. Voir aussi Martine Dardenne et Georges Trussart (dir.), *Penser et agir avec Illich. Balises pour l'après-développement*, Couleur livres, Bruxelles, 2005.
3. Voir Colin Crouch, *Postdemocrazia*, Laterza, Rome-Bari, 2003.

avenir de plus en plus rapproché[1].» En particulier, le choix
d'une politique de décroissance est impensable et impossible
dans un tel contexte. Aucun gouvernement ne pourrait la
mettre en œuvre, si tant est qu'il l'ait incluse dans son programme. «Quel gouvernement, s'interroge Cochet, oserait
interdire les vols inférieurs à 500 km, ce qui diminuerait de
40 % leur nombre, tout en offrant un réseau ferroviaire alternatif de bonne qualité, ou bien imposer une taxe de 50 euros
sur chaque billet pour abonder un fonds destiné à lutter contre
le changement climatique[2]?»

Encore faudrait-il, objectera-t-on, que le «peuple» votât
en faveur d'une telle politique. Certes. Cependant, il s'agit là
plus d'un obstacle alibi, à notre sens, que du nœud de l'affaire.
Curieusement, on ne rencontre pas de véritable opposition de
principe à un programme comportant le choix d'une «société
de décroissance». «Il est vrai, remarque encore Castoriadis,
que les gens aujourd'hui ne croient pas à la possibilité d'une
société autogouvernée, et cela fait qu'une telle société est,
aujourd'hui, impossible. Ils ne croient pas parce qu'ils ne
veulent pas le croire, ils ne veulent pas le croire parce qu'ils
ne croient pas. Mais si jamais ils se mettent à le vouloir, ils
croiront et ils pourront[3].» La proposition qui suit suppose un
préalable de taille : que les conditions de sa réalisation soient
possibles. Toutefois, le fait même de l'énoncer peut contribuer à ce changement nécessaire d'imaginaire permettant de
tenter sa mise en œuvre. Il ne s'agit de rien moins que de
refonder la démocratie.

Il n'est peut-être pas innocent de noter que la première
démocratie, la démocratie athénienne, est née d'une victoire
populaire contre la démesure économique : ce fut la *sei-
sakhtheia* – à savoir le secouement du fardeau, l'annulation
des dettes hypothécaires et l'interdiction de l'esclavage pour

1. Cornelius Castoriadis, *Une société à la dérive, op. cit.*, p. 175.
2. Yves Cochet, *Pétrole apocalypse, op. cit.*, p. 62.
3. Cornelius Castoriadis, *Une société à la dérive, op. cit.*, p. 257.

les citoyens endettés –, introduite par Solon en 594 av. J.-C. La Révolution française, par ailleurs, a inauguré la démocratie moderne en supprimant le servage et l'esclavage en France et même, au départ, dans les colonies. À l'inverse, la mondialisation, en favorisant l'exploitation sans frontière et en multipliant les migrations de main-d'œuvre non protégée, restaure des statuts de semi-servage et d'esclavage déguisé. Le capitalisme financier et les oligarchies d'argent représentent clairement des forces antidémocratiques. « Plus le spectacle de mourants et de morts, de femmes et d'enfants affamés, de paramilitaires massacreurs et d'ouragans meurtriers banalise l'image atroce de milliers d'innocents voués au malheur inévitable, note Alain Joxe, plus la revendication de la démocratie sociale apparaîtra non seulement comme une utopie de luxe, mais encore comme une insolence à l'égard des aristocraties régnantes, qui font leur possible pour réguler la mort [1]. »

La démocratie écologique sera-t-elle, devra-t-elle être directe, comme le pensent et le souhaitent Cornelius Castoriadis et Takis Fotopoulos ? Bien que me considérant plus ou moins comme un des héritiers du premier et développant des idées assez proches de celles du second, j'avoue que, en dépit de toute ma sympathie pour la démocratie directe, je ne suis pas sûr qu'elle corresponde à une aspiration largement partagée (et sûrement pas universelle) ni qu'elle constitue une panacée. Il y a, certes, une naïveté rafraîchissante dans les propos de Fotopoulos lorsqu'il écrit : « Quand les citoyens auront goûté à une vraie démocratie, aucune violence physique ou économique ne suffira à les persuader de revenir aux formes d'organisation pseudo-démocratiques [2]. » Toutefois, l'expérience d'Athènes, où finalement les décisions étaient prises par moins de 400 individus sur les 200 000 que comptait

---

1. Alain Joxe, « Démocratie et globalisation », *Revue du MAUSS*, n° 25, 2005, p. 53.
2. Takis Fotopoulos, *Vers une démocratie générale, op. cit.*, p. 242.

l'Attique à l'âge classique, ne va pas dans ce sens. Déjà, Aristote notait que «les pauvres, même sans participer aux honneurs, ne demandent pas mieux que de se tenir tranquilles à condition qu'on ne leur fasse pas violence et qu'on ne les prive d'aucun de leurs biens. Chacun trouve plus agréable de cultiver sa terre que de s'occuper de politique et d'être magistrat[1]». «Comment aménager la désirabilité de la démocratie en prenant en compte les routines, les intermittences de l'implication ou les attentions obliques[2]?» se demande Philippe Corcuff. On ne peut pas vivre à temps plein l'«effervescence démocratique», il faut laisser de la place à d'autres intérêts (le sport, le divertissement, le jeu, l'amour, la convivialité, la lecture, la musique, la paresse, etc.). À Athènes, les neuf dixièmes des citoyens étaient le plus souvent absents des délibérations, et, en dépit du paiement de jetons de présence, les magistrats avaient le plus grand mal à traîner la foule de l'agora vers l'assemblée.

Est-ce à dire que le peuple souhaite un système antidémocratique? Pas du tout. Sans doute faut-il convenir avec Tocqueville que «le principe de la souveraineté du peuple réside au fond de tous les gouvernements et se cache sous les institutions les moins libres[3]». Dans ces conditions, le rejet radical de la «démocratie» représentative a quelque chose d'excessif. Qu'on le veuille ou non, faisant désormais partie de notre tradition, elle n'est pas nécessairement l'incarnation du mal. À tout prendre, est-il moins démocratique d'être représenté par des élus que de laisser par paresse ou indifférence les notables et les démagogues régler les affaires de la cité? Sur ce point, il faut admettre que les analyses de Paul

---

1. Aristote, *Politique*, Les Belles Lettres, Paris, 1968, IV, 13, 1297, B5. Il ajoute : «La masse du peuple n'est pas mécontente d'être exclue de l'exercice du pouvoir (elle est même satisfaite qu'on lui laisse du loisir pour s'occuper de ses propres affaires)» (*Ibid.*, V, 8, 1308, B30).

2. Philippe Corcuff, «Le pari démocratique à l'épreuve de l'individualisme contemporain», *Revue du MAUSS*, n° 25, 1er semestre 2005, p. 77.

3. Tocqueville, *Souvenirs*, Gallimard, Paris, 1942, p. 220.

Veyne, pour désabusées qu'elles soient, sont assez convaincantes [1]. Des aménagements de la représentation, comme le droit de révocation des élus, l'organisation d'états généraux, le référendum d'initiative populaire, le recours à la participation directe dans certains cas (les budgets participatifs de Porto Alegre, par exemple) ou le bon usage des conférences de citoyens, peuvent constituer des compromis satisfaisants [2], par exemple sur les deux points considérés comme essentiels par Cornelius Castoriadis. « Il faut des décisions d'ordre général sur deux points au moins, dit-il : la distribution du produit national, ou du revenu national, entre consommation et investissement, et la part respective dans la consommation globale de la consommation privée et de la consommation publique – bref, quelle est la part que la société veut consacrer à l'éducation, aux transports, à la construction de monuments ou à n'importe quelle autre entreprise publique, et quelle est la part qu'elle décide de consacrer à la consommation des individus, qui en feront ce qu'ils veulent. Là-dessus, il faut une décision collective. Il faut des propositions et des débats, et que les conséquences des décisions soient claires aux yeux de tous [3]. » Quelle que soit la formule choisie, le problème clef de notre temps, celui de l'égalité du pouvoir économique, reste entier, et il est un peu illusoire de penser le résoudre d'un coup de baguette magique par la formule de la démocratie directe.

Quoi qu'il en soit, la démocratisation se réalisera très probablement dans le « localisme ». La revitalisation de la démocratie locale constitue beaucoup plus sûrement une dimension de la décroissance sereine que l'utopie d'une démocratie universelle. Je me méfie de tout projet universaliste, même radical ou subversif. J'ai tendance à y déceler des relents d'ethnocentrisme

1. Paul Veyne, *Le Pain et le Cirque. Sociologie historique d'un pluralisme politique*, Seuil, Paris, 1976.
2. Voir Jacques Testart, *Le Vélo, le Mur et le Citoyen. Que reste-t-il de la science ?*, Belin, Paris, 2006.
3. Cornelius Castoriadis, *Une société à la dérive*, *op. cit.*, p. 201.

occidental [1]. «Pourquoi Dieu, se demande Raimon Panikkar, en détruisant le rêve de Babel, n'a-t-il pas voulu d'un gouvernement mondial, d'un marché mondial, d'une banque mondiale, d'une démocratie mondiale ? Pourquoi a-t-il préféré, pour permettre aux hommes de communiquer, de petites huttes à échelle humaine, avec des fenêtres et des rues, et non des autoroutes de l'information ? [...] Pour le philosophe, [la réponse], c'est pour que les rapports humains restent personnels [2]. »

Comme l'a magistralement montré Louis Dumont, l'imaginaire holiste de la plupart des sociétés humaines, pour n'être pas étranger à une exigence de respect de la dignité des personnes ni à la prise en compte de leur volonté, est très largement étranger à notre imaginaire égalitariste/identitaire. L'idée qu'une humanité unifiée est la condition d'un fonctionnement harmonieux de la planète fait partie de la panoplie des fausses bonnes idées véhiculées par l'ethnocentrisme occidental ordinaire [3]. La diversité des cultures est sans doute la condition d'un commerce social paisible.

En effet, chaque culture se caractérise par la spécificité de ses valeurs. Même s'il régnait un langage commun et une monnaie commune sur la planète, chaque culture leur accorderait des significations propres et partiellement différentes. On peut le vérifier sur le plan économique. Si les places de marché, les marchés-rencontres, ont été pendant des siècles sur presque tous les continents des lieux d'échange pacifique, de règlement des conflits, de circulation matrimoniale entre voisins et même entre ennemis, c'est que les transactions entre étrangers permises par l'intermédiation monétaire

---

1. Je me séparais déjà sur ce point de Castoriadis. La lecture de Takis Fotopoulos renforce mes doutes.

2. Raimon Panikkar, « Qui a peur de perdre son identité l'a déjà perdue », entretien avec Henri Tincq, *Le Monde*, 2 avril 1996.

3. Ce que Denis Duclos qualifie fort justement de « délires d'universalité » à propos de « l'idéal d'une citoyenneté universelle et de son futur État planétaire, fantasme particulièrement présent chez les intellectuels en France » (*Société-monde, le temps des ruptures*, La Découverte, Paris, 2002, p. 217).

conservaient, en dépit de leur anonymat relatif, les qualités du don réussi entre proches. Du fait des différences d'échelles de valeur, chacun en ressortait convaincu d'avoir fait une bonne affaire (voire d'avoir roulé son partenaire, lui-même persuadé d'avoir réussi le même coup!). Les marchés africains illustrent parfaitement cette ruse du commerce pacifique entre cultures diverses. «En attribuant une valeur morale différente aux denrées échangées, écrit l'anthropologue Marco Aime, chacun des deux protagonistes s'en sortira comme le vainqueur suivant ses propres paramètres [1].» Ainsi, le malentendu interculturel, en faisant régner la conviction partagée par chacun d'avoir obtenu son dû (voire un peu plus...), est un «facilitateur» d'harmonie dans l'échange social.

Il en va de même sur le plan politique. La démocratie, en particulier, ne peut probablement fonctionner que si la *politie* est de petite dimension et fortement ancrée dans ses valeurs propres. Dans une vision «pluriversaliste», les rapports entre les diverses *polities* au sein du village planétaire pourraient être réglés, avons-nous écrit, par une «démocratie des cultures [2]». Bien évidemment, il ne s'agit pas là d'un gouvernement mondial, mais d'une instance d'arbitrage minimale entre des *polities* souveraines de statuts très divers. «Quand je m'oppose à un gouvernement mondial, remarque encore Panikkar, je ne veux pas aller contre une harmonie universelle ou contre une forme de communication entre les hommes. Je reconnais que l'idée de gouvernement mondial est fantastique et je comprends que celui qui la soutient ne veut pas être le président suprême de l'humanité, mais désire l'harmonie, la paix, la compréhension entre les peuples et voudrait peut-être supprimer comme moi l'État souverain. L'alternative que je cherche à offrir serait la biorégion, c'est-à-dire les régions

---

1. Marco Aime, *La casa di nessuno*, Bollati Borighieri, Turin, 2002, p. 114. Voir aussi le dernier chapitre de notre livre *Justice sans limites*, *op. cit.*

2. Voir «Le retour de l'ethnocentrisme», *Revue du MAUSS*, n° 13, 1er semestre 1999.

naturelles où les troupeaux, les plantes, les animaux, les eaux et les hommes forment un ensemble unique et harmonieux. [...] Il faudrait arriver à un mythe qui permette la *république universelle* sans impliquer ni gouvernement, ni contrôle, ni police mondiale. Cela requiert un autre type de rapports entre les biorégions [1].» Il va de soi que le choix même de l'expression que nous avons utilisée pour désigner l'institution exigée par la dimension globale de certains problèmes est, encore, une façon très occidentale de voir les choses. Un collègue camerounais, le philosophe Jean-Christophe Bidima, confronté au même problème, parlait, lui, de «palabre interculturel»!

Quoi qu'il en soit, la réalisation d'initiatives locales «démocratiques» est plus «réaliste» que celle d'une démocratie mondiale. Il est exclu de renverser frontalement la domination du capital et des puissances économiques. Il ne reste que la possibilité d'entrer en dissidence. C'est précisément la stratégie adoptée par les zapatistes et le sous-commandant Marcos. La reconquête ou la réinvention des *commons* et l'auto-organisation de la biorégion des Chiapas, suivant l'analyse qu'en fait Gustavo Esteva, constitue une illustration possible de la stratégie localiste dissidente [2].

Qu'il y ait là un immense chantier, en particulier du fait que nous sommes tous des «toxico-dépendants» de la croissance, je ne le nie pas. Raison de plus pour s'y attaquer résolument. Quant à penser, comme beaucoup de responsables syndicaux ou politiques de gauche, que les travailleurs sont plus intoxiqués que leurs représentants et inaccessibles aux idées d'une remise en cause de la croissance, il y a là, me semble-t-il, un

---

1. Raimon Panikkar, «Politica e interculturalità», in *Reinventare la politica*, L'Altrapagina, Città di Castello, 1995, p. 22-23.
2. Gustavo Esteva, *Celebration of Zapatismo*, *op. cit.* ; Gustavo Esteva et M.S. Prakash, *Grassroots Postmodernism*, *op. cit.*

singulier mépris à l'égard de ceux dont ils prétendent défendre la cause. La meilleure façon de le savoir est encore de le leur demander. Il est remarquable qu'en France les responsables politiques, de gauche comme de droite, aient toujours refusé d'organiser un référendum sur le nucléaire, tout comme ils sont hostiles aujourd'hui à l'organisation de consultations populaires sur les OGM ou les nanotechnologies. Alors même que les élites ont failli à leur devoir de transparence et d'information, que la manipulation médiatique est massive jusqu'à l'indécence, le résultat est loin d'être acquis. Jusqu'à présent tous les référendums organisés sur le nucléaire dans les États d'Occident ont abouti à un rejet en dépit des pressions. Il en a été de même en Suisse pour les OGM. La population de Bogota s'est même prononcée par référendum pour une ville sans voiture individuelle aux heures de pointe d'ici 2015 [1]. Il n'y a pas plus de raisons de « désespérer de Billancourt » que de nous-mêmes...

---

1. www.ecoplan.org/votebogota2000/.

Conclusion

La pédagogie des catastrophes et le réenchantement du monde

« Le fait que les Hébreux vivaient pour adorer Dieu, et que nous, nous vivons pour augmenter le produit national, ça ne découle ni de la nature, ni de l'économie, ni de la sexualité... Ce sont des positions imaginaires premières, fondamentales, qui donnent un sens à la vie. »

Cornelius Castoriadis [1]

Pour réaliser la nécessaire décolonisation de l'imaginaire et gagner le pari de la décroissance, on peut très largement compter sur la «pédagogie des catastrophes». Cette expression est due, semble-t-il, à Denis de Rougemont. «Je sens venir, écrivait-il, une série de catastrophes organisées par nos soins diligents quoique inconscients. Si elles sont assez grandes pour réveiller le monde, pas assez pour tout écraser, je les dirai pédagogiques, seules capables de surmonter notre inertie et l'invincible propension des chroniqueurs à taxer de "psychose d'Apocalypse" toute dénonciation d'un facteur

1. Cornelius Castoriadis, *Une société à la dérive*, *op. cit.*, p. 193.

de danger bien avéré mais *qui rapporte*[1]». François Partant
a repris l'expression et comptait, lui aussi, sur le sursaut
engendré par les menaces pour sortir du délire de la société
productiviste. Je demeure convaincu que l'inquiétante canicule de l'été 2003 a fait beaucoup plus que tous nos arguments pour convaincre de la nécessité de s'orienter vers une
société de décroissance et populariser ce thème[2].

Les dysfonctionnements inéluctables de la mégamachine
(contradictions, crises, risques technologiques majeurs,
pannes), sources d'insupportables souffrances, sont des malheurs qu'on ne peut que déplorer. Cependant, ce sont aussi
des occasions de prise de conscience, de remise en cause, de
refus, voire de révoltes. Certes, les exemples de catastrophes
qui n'entraînent aucun changement ou, pire, provoquent des
replis pouvant aboutir à des réactions de type «fasciste» ne
manquent pas. La même canicule de l'été 2003 qui a réveillé
la conscience de certains en a poussé beaucoup d'autres à
s'équiper en climatiseurs, dont on connaît l'impact désastreux
sur l'environnement. Toutefois, il y a beaucoup d'exemples en
sens contraire. Un cas parmi d'autres : en décembre 1952, le
smog londonien ayant tué 4000 personnes en cinq jours pro-
voqua une réaction telle qu'on se décida à voter le *Clean Air
Act* de 1956. L'histoire de la vache folle est, en même temps
qu'un bon témoignage de la déraison des hommes, un signal
fort qui, espérons-le, contribuera à freiner l'emballement de
cette machine insensée et si possible à renverser la vapeur.

Cette pédagogie des catastrophes rejoint l'«heuristique
de la peur» du philosophe Hans Jonas. «Il vaut mieux,
écrit-il, prêter l'oreille à la prophétie du malheur qu'à celle

---

1. Denis de Rougemont, *Foi et vie*, avril 1977, cité par François Partant,
Réforme, 3 mars 1979.
2. Comme en témoignent les articles de Jean-Paul Besset, «Faire face à
l'agression climatique» (*Le Monde*, 2 août 2003), et de Corinne Lepage, «Écologie : la révolution ou la mort» (*Le Monde*, 15 août 2003), qui sont de véritables
appels à la décroissance.

du bonheur[1].» Cela non pas par goût masochiste de l'apocalypse, mais précisément pour la conjurer, la politique de l'autruche étant en tout état de cause une forme d'optimisme suicidaire. En tout cas, nous ne préconisons en rien un catastrophisme borné. Tout au plus un «catastrophisme éclairé», pour reprendre l'expression de Jean-Pierre Dupuy... Le vrai problème, comme le souligne ce dernier, est que «nous n'arrivons pas à donner un poids de réalité suffisant à l'avenir, et en particulier à l'avenir catastrophique[2]». «La catastrophe, écrit-il encore, a ceci de terrible que non seulement on ne *croit* pas qu'elle va se produire alors même qu'on a toutes les raisons de *savoir* qu'elle va se produire, mais qu'une fois qu'elle s'est produite elle apparaît comme relevant de l'ordre normal des choses. Sa réalité même la rend banale. Elle n'était pas jugée possible avant qu'elle se réalise; la voici intégrée sans autre forme de procès dans le "mobilier ontologique" du monde, pour parler le jargon des philosophes. [...] C'est cette métaphysique spontanée du temps des catastrophes qui est l'obstacle majeur à la définition d'une prudence adaptée aux temps actuels[3].» «En d'autres termes, conclut-il, ce qui a des chances de nous sauver est cela même qui nous menace[4].» Bernard Charbonneau avait incontestablement raison : «La vraie catastrophe, c'est le développement. Et il ne faut pas oublier qu'il continue. Plus... toujours plus[5]...»

Et pourtant! Compte tenu des «données objectives», comme on dit, cela pourrait être pire. Le monde devrait déjà être à feu et à sang. Si ça ne va pas plus mal, remarque Patrick Viveret, c'est que face à la mécanique mortifère de la méga-

1. Hans Jonas, *Le Principe responsabilité. Une éthique pour la civilisation technologique*, Éditions du Cerf, Paris, 1990, p. 54.
2. *Cahiers de l'IUED*, juin 2003, p. 161. Voir aussi Jean-Pierre Dupuy, *Pour un catastrophisme éclairé, op. cit.*
3. Jean-Pierre Dupuy, *Pour un catastrophisme éclairé, op. cit.*, p. 84-85.
4. *Ibid.*, p. 215.
5. Bernard Charbonneau, *Le Feu vert. Autocritique du mouvement écologique*, Karthala, Paris, 1980, p. 109.

machine il y a la réaction souterraine d'Éros contre Thanatos [1].
Les «coopérateurs ludiques» et les «créatifs culturels» que
nous sommes contrecarrent, même sans s'en rendre compte,
l'action catastrophique des «guerriers puritains» et des «pré-
carisateurs [2]». La résistance et la dissidence, les stratégies du
«lâcher prise» vont dans le sens des forces de vie. La foi
dans cet avenir inquiétant dans lequel il nous faudra vivre
constitue-t-elle pour autant une forme de spiritualité?

Il est certain que la construction d'une société de décroissance ne se fera pas sans un certain réenchantement nouveau
du monde [3]. Faut-il alors appeler de ses vœux un retour des
dieux? «Ce dont nous avons vraiment besoin, c'est d'un mouvement pour un athéisme économique, d'une lame de fond d'in-
croyants [4]», écrit Derek Rasmussen, militant canadien de la paix
et défenseur des Inuit. C'est bien ce que se propose de provoquer
le mouvement de la décroissance. Nous avons vu qu'il s'agit,
à parler rigoureusement, d'une «a-croissance», c'est-à-dire un
a-théisme économique. L'entreprise de décolonisation de l'imaginaire permettant de réaliser cet objectif implique-t-elle une
forme ou une autre de spiritualité? C'est possible. Beaucoup y
inclinent, encore faudrait-il s'entendre sur ce que l'on met derrière cette étiquette, qui heurte facilement les laïcs et les athées,
dont je fais partie. Quelques jours avant son assassinat, le poète et
cinéaste communiste Pier Paolo Pasolini conjurait l'Église catho-
lique d'être «le guide grandiose et non autoritaire de tous ceux
qui refusent le nouveau pouvoir consumériste, lequel est totalement irréligieux, totalitaire, violent, faussement tolérant, voire
même plus répressif que jamais, corrupteur et dégradant [5]».

---

1. Patrick Viveret, *Pourquoi ça ne va pas plus mal?*, *op. cit.*
2. Majid Rahnema, *Quand la misère chasse la pauvreté*, *op. cit.*
3. Voir Jean-Claude Besson Girard, *Decrescendo cantabile. Petit manuel pour une décroissance harmonique*, Parangon, Paris, 2005.
4. Derek Rasmussen, «Valeurs monétisées et valeurs non monétisables», art. cité, p. 25.
5. Pier Paolo Pasolini, «I dilemmi di un Papa oggi», *Corriere della Sera*, 22 septembre 1974, repris dans *Scritti corsari*, *op. cit.*, p. 80. Voir aussi Cecconi

Il existe incontestablement ce qu'on pourrait appeler une «théologie de la décroissance». Spécialiste du développement et de la problématique de la diversité culturelle, j'ai été très souvent confronté à des «curés» ou ex-curés, catholiques ou protestants, théologiens ou pasteurs de l'église réformée comme Jacques Ellul et Gilbert Rist, Arnaud Berthoud, ex-pères blancs comme Michael Singleton, prêtres plus ou moins en rupture de ban comme Ivan Illich, Robert Vachon, Alex Zanotelli, Marc Luycks, Raimon Panikkar et bien d'autres. Ayant moi-même été présenté comme «un païen qui a la foi [1]», peut-être, après tout, suis-je prédisposé pour transmettre aux *miens,* sous une forme profane, des messages produits dans d'autres chapelles... La voie du «pluriversalisme» tracée par Panikkar, par exemple, est la seule, à mes yeux, qui offre un espoir d'éviter la chute dans la barbarie, voire le suicide de l'humanité; celle d'un nouvel art de consommer, préconisée par Berthoud, ouvre sur un retour de la joie de vivre. La relecture de l'Évangile par Alex Zanotelli fonde la non-violence active comme forme de «la résistance d'une partie de la société civile organisée contre l'empire de l'argent [2]».

Faut-il s'étonner de ces connivences entre nouvelles «hérésies» millénaristes et utopies sociales laïques ou en être choqué? Si, avec le sociologue français Émile Durkheim, on définit la religion de façon laïque et très large comme l'ensemble des croyances partagées qui lient une collectivité donnée, il est peu douteux que l'économie, dans le monde contemporain, entre bien dans la case des croyances ou «religions» antérieures, voire se substitue à elles et constitue une nouvelle «catholicité» (*catholicos* signifiant «universel»). Cette substitution peut s'expliquer principalement par deux

Andrea, *Prima e oltre il vangelo. Ernesto Balducci e Pier Paolo Pasolini*, Fondazione Ernesto Balducci, Florence, 2005.
    1. «Serge Latouche, un "pagano con la fede"», *Qualevita*, n° 79, juin 1997.
    2. Alex Zanotelli, *Avec ceux qui n'ont rien*, Flammarion, Paris, 2006, p. 42.

circonstances : l'existence d'un *culte* quasiment universel et transhistorique pour la valeur incarnée (or, argent, biens précieux… le «Dieu fric», comme dit Zanotelli [1]); l'avènement, avec l'émergence de la modernité, d'une *foi* nouvelle dans le progrès et ses corollaires (la technique, la science, la croissance). C'est l'articulation des deux phénomènes qui permet de parler véritablement d'une religion de l'économie.

La société moderne, qui devait s'auto-instituer sans recourir à un garant métasocial et rompre ainsi avec l'hétéronomie traditionnelle, qui devait déboucher sur une véritable démocratie autonome d'hommes libres, s'invente les contraintes les plus fortes et les projette dans une invraisemblable «nature des choses» : la main invisible du marché et la loi du progrès. Ce paradoxe est, bien sûr, inhérent aux Lumières elles-mêmes. Celles-ci prétendaient démystifier les idoles, et effectivement elles ont détruit la tradition, les préjugés anciens et les anciens dieux, mais au nom de nouvelles divinités encore plus puissantes et plus tyranniques : la Rationalité, le Progrès, la Science, la Technique, le Développement économique. À ces idoles, objets d'un culte, d'une dévotion et d'une sacralisation inouïs, les victimes offertes en sacrifice sont innombrables.

Seulement, si la foi dans le progrès et dans l'économie n'est plus un choix de la conscience mais une drogue à laquelle nous sommes tous accoutumés et à laquelle il est impossible de renoncer volontairement, si le progressisme et l'économisme sont ainsi incorporés dans notre consommation quotidienne au point que nous les respirons avec l'air pollué du temps, que nous les buvons avec l'eau contaminée aux pesticides, que nous les mangeons avec la «malbouffe», que nous nous en revêtons avec les fringues fabriquées dans les bagnes du Sud-Est asiatique, si, enfin, ils nous véhiculent dans nos sacro-saintes bagnoles à dérèglement climatique, le «réenchantement» relatif du monde engendré par la science,

1. *Ibid.*, p. 268.

le progrès et le développement est désormais bien défraîchi. «Le tramway marche, certaines causes produisent certains effets, mais nous ne savons plus ce qu'est notre devoir, pourquoi nous vivons, pourquoi nous mourons.» Tel est, plus que jamais, le désenchantement du monde, si bien analysé par Max Weber[1].

Toutefois, si «le sacré est le simulacre institué de l'Abîme», suivant la formule de Castoriadis, les poètes, les peintres et les esthètes de tout poil, bref, tous les spécialistes de l'inutile, du gratuit, du rêve, des parts sacrifiées de nous-mêmes, devraient suffire à la tâche du réenchantement. «Les plus grands écrivains et artistes, note Jean-Paul Besset, ont fouillé en direction de cette autre vie qui, pour les romantiques et les surréalistes, se trouve dans la vie[2].» Est-il vraiment nécessaire de faire appel aujourd'hui aux théologiens, aux ayatollahs, voire aux grandes prêtresses écoféministes des cultes néopaïens syncrétiques ou aux gourous *new age* qui fleurissent ici et là pour meubler le vide de l'âme de nos sociétés à la dérive[3]?

1. Voir Christian Laval, *L'Ambition sociologique*, *op. cit.*, p. 427.

2. Jean-Paul Besset, *Comment ne plus être progressiste... sans devenir réactionnaire*, *op. cit.*, p. 163.

3. Voir Vittorio Lanternari, *Ecoantropologia. Dall'ingerenza ecologica alla svolta etico-culturale*, Edizioni Dedalo, Bari, 2003.

Glossaire de la décroissance

Alteréconomistes : économistes partisans d'une autre mondialisation, d'une autre croissance, d'un autre développement ou d'une autre économie

Biens relationnels : services marchands (et plus encore non marchands) à fort contenu interpersonnel, qui vont du baby-sitting à l'accompagnement dans la mort en passant par l'amitié et l'amour, mais aussi le massage ou la psychanalyse.

Bioéconomie : nom donné à la discipline qui s'efforce, à la suite de Nicholas Georgescu-Roegen, de penser l'économie au sein de la biosphère, c'est-à-dire ouverte sur la logique du vivant.

Biorégions : régions naturelles où les troupeaux, les plantes, les animaux, les eaux, la terre et les hommes forment un ensemble unique et harmonieux.

Contre-productivité : effet négatif engendré par la croissance d'un système ou d'une institution (voiture, école, médecine...) au-delà d'un certain seuil.

Convivialité : la convivialité, à l'origine le fait de vivre et surtout de manger ensemble, en est venue à la suite d'Ivan Illich à désigner la capacité d'une collectivité humaine à développer des échanges harmonieux entre les individus et les groupes qui la composent ainsi qu'à accueillir ce qui lui est étranger.

Cornucopien (esprit) : littéralement, qui croit dans la corne d'abondance. Par extension, foi aveugle dans la science, le progrès et la technique.

Croissance : «c'est la progression du PIB, c'est-à-dire la progression du volume de toutes les productions de biens et de services qui se vendent, ou qui coûtent monétairement, *produites par du travail rémunéré*» (Jean Gadrey).

Déconsommation (ou *downshifting*) : selon le *Concise Oxford Dictionary*, *to downshift* signifie «modifier son style de vie pour un autre, moins stressant». Il s'agit en d'autres termes de travailler, produire, dépenser et consommer moins en réaction à l'ultraconsumérisme.

Développement durable : selon le rapport Brundtland[1], il s'agit d'un «mode de développement qui permet la satisfaction des besoins présents sans compromettre la capacité des générations futures à satisfaire les leurs». Autrement dit, un «processus de changement par lequel l'exploitation des ressources, l'orientation des investissements, les changements techniques et institutionnels se trouvent en harmonie».

Disvaleur : mot introduit par Illich pour désigner «la perte qui ne saurait s'estimer en termes économiques». Une perte que l'économiste ne peut pas vraiment évaluer. Par exemple, «il n'a aucun moyen d'estimer ce qui arrive à une personne qui perd l'usage effectif de ses pieds parce que l'automobile exerce un monopole radical sur la locomotion. Ce dont cette personne est privée n'est pas du domaine de la rareté».

Écobilan : aussi appelé analyse du cycle de vie (ACV) : «un bilan quantifié des flux de matière et d'énergie entrant et sortant aux frontières d'un système représentatif du cycle de vie d'un produit ou d'un service» (Yves Cochet).

Écoefficience : économie d'intrants (matières premières, énergie et produits intermédiaires) entrant dans la production des produits consommés du fait du progrès technique et susceptible de réduire progressivement l'impact écologique et l'intensité du prélèvement des ressources naturelles. Ainsi, l'intensité énergétique pour produire un euro de PIB diminue en moyenne de 0,7 % par an en Europe depuis 1991.

---

1. Commission mondiale sur l'environnement et le développement, *Notre avenir à tous*, Éditions du Fleuve, Sainte-Foy (Québec, Canada), 1987.

Écocapitalisme : conception d'un capitalisme respectueux de l'écosystème terrestre. On retrouve au centre de l'approche du développement capitaliste écocompatible, l'écoefficience et les stratégies gagnant-gagnant (*win-win*) soutenues par Entreprises pour l'environnement, dont le slogan est : «L'écologie pas l'idéologie!» Le courant de l'«écologie industrielle» s'est efforcé de théoriser cette approche en s'appuyant sur la courbe de Kuznets.

Écosocialisme : socialisme écologique, c'est-à-dire compatible avec les capacités de régénération de la biosphère.

Écorégions (I. Sachs) : voir Biorégions.

Effet rebond : «augmentation de consommation liée à la réduction des limites à l'utilisation d'une technologie, ces limites pouvant être monétaires, temporelles, sociales, physiques, liées à l'effort, au danger, à l'organisation [...]. Le TGV va plus vite, on se déplace donc plus loin et plus souvent. La maison est mieux isolée, on épargne de l'argent, on achète une seconde voiture. Les ampoules fluocompactes dépensent moins d'électricité, on les laisse allumées. L'Internet dématérialise l'accès à l'information, on imprime plus de papier. Il y a plus d'autoroutes, le trafic augmente... Les technologies efficaces incitent à l'augmentation de la consommation, le gain est surcompensé par un accroissement des quantités consommées» (François Schneider).

Empreinte écologique : «l'empreinte écologique d'une population représente la surface terrestre productive de sols et d'océans nécessaire pour fournir les ressources consommées par cette population et en assimiler les déchets et autres rejets» (Mathis Wackernagel).

Entropie : désigne le processus irréversible de la dégradation de l'énergie. L'énergie mécanique utilisée par l'industrie se transforme principalement en chaleur; cette énergie calorique, une fois dissipée, ne peut redevenir une énergie mécanique sans apport nouveau d'énergie. Ce principe, découvert par Sadi Carnot en 1824, a été étendu à l'économie par Nicholas Georgescu-Roegen.

Externalité : relation entre agents économiques (le plus souvent du producteur vers le consommateur) qui a une influence positive ou négative sur leur bien-être, sans être médiatisée par le système des prix. Ce type de relation fait partie des « défaillances de marché » (*market failures*).

Glocal : le retrait relatif du national au Nord et de ses tutelles, engendré par la mondialisation, *réactive* le « régional » et le « local ». On a forgé le vocable « glocal » pour désigner cette nouvelle articulation du global et du local. Le plus souvent, cette *instrumentalisation* du local par le global sert d'alibi à la poursuite de la désertification du tissu social et n'est qu'un sparadrap collé sur une plaie béante, autrement dit un discours d'illusion et de diversion.

Paradoxe de Jevons : voir Effet rebond.

Productivisme : augmentation indéfinie de la puissance productive en vue de satisfaire l'exigence de bien-être social par la logique de développement des forces productives, libérées de la propriété privée et mises au service du prolétariat, pour le marxisme, et par la dynamique des mécanismes du marché, en éliminant les obstacles à son fonctionnement, pour le capitalisme.

Rendement soutenable maximum (*maximum sustainable yield*) : quantité maximale de ressources susceptible d'être exploitée à chaque période sans porter atteinte à leur capacité de régénération (exemples : les forêts, la pêche).

Risque esthétique : dégradation des paysages naturels ou des sites anthropisés (à la ville comme à la campagne) entraînée par l'activité économique (exemple : l'exploitation d'une mine de charbon).

Surcroissance : désigne le fait d'accroître la production au-delà de toute nécessité « raisonnable », d'où surproduction et surconsommation.

Stagnationniste : adepte de l'état stationnaire.

Substituabilité des facteurs (capital/nature) : hypothèse selon laquelle une quantité accrue d'équipements, de connaissances et de compétences doit pouvoir prendre le relais de quantités moindres de capital naturel pour assurer le maintien, dans le temps, des capacités de production et de satisfaction du bien-être des individus.

Bibliographie

Adret (coll.), *Travailler deux heures par jour*, Seuil, Paris, 1977.

Aime Marco, *La casa di nessuno*, Bollati Borighieri, Turin, 2002.

Ariès Paul, « La décroissance est-elle soluble dans la modernité ? », *Silence*, n° 302, octobre 2003.

—, *Décroissance ou barbarie*, Golias, Villeurbanne, 2005.

Aristote, *Politique*, Les Belles Lettres, Paris, 1968.

Attac, *Le développement a-t-il un avenir ?*, Mille et une nuits, Paris, 2004.

Aubertin Catherine, « Johannesburg : retour au réalisme commercial », *Écologie et politique*, n° 26, 2002.

— et Vivien Franck-Dominique (dir.), *Le Développement durable. Enjeux politiques, économiques et sociaux*, La Documentation française, Paris, 2006.

Aubin Jean, *Croissance : l'impossible nécessaire*, Planète bleue, Le Theil, 2003.

Azam Geneviève, « Nouveaux paradis fiscaux », *Politis*, 8 mai 2003.

Baudrillard Jean, *La Société de consommation*, Denoël, Paris, 1970.

Bauman Zygmunt, *Le Coût humain de la mondialisation*, Hachette Littératures, Paris, 1999.

Bayon Denis, « Décroissance économique : vers une société de sobriété écologique », www.ladecroissance.org.

Beckerman Wilfred, « Economic growth and the environment : whose environment ? », *World Development*, vol. 20, n° 4, 1992.

Beitone Alain *et al.*, *Lexique de sociologie*, Dalloz, Paris, 2005.

Belpomme Dominique, *Ces maladies créées par l'homme*, Albin Michel, Paris, 2004.

Benoist Alain de, *Comunità e decrescita. Critica della ragion mercantile*, Arianna Editrice, Casalecchio di Reno, 2006.

Bensaude-Vincent Bernadette, Djebbar Ahmed, Gourinet Michel *et al.*, *Figures de la science*, Parenthèses, Marseille, 2005.

Bernard Michel, «Sortir des pièges de l'effet rebond», *Silence*, n° 322, avril 2005.

Berthoud Arnaud, «La richesse et ses deux types», *Revue du MAUSS*, n° 21, 1er semestre 2003.

—, *Une philosophie de la consommation. Agent économique et sujet moral*, Presses universitaires du Septentrion, Villeneuve-d'Ascq, 2005.

Besset Jean-Paul, *Comment ne plus être progressiste... sans devenir réactionnaire*, Fayard, Paris, 2005.

Besson-Girard Jean-Claude, *Decrescendo cantabile. Petit manuel pour une décroissance harmonique*, Parangon, Paris, 2005.

Binswanger Hans Christoph et Flotow Paschen von, *Geld und Wachstumszwang*, Weitbrecht, Stuttgart, 1991.

Bodinat Baudouin de, *La Vie sur terre. Réflexions sur le peu d'avenir que contient le temps où nous sommes*, t. 1, Éditions de l'Encyclopédie des nuisances, Paris, 1996.

Boisvert Dominique, *L'ABC de la simplicité volontaire*, Écosociété, Montréal, 2005.

Bologna Gianfranco (dir.), *Italia capace di futuro*, WWF-EMI, Bologne, 2000.

Bonaiuti Mauro, *La teoria bioeconomica. La «nuova economia» di Nicholas Georgescu-Roegen*, Ed. Carocci, Rome, 2001.

—, *Nicholas Georgescu-Roegen. Bioeconomia. Verso un'altra economia ecologicamente e socialmente sostenibile*, Bollati Boringhieri, Turin, 2003.

Bonesio Luisa, «Paysages et sens du lieu», *Éléments*, n° 100, mars 2001.

Bontems Philippe et Rotillon Gilles, *L'Économie de l'environnement*, La Découverte, Paris, 1998.

Bookchin Murray, *Pour un municipalisme libertaire*, Atelier de création libertaire, Lyon, 2003.

Breton Stéphane, *Télévision*, Hachette Littératures, Paris, 2006.

Brown Lester R., *Éco-économie. Une autre croissance est possible, écologique et durable*, Seuil, Paris, 2003.

—, *Blueprint for a Better Planet*, Mother Earth News, Hendersonville, 2004.

—, «Plan B : Come affrontare la crisi alimentare incipiente», *in* Andrea Masullo (dir.), *Economia e Ambiente. La sfida del terzo millennio*, EMI, Bologne, 2005.

Brune François, *De l'idéologie, aujourd'hui*, Parangon, Paris, 2005.

Bruni Luigino, «L'economia e i paradossi della felicita», *in* Pier Luigi Sacco et Stefano Zamagni (dir.), *Complessita' relazionale e comportamento economico*, Il Mulino, Bologne, 2002.

Caillé Alain, «Décalogue éthico-politique à l'usage des modernes», *Revue du MAUSS*, n° 20, 2e semestre 2002.

—, *Dé-penser l'économique : contre le fatalisme*, La Découverte, Paris, 2005.

Cane E. et Rawe J., *Time Dollars*, Rodale Press, Emmaus (Pennsylvanie), 1992.

Castoriadis Cornelius, *Une société à la dérive. Entretiens et débats, 1974-1997*, Seuil, Paris, 2005.

Cecconi Andrea, *Prima e oltre il vangelo. Ernesto Balducci e Pier Paolo Pasolini*, Fondazione Ernesto Balducci, Florence, 2005.

Charbonneau Bernard, *Le Feu vert. autocritique du mouvement écologique*, Karthala, Paris, 1980.

Chastenet Patrick, *Entretiens avec Jacques Ellul*, La Table ronde, Paris, 1994.

Cheynet Vincent et Cheynet Denis, «La décroissance pour l'emploi», *La Décroissance*, n° 3, juillet 2004.

Cicéron, *Caton l'ancien. De la vieillesse (De senectute)*, Les Belles Lettres, Paris, 1996.

Closets François de, *En danger de progrès*, Denoël, Paris, 1970.

Club Échanges et Projets, *La Révolution du temps choisi*, Albin Michel, Paris, 1980.

Cochet Yves et Sinaï Agnès, *Sauver la Terre*, Fayard, Paris, 2003.

Cochet Yves, *Pétrole apocalypse*, Fayard, Paris, 2005.

Coll., *Les Dirigeants face au changement*, Éditions du huitième jour, Paris, 2004.

Coll., *Objectif décroissance. Vers une société harmonieuse*, Parangon, Paris, 2003.

Coluccia Paolo, *La cultura della reciprocita'. Il sistemi di scambio locale non monetari*, Arianna Editrice, Casalecchio di Reno, 2002.

Comeliau Christian (dir.), *Brouillons pour l'avenir : contributions au débat sur les alternatives*, IUED/PUF, Genève/Paris, 2003.

Corcuff Philippe, «Le pari démocratique à l'épreuve de l'individualisme contemporain», *Revue du MAUSS*, n° 25, 1er semestre 2005.

Crouch Colin, *Postdemocrazia*, Laterza, Rome-Bari, 2003.

Dahl Gudrun et Megerssa Gemtchu, «The spiral of the Ram's Horn : Boran concepts of development», *in* Majid Rahnema et Victoria Bawtree, *The Post-Development Reader*, Zed Books, Londres, 1997.

Daly Herman, *Beyond Growth. The Economics of Sustainable Development*, Boston, Beacon Press, 1996.

Dardenne Martine et Trussart Georges (dir.), *Penser et agir avec Illich. Balises pour l'après-développement*, Couleur livres, Bruxelles, 2005.

Debord Guy, *La Société du spectacle*, Gallimard, Paris, 1996.

Défaire le développement, refaire le monde, Parangon, Paris, 2002.

Delphy Christine, *L'Ennemi principal*, t. 1 : *L'Économie politique du patriarcat*, Syllepse, Paris, 1998.

Dictionnaire des sciences économiques, PUF, Paris, 2001.

Didier Georges, «Moins consommer demande un renoncement et un pont entre psychologie et écologie», *Silence*, n° 302, novembre 2003.

Duclos Denis, *Société-monde, le temps des ruptures*, La Découverte, Paris, 2002.

Dumazedier Joffre, *Vers une civilisation du loisir ?*, Seuil, Paris, 1972.

Dumochel Paul et Dupuy Jean-Pierre, *L'Enfer des choses. René Girard et la logique de l'économie*, Seuil, Paris, 1979.

Dupuy Jean-Pierre, «Ivan Illich ou la bonne nouvelle», *Le Monde*, 27 décembre 2002.

—, *Pour un catastrophisme éclairé. Quand l'impossible est certain*, Seuil, Paris, 2002.

— et Robert Jean, *La Trahison de l'opulence*, PUF, Paris, 1976.

Durkheim Émile, *De la division du travail social*, Alcan, Paris, 1926.

Elgin Duane, *Voluntary Simplicity : Toward a Way that is Outwardly Simple, Inwardly Rich*, Morrow, New York, 1981.

Ellul Jacques, *Changer de révolution. L'inéluctable prolétariat*, Seuil, Paris, 1982.

—, *Le Bluff technologique*, Hachette Littératures, Paris, 1998.

—, *Métamorphose du bourgeois*, La Table ronde, Paris, 1998.

Esteva Gustavo, *Celebration of Zapatismo. Multiversity and Citizens International*, Penang, 2004.

— et Prakash Madhu Suri, *Grassroots Postmodernism. Remaking the Soil of Cultures*, Zed Books, Londres, 1998.

Flahault François, *Pourquoi limiter l'expansion du capitalisme?*, Descartes et Cie, Paris, 2003.

Fotopoulos Takis, *Vers une démocratie générale. Une démocratie directe économique, écologique et sociale*, Seuil, Paris, 2002.

Fourastié Jean, article «Niveau de vie», *in* Jean Romoeuf, *Dictionnaire des sciences économiques*, PUF, Paris, 1958.

Fourquet François (dir.), *Les Comptes de la puissance. Histoire politique de la comptabilité nationale et du Plan*, Recherches, Paris, 1980.

Gadrey Jean, «De la critique de la croissance à l'hypothèse de la décroissance. Croissance et innovation», *Cahiers français*, n° 323.

— et Jany-Catrice Florence, *Les Nouveaux Indicateurs de richesse*, La Découverte, Paris, 2005.

Galbraith John Kenneth, *Les Mensonges de l'économie. Vérité pour notre temps*, Grasset, Paris, 2004.

Garnier Jean-Pierre, *Le Capitalisme high-tech*, Amis de Spartacus, Paris, 1988.

Gendron Corinne et Reveret Jean-Pierre, «Le développement durable», *Économies et sociétés*, série F, n° 37, 2000.

Georgescu-Roegen Nicholas, *Demain la décroissance*, présentation et traduction de Jacques Grinevald et Ivo Rens, Sang de la terre, Fontenay-le-Fleury, 1995.

Gesualdi Francesco, *Sobrietà. Dallo spreco di pochi ai diritti per tutti*, Feltrinelli, Milan, 2005.

Ghazy Polly et Jones Judy, *Downshifting. A Guide to Happier Simpler Living*, Hodder et Stoughton, Londres, 2004.

Godbout Jacques, *La Démocratie des usagers*, Boréal, Montréal, 1987.

Godin Christian, *La Fin de l'humanité*, Champ-Vallon, Seyssel, 2003.

Goldsmith Edward, *Le Défi du xxie siècle. Une vision écologique du monde*, Éditions du Rocher, Paris, 1994.

Gorz André, *Capitalisme, socialisme, écologie. Désorientations, orientations*, Galilée, Paris, 1991.

Granstedt Ingmar, *Peut-on sortir de la folle concurrence? Petit manifeste à l'intention de ceux qui en ont assez*, La Ligne d'horizon, Paris, 2006.

Gras Alain, *Fragilité de la puissance*, Fayard, Paris, 2003.

Halimi Serge, *Le Grand Bond en arrière. Comment l'ordre libéral s'est imposé au monde*, Fayard, Paris, 2006.

Hansen Alvin H., *Full Recovery or Stagnation?*, W.W. Norton, New York, 1938.

Harribey Jean-Marie, «Répartition ou capitalisation, on ne finance jamais sa propre retraite», *Le Monde*, 3 novembre 1998.

—, «Développement durable : le grand écart», *L'Humanité*, 15 juin 2004.

—, «Développement ne rime pas forcément avec croissance», *Le Monde diplomatique*, juillet 2004.

Heidegger Martin, *Qu'appelle-t-on penser?*, PUF, Paris, 1973.

Heinberg Richard, *The Party's Over*, Clairview Books, 2005.

Hélias Pierre Jakez, *Le Cheval d'orgueil. Mémoires d'un Breton du pays bigouden*, Plon, Paris, 1975.

Hobbes Thomas, *Léviathan*, Sirey, Paris, 1971.

Hoogendijk Willem, *The Economic Revolution. Towards a Sustainable Future by Freeing the Economy from Money-Making*, International Books, Utrecht, 1991.

—, *Let's Stop Tsunamis*, Earth Foundation, Utrecht, 2005.

Howard Dick, «La démocratie n'est pas une politique», *Revue du MAUSS*, n°25, 1er semestre 2005.

Hyde Lewis, *The Gift. Imagination and the Erotic Life of Property*, Vintage Books, New York, 1983.

Illich Ivan, «L'origine chrétienne des services», in *La Perte des sens*, Fayard, Paris, 2004.

—, *Œuvres complètes*, t. 1, Fayard, Paris, 2004.

—, *Œuvres complètes*, t. 2, Fayard, Paris, 2005.

Jacquard Albert, *L'Équation du nénuphar. Les plaisirs de la science*, Calmann-Lévy, Paris, 1998.

Jevons William Stanley, *The Coal Question. An Inquiry Concerning the Progress of the Nation and the Probable Exhaustion of Our Coal-Mines*, Macmillan and Co, Londres, 1865.

Jolivet Marcel, *Le Développement durable, de l'utopie au concept. De nouveaux chantiers pour la recherche*, Éditions scientifiques et médicales Elsevier, Issy-les-Moulineaux, 2001.

Jonas Hans, *Le Principe responsabilité. Une éthique pour la civilisation technologique*, Editions du Cerf, Paris, 1990.

Jouvenel Bertrand de, *Arcadie. Essai sur le mieux-vivre*, Futuribles, Paris, 1968.

Joxe Alain, «Démocratie et globalisation», *Revue du MAUSS*, n° 25, 1er semestre 2005.

Kastler Guy, *Ensemble sauvons notre planète. Propos recueillis par Marie-Florence Beaulieu*, Guy Trédaniel Éditeur, Paris, 2005.

Kempf Hervé, *L'Économie à l'épreuve de l'écologie*, Hatier, Paris, 1991.

La Cecla Franco, *Le Malentendu*, Balland, Paris, 2002.

Lane Robert E., *The Loss of Happiness in Market Democracies*, Yale University Press, New Haven, 2000.

Lanternari Vittorio, *Ecoantropologia. Dall'ingerenza ecologica alla svolta etico-culturale*, Edizioni Dedalo, Bari, 2003.

Laulan Yves-Marie, *Le tiers-monde et la crise de l'environnement*, PUF, Paris, 1974.

Laval Christian, *L'Ambition sociologique. Saint-Simon, Comte, Tocqueville, Marx, Durkheim, Weber*, La Découverte, Paris, 2002.

Le Carré John, *Une amitié absolue*, Paris, Seuil, 2004.

Leakey Richard et Levin Roger, *La Sixième Extinction : évolution et catastrophes*, Flammarion, Paris, 1997.

Lefebvre Henri, *La Vie quotidienne dans le monde moderne*, Gallimard, Paris, 1968.

Liegard Fabrice, *Travail et économie dans les communautés d'Emmaüs*, rapport au ministère de la Culture, 2003.

Lucrèce, *De la nature*, Flammarion, Paris, 1964.

Maffesoli Michel, *La Transfiguration du politique. La tribalisation du monde postmoderne*, La Table ronde, Paris, 2002.

Magnaghi Alberto, *Le Projet local*, Mardaga, Sprimont, 2003.

Malthus Thomas Robert, *Principes d'économie politique*, Arthaud, Paris, 1820.

Mansholt Sicco, *La Crise. Conversations avec Janine Delaunay*, Stock, Paris, 1974.

Maris Bernard, *Antimanuel d'économie*, Bréal, Rosny-sous-Bois, 2003.

Martin Hervé-René, *La Mondialisation racontée à ceux qui la subissent*, vol. 2 : *La Fabrique du diable*, Climats, Paris, 2003.

Masullo Andrea, *Il pianeta di tutti. Vivere nei limiti perchè la terra abbia un futuro*, EMI, Bologne, 1998.

—, *Dal mito della crescita al nuovo umanesimo. Verso un nuovo modello di sviluppo sostenibile*, Delta 3 Edizioni, Grottaminarda, 2004.

— (dir.), *Economia e Ambiente. La sfida del terzo millennio*, EMI, Bologne, 2005.

Matheson Richard, *Je suis une légende* (1954), Gallimard, Paris, 2001.

McKibben Bill, « Small world. Why on small town stays unplugged », *Harper's*, 2003.

Meadows D.L., Randers J., Behrens W., *The Limits to Growth. A Report for The Club of Rome's Project on the Predicament of Mankind*, Universe Books, New York, 1972 (trad. fr. *Halte à la croissance !*, Fayard, Paris, 1972).

Mesarovic Mihajlo et Pestel Eduard, *Strategie per sopravvivere*, Mondadori, Milan, 1974.

Michéa Jean-Claude, *Orwell éducateur*, Climats, Paris, 2003.

Mignot-Lefebvre Yvonne et Lefebvre Michel, *Les Patrimoines du futur. Les sociétés aux prises avec la mondialisation*, L'Harmattan, Paris, 1995.

Mill John Stuart, *Principes d'économie politique* (1848), in *Stuart Mill*, Dalloz, Paris, 1953.

Mongeau Serge, *La Simplicité volontaire, plus que jamais...*, Éco-société, Montréal, 1998.

Mothé Daniel, *L'Utopie du temps libre*, Esprit, Paris, 1997.

Mumford Lewis, *Technique et civilisation*, Seuil, Paris, 1970.

Mylondo Baptiste, *Des caddies et des hommes*, La Dispute, Paris, 2005.

Neurohr Pierre-Emmanuel, « Sortir du tout-jetable », *Libération*, 10-11 janvier 2004.

Norwood Robin, *Women Who Love Too Much*, Simon & Schuster, New York, 1985.

O'Connor James, *L'ecomarxismo. Introduzione ad una teoria*, Data News, Rome, 1989.

Pallante Maurizio, *Un futuro senza luce?*, Editori Riuniti, Rome, 2004.

—, « Il manifesto per la decrescita felice », *Il consapevole*, n° 2, mars-avril 2005.

—, « Care, losche e triste acque in bottighie di plastica », *Il consapevole*, n° 2, mars-avril 2005.

—, *La decrescita felice. La qualità della vita non depende dal PIL*, Editori Riuniti, Rome, 2005.

Panikkar Raimon, « Alternative à la culture moderne », *Interculture* (Montréal), n° 77, octobre-décembre 1982.

—, « Politica e interculturalità », in *Reinventare la politica*, L'Altrapagina, Città di Castelo, 1995.

—, « Qui a peur de perdre son identité l'a déjà perdue », entretien avec Henri Tincq, *Le Monde*, 2 avril 1996.

—, *Le Pluriversalisme*, Parangon, Paris, 2006.

Paquot Thierry, *Éloge du luxe. De l'utilité de l'inutile*, Bourin Éditeur, Paris, 2005.

Parker Édouard (dir.), *Objectif 10 % de croissance*, Critérion, Paris, 1993.

Pasolini Pier Paolo, *Scritti corsari*, Garzanti Libri, Milan, 2005.

Passet René, *L'Économique et le Vivant*, Payot, Paris, 1979.

Pellé-Douël Christilla, *Voulez-vous changer de vie? Consommation, travail, environnement, argent...*, Le Cherche Midi Éditeur, Paris, 2005.

Pérez-Vitoria Silvia, *Les paysans sont de retour*, Actes Sud, Arles, 2005.

Plassard François, *Horizon 2007, quel vrai débat?*, à paraître.

PNUD, *Rapport mondial sur le développement humain 2004. La liberté culturelle dans un monde diversifié*, Economica, Paris, 2004.

Poncelet Marc, *Une utopie post-tiers-mondiste. La dimension culturelle du développement*, L'Harmattan, Paris, 1994.

Porquet Jean-Luc, *Jacques Ellul. L'homme qui avait presque tout prévu*, Le Cherche Midi Éditeur, Paris, 2003.

Pörsken Uwe, *Plastikwörter. Die Sprache einer internationalen Diktatur*, Klett-Cotta, Stuttgart, 1988.

Poulot Denis, *Le Sublime ou le travailleur comme il est en 1870, et ce qu'il peut être*, La Découverte, Paris, 1980.

Putnam Robert, *Bowling Alone. The Collapse and Revival of American Community*, Simon & Schuster, New York, 2000.

Rahnema Majid, *Quand la misère chasse la pauvreté*, Fayard/ Actes Sud, Paris/Arles, 2003.

— et Bawtree Victoria, *The Post-Development Reader*, Zed Books, Londres, 1997.

Ramade François, *Le Grand Massacre. L'avenir des espèces vivantes*, Hachette Littératures, Paris, 1999.

Rasmussen Derek, «Valeurs monétisées et valeurs non monétisables» (titre original «The priced versus the priceless»), *Inter-culture* (Montréal), n° 147, octobre 2004.

Reich Robert, *The Future of Success*, Alfred A. Knopf, New York, 2000.

Rist Gilbert, *Le Développement. Histoire d'une croyance occiden-tale*, Presses de Sciences-Po, Paris, 1996.

Robert Isabelle, «La diffusion du concept de développement durable au sein des familles : une étude exploratoire», *Recherches familiales*, n° 3, «La famille», 2006.

Rossi Achille, *Le Mythe du marché*, Climats, Paris, 2005.

Rouland Norbert, *Aux confins du droit. Anthropologie juridique de la modernité*, Odile Jacob, Paris, 1991.

Roy Arundathy, «Défaire le développement, sauver le climat», *L'Écologiste*, n° 6, hiver 2001.

Sahlins Marshall, *Âge de pierre, âge d'abondance. L'économie des sociétés primitives* (1972), Gallimard, Paris, 1976.

Saint-Marc Philippe, *L'Économie barbare*, Éditions Frison-Roche, Paris, 1994.

Schumpeter Joseph, *Histoire de l'analyse économique*, t. III : *L'Âge de la science : de 1870 à J.M. Keynes*, Gallimard, Paris, 1983.

—, *Capitalisme, socialisme et démocratie*, Payot, Paris, 1990.

Serres Michel, *Le Contrat naturel*, Flammarion, Paris, 1992.

Shiva Vandana, «Resources», in *The Development Dictionary*, Zed Books, Londres, 1991.

—, «The world on the edge», *in* Will Hutton et Anthony Giddens (dir.), *On the Edge : Living with Global Capitalism*, New Press, New York, 2000.

—, *Le Terrorisme alimentaire. Comment les multinationales affament le tiers-monde*, Fayard, Paris, 2001.

—, *La Guerre de l'eau*, Parangon, Paris, 2003.

Snyder Gary, *The Old Ways*, City Lights Books, San Francisco, 1977.

Stanton William, *The Rapid Growth of Human Population 1750-2000. Histories, Consequences, Issues, Nation by Nation*, Multi-Science Publishing, Brentwood, 2003.

Strange Susan, *The Retreat of the State. The Diffusion of Power in the World Economy*, Cambridge University Press, Cambridge, 1996.

Sweezy Alan, "Secular stagnation", *in* Seymour E. Harris, *Postwar Economics Problems*, McGraw-Hill Company, New York, 1943.

Tarde Gabriel, *Fragment d'histoire future*, Slatkine, Genève, 1980.

Tarozzi Alberto, *Ambiente, Migrazioni, Fiducia*, L'Harmattan Italia, Turin, 1998.

Tertrais Jean-Pierre, *Du développement à la décroissance. De la nécessité de sortir de l'impasse suicidaire du capitalisme*, Éditions du Monde libertaire, Paris, 2004.

Testart Jacques, *Le Vélo, le Mur et le Citoyen. Que reste-t-il de la science ?*, Belin, Paris, 2006.

Teune Henry, *Growth*, Sage Publications, Londres, 1988.

The Development Dictionary. A Guide to Knowledge as Power, Zed Books, Londres, 1992.

Tiezzi Enzo, préface à Nicola Russo, *Filosofia ed ecologia*, Guida Editori, Naples, 1998.

— et Marchettini Nadia, *Che cos'è lo sviluppo sostenibile?*, Donzelli, Rome, 1999.

Tinbergen Jan, *Politique économique et optimum social*, Economica, Paris, 1972.

Tocqueville Alexis de, *Souvenirs*, Gallimard, Paris, 1942.

Vachon Robert, «Le terrorisme de l'argent (II)», *Interculture* (Montréal), n° 149, octobre 2005.

Vatin François, *Trois Essais sur la genèse de la pensée sociologique : politique, épistémologie, cosmologie*, La Découverte, Paris, 2005.

Védrine Hubert, «Surmonter l'insurmontable», *Le Débat*, n° 133, janvier-février 2005.

Veyne Paul, *Le Pain et le Cirque. Sociologie historique d'un pluralisme politique*, Seuil, Paris, 1976.

Virilio Paul, *L'Espace critique. Essai sur l'urbanisme et les nouvelles technologies*, Christian Bourgois, Paris, 1984.

Viveret Patrick, *Reconsidérer la richesse*, Éditions de l'Aube, La Tour-d'Aigues, 2003.

—, *Pourquoi ça ne va pas plus mal?*, Fayard, Paris, 2005.

Vivien Franck-Dominique, «Jalons pour une histoire de la notion de développement durable», *Mondes en développement*, n° 121, 2003/1.

Vivien Franck-Dominique, *Le Développement soutenable*, La Découverte, Paris, 2005.

Wackernagel Mathis, «Il nostro pianeta si sta esaurendo», *in* Andrea Masullo (dir.), *Economia e Ambiente. La sfida del terzo millennio*, EMI, Bologne, 2005.

Walker Perry et Goldsmith Edward, «Une monnaie pour chaque communauté», *Silence*, n° 246-247, août 1999.

Watzlawick Paul, Weakland John H. et Fisch Richard, *Changements. Paradoxes et psychothérapie*, Seuil, Paris, 1975.

Weizsäcker Ernst Ulrich von, Lovins Amory B. et Lovins L. Hunter, *Facteur 4*, Terre Vivante, Paris, 1997.

Wilson Edward O., *The Diversity of Life*, Belknap Press, Harvard, 1992 (trad. fr. *La Diversité de la vie*, Odile Jacob, Paris, 1993).

Zanotelli Alex, *Avec ceux qui n'ont rien*, Flammarion, Paris, 2006.

Zinn Howard, *Une histoire populaire des États-Unis, de 1492 à nos jours*, Agone, Marseille, 2002.

Cet ouvrage a été composé en Times par Palimpseste à Paris

Impression réalisée sur CAMERON par
BRODARD ET TAUPIN
La Flèche

pour le compte des Éditions Fayard
en septembre 2006

Imprimé en France
Dépôt légal : septembre 2006
N° d'édition : 76515 – N° d'impression : 37704
ISBN : 2-213-62914-5
35-57-3114-2/01